Construction Management for Buildings

初学者の建築講座
建築施工（第四版）

角田　誠　編著

市ケ谷出版社

「建築施工」(第四版)の発行にあたって

 2003年(平成15年)10月に本書の初版を出版して以来,増刷の都度,法律や基準・規準の改正,施工技術の変化に対して必要な修正を加えてきた。
 2010年には,建築生産の仕組みの変化に対応して,建物のライフサイクルや建築生産プロセスなどに関する説明を加え,また専門に過ぎる事柄に関する説明を簡略化して理解のしやすさを図り,さらに学習の一助となる参考資料を出来るだけ明示するなどの工夫をした上で,「改訂版」を出版した。
 2016年,建築生産の仕組みの更なる変化や施工技術の革新と進歩,また社会環境の変化に伴なう建築生産に対する注目点の変化などへの対応に主眼を置き,改訂版出版後に多くの方々から頂戴したご意見をも参考にして,全面的な見直しを行い「第三版」を発行した。

 この度,時代の変化に対応すべく,第三版に手を加え,多くの読者から頂いた貴重なご意見をもとに内容を精査するとともに,新しい著者にも加わっていただき,「第四版」を発行するに至った。
 見直しの主要な点は以下である。
 ① 建物の建設と施工にかかわる環境問題および建物完成後の維持管理や改修に関する説明を詳しく記述した。
 ② 基礎的な知識をふまえたうえで,特に仕上工事,設備工事,建設機械などについて,最近の施工技術や材料の変化に対応した。
 ③ また,第四版では,「1級建築施工管理技士」によく出題される問題を選出し,必要に応じて改変し,実践的な○・×問題とした。

 将来,建築施工管理を担う人のための基礎的学習をする人達に,本書がより一層大きな助けとなることを願っている。

2025年2月　　　　　　　　　　　　　　　　　　　　　　　　　　角田　　誠

「建築施工」執筆にあたって（初版発行時）

　建築の施工は，平たく一言で言うと，設計図に基づいて建物を建てることである。具体的には，設計図書を理解し，要所では発注者や設計者と十分な意見の交換を行ったうえで，発注者が満足する品質の建物を，予定工期を守りかつ予算に合わせて安全に建てる，さらに近隣地域や社会環境への十分な配慮も行うといった，多くの事柄が複雑に関わり合っている。

　「施工」を学び教える教育現場では，一般的な施工に関する技術が一通り解説され，それでいて一つの建物を建てるといった一貫性を持った構成となっている参考図書が求められてきた。
　しかし，従来の施工に関するテキストはコンクリート工事，木工事などといった工事種別ごとの解説に終始し，施工の流れを把握しにくいものが多く，また一方，基礎知識を解説したいわゆる入門書に位置する本は，建物の規模や種別を特定しているものが多く，一般性に欠けている。
　本書では，躯体工事については，採用頻度の高い鉄筋コンクリート造と鉄骨造を中心に据え，仕上工事については，より多く取り扱われるものについて解説した。その上で，出来るだけ工事種別ごとの関連についても解説し，理解が進むように配慮してある。

　本書は，大学・短期大学・専門学校などで建築・住居学・インテリアなどを初めて学ぶ人達が興味を持って学習できるように，目の前に建設中の現場があるような臨場感を持たせた分かりやすさを目指した。これによって，初学者にも建築の施工の全体像が捉えやすくなり，施工の生き生きとした流れを把握できると思う。さらに，施工技術の進歩や技術革新，法律や基・規準の改変についても，出来る限り今後の動向を含めて触れておいたつもりである。
　説明内容の選別にあたっては，建築施工の基礎となる事柄を採りあげ，建築士試験の出題範囲も考慮に入れて枠組みを決定した。説明では，分かりやすさの工夫として，施工現場での写真や図を多く載せて実際の形を示し，また施工上，現場管理上での留意点や専門的な事柄は，本文とは別に，「施工管理のポイント」としてまとめてある。それぞれの説明の最後には，その項目に関連した「確認問題」を準備した。学習のおさらいと要点の再確認として，役立てていただきたい。

　建築に興味を持つ人が多くなり，「施工」の基礎的学習をする人達に，本書が大きな助けとなることを願っている。

2003年（平成15年）10月　　　　　　　　　　　　　　　著者　中澤　明夫
　　　　　　　　　　　　　　　　　　　　　　　　　　　　　角田　誠

「初学者の建築講座」改版にあたって

　日本の建築は，かつての木造を主体とした歴史を経て，明治時代以降，西欧の組積造・鉄骨造の技術導入にも積極的であった．結果として，地震・火災・風水害などが多発する災害国における建築的な弱点を克服する鉄筋（鉄骨）コンクリート構造や超高層建築の柔構造開発に成功を納めた．
　その建築レベルは，企画・計画・設計・積算・法令・施工・維持・管理・更新・解体・再生の各段階において，今や世界最高の水準にある．この発展を支えた重要な要素のひとつが国家資格である建築士試験である．

　「初学者の建築講座」シリーズは，大野隆司前編修委員長の刊行のことばにもある通り，もともと二級建築士の受験テキスト作成を契機として発足し，内容的には受験用として漏れがなく，かつ建築学の基礎的な教材となるものとして完成した．
　その後，シリーズは好評に版を重ねたため，さらに一層，教科書的色彩を濃くした刊行物として，建築士試験合格可能な内容を網羅しつつ，大学・短期大学・専修学校のさまざまなカリキュラムにも対応でき，どんな教科の履修を経なくても，初学者が取り込める教材という難しい目標を掲げて編修・執筆された．
　大学教科書の出版に実績の多い市ヶ谷出版社の刊行物と競合しないという条件から，版型を一回り大きくして見やすく，「読み物」としても面白い特徴を実現するために，頻繁で集中的な編修・執筆会議を経て完成したと聞いているが，今回もよき伝統を踏襲している．

　この度，既刊シリーズの初版から，かなりの期間が経ったこともあって，今回は現行法令への適合性や建築の各分野で発展を続ける学術・技術に適応すべく，各巻の見直しを全面的に行った．
　その結果，本教科書の共通の特徴を，既刊シリーズの特徴に改善点を含めて上書きすると以下のようになる．
　1）著者の専門に偏ることなく，基礎的内容を網羅し，今日的な話題をコラム的に表現すること
　2）的確な表現の図表や写真を多用し，全ページで2色刷りを使用すること
　3）学習の要点を再確認するために，例題や確認問題などをつけること
　4）本文は読み物としても面白くしながらも，基礎的知見を盛り込むこと
　5）重要な用語はゴシックで示し，必要に応じて注で補うこと

　著者は既刊シリーズの担当者を原則としたが，内容に応じて一部交代をしている．いずれも研究者・実務者として第一線で活躍しており，教え上手な方々である．「初学者の建築講座」シリーズの教科書を通して，建築について多くの人々が関心を寄せ，建築への理解を深め，楽しむ仲間が増えることを，関係者一同大いに期待している次第である．

2010年（平成28年）1月　　　　　　　　　　　　　　　　　　　　　　監修者　長澤　泰

建築施工(第四版)

目次

第I編　建築生産の基本概念と着工までのあらまし

- 第1章　建築生産(設計と施工) ───── 1
  - 1・1　建築生産とは何か ───── 2
  - 1・2　建物が出来上がる過程の概略 ───── 3
  - 1・3　建物の設計を行う ───── 3
  - 1・4　建物を建設する施工形態 ───── 4
  - 章末問題 ───── 6
- 第2章　施工者を選定し，工事請負契約をむすぶ ───── 7
  - 2・1　施工者の選定 ───── 8
  - 2・2　工事契約の方式 ───── 9
  - 2・3　工事請負契約 ───── 10
  - 2・4　工事費用の見積と積算 ───── 11
  - 2・5　工事監理者の業務 ───── 11
  - 章末問題 ───── 12
- 第3章　工事に着手する(着工) ───── 13
  - 3・1　着工前の仕事の概要 ───── 14
  - 3・2　施工計画の立案 ───── 14
  - 3・3　品質管理 ───── 15
  - 3・4　原価管理 ───── 18
  - 3・5　工程計画・工程管理 ───── 19
  - 3・6　安全衛生管理 ───── 21
  - 3・7　環境管理 ───── 24
  - 3・8　着工準備の内容 ───── 29
  - 3・9　建設材料の保管と管理 ───── 35
  - 3・10　工程表の例 ───── 36
  - 3・11　建設機械 ───── 40
  - 章末問題 ───── 42

第II編　躯体工事

- 第4章　仮設工事・準備工事 ───── 45
  - 4・1　概説 ───── 46
  - 4・2　共通仮設工事 ───── 47
  - 4・3　直接仮設工事 ───── 50
  - 4・4　準備工事 ───── 54

　　　　章末問題 ———————————————————— 55
第5章　土工事，地業・基礎工事 ———————————— 57
　　5・1　概説 ———————————————————— 58
　　5・2　土工事 ——————————————————— 58
　　5・3　地業・基礎工事 ——————————————— 64
　　　　章末問題 ———————————————————— 68
第6章　鉄筋コンクリート工事 ————————————— 71
　　6・1　概説 ———————————————————— 72
　　6・2　鉄筋工事 —————————————————— 74
　　6・3　型枠工事 —————————————————— 83
　　6・4　コンクリート工事 —————————————— 91
　　　　章末問題 ———————————————————— 99
第7章　鉄骨工事 ——————————————————— 103
　　7・1　概説 ———————————————————— 104
　　7・2　工場製作 —————————————————— 107
　　7・3　工事現場施工 ———————————————— 128
　　　　章末問題 ———————————————————— 144

第Ⅲ編　仕上・設備工事

第8章　屋根・防水工事 ———————————————— 147
　　8・1　屋根工事 —————————————————— 148
　　8・2　防水工事 —————————————————— 150
　　8・3　シーリング工事 ——————————————— 152
　　　　章末問題 ———————————————————— 155
第9章　仕上工事 ——————————————————— 157
　　9・1　仕上工事の考え方 —————————————— 158
　　9・2　左官工事 —————————————————— 160
　　9・3　タイル・石工事 ——————————————— 163
　　9・4　建具・ガラス工事 —————————————— 169
　　9・5　金属工事 —————————————————— 173
　　9・6　内装工事 —————————————————— 174
　　9・7　塗装工事 —————————————————— 180
　　9・8　ユニット工事 ———————————————— 182
　　9・9　断熱工事 —————————————————— 183
　　9・10　外壁工事 —————————————————— 185
　　　　章末問題 ———————————————————— 188
第10章　設備工事 ——————————————————— 193
　　10・1　設備工事 —————————————————— 194
　　10・2　電気設備工事 ———————————————— 195

10・3　給排水衛生設備工事 ──────────────── 197
 10・4　空気調和設備工事 ────────────────── 199
 10・5　昇降機設備工事 ─────────────────── 201
 　　　章末問題 ────────────────────────── 202
第11章　完成・引渡し・アフターケア ──────────── 205
 11・1　建物の完成・完成検査 ───────────────── 206
 11・2　引渡し・アフターケア ───────────────── 207

章末問題解答・解説 ─────────────────────── 210

索　引 ───────────────────────────── 229

＊本文，図ネーム等に示した片かっこ数字1)は，巻末に掲載してある「引用・参考文献」の番号である。

第Ⅰ編 建築生産の基本概念と着工までのあらまし

第1章 建築生産（設計と施工）

1・1 建築生産とは何か ―― 2
1・2 建物が出来上がる過程の概略 ―― 3
1・3 建物の設計を行う ―― 3
1・4 建物を建設する施工形態 ―― 4
章末問題 ―― 6

1・1 建築生産とは何か

人は，活動や生産あるいは居住に適した環境を得るため，建物を建設する。

建物の建設に先立って，土地（敷地），付近の環境，交通などがその建物に適しているかを全体的に調べる。その上で，建物の全体像を組立てる。これを，建物の**企画・計画**という。次に，その敷地に建物を適切に配置し，建物の間取りや外観，設備などを，具体的に詳しく**設計**して図面化する。

設計図を基に，工事に必要な資材の種類や量を拾い出し，これを調達し，建設するために必要な金額を算出する（**積算・見積**）。この金額に基づいて，建設業者は工事を受注し，建物の建設が開始される。必要な工事期間を経て，目的の建物は完成し，この建物を発注した人（発注者）に引き渡される。これを，**施工**という。

以上が，建築生産を狭義に捉えた概略であるが，さらに建物の使用が開始された後では，使用者が主となって，建物を快適に使用できるように**維持・管理**しなければならない。また，建物が永年使用されて，当初想定した活動や生産，居住あるいは環境に変化が生じてくると維持・管理がしにくくなり，また設備が古いなどの不具合が生じ，リフォームや改造が行われる。これを，**更新**という。さらに，更新では対応できなくなると，ついに建物は**解体**されて，その用途を終えることになる。最近では，更新の延長として建物の**再生**が注目を浴びている。フローからストックへと時代は変化しており，その影響は少なからず建築にも及んでいる。ストックを活用すること，つまり建物を壊さずにその建物に何らかの価値を見つけて再び生き返らせようとする行為は，新しい試みではないが，建設投資の低下，環境問題の深刻化などから，今後注目すべき活動として捉えられる。図1・1に，広義での建築生産の仕組みを図解する。

建物が企画・施工されて完成し，引き渡されて長期にわたる使用の後，ついには解体されるといった建物のライフサイクルの中で，「設計」と「施工」が建築生産の主な過程ということができる。

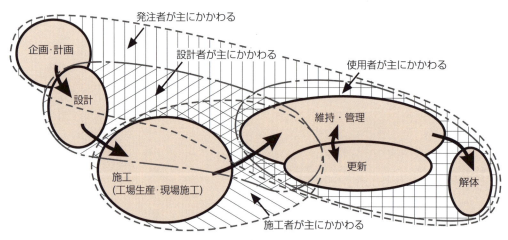

図1・1　建築生産の仕組み

1・2　建物が出来上がる過程の概略

　建築生産に関わる人達は，大別して，発注者，企画者，設計者，工事監理者，施工者の5者である。

　まず，この建物の建設資金を提供する個人あるいは組織が，**発注者**である。古い言葉では，**施主**ともいう。

　建物を実現するため，敷地や資金，建物の採算性などを多方面から検討立案するのが，**企画者**である。発注者を支援する役割を有しているともいえる。住宅などの小規模建物では，発注者と企画者は同一の個人であることが多い。しかし，大規模なビルや，宅地を開発してマンションを建設するなどの場合は，企画を専門とする会社組織から，発注者にあたる会社組織（資金を提供し，この建物で利益を得る会社）へ企画が持ち込まれる方式が多い。

　発注者の要望をより具体化した企画をもとに，法律や規制を守りながら，建物の図面を描き上げるのが，**設計者**である。

　工事が適切に施工されていることを確認・検査するための**工事監理者**が必要である。通常は，設計者と同じ設計会社が工事監理者を兼ねることが多い。

　設計図書をもとに建物を建設するのが，**施工者**である。

　一つの建物の生産は，これらの人達あるいは会社の密接な協力があって達成される。

1・3　建物の設計を行う

　設計者は，図面上で，建物を敷地に配置し（**配置図**），部屋の間取りや，建物の外観，内部仕上げなどの詳細を決定する（**意匠図**）。この他の図面として，建物の骨組を表す図面（**構造図**）と構造計算書，電気，ガス，給水・排水，冷暖房などの系統や詳しい取付けを示した図面（**設備図**）と設備計算書がある。

　これらと，図面では表現しにくい内容を示した書類すなわち**仕様書**（**特記仕様書・共通仕様書**）を含めて，**設計図書**という。なお，建築士法では，これらの図面と仕様書の他に，設計者が発注者とともに複数の施工予定業者に対して建設予定現場で行った，現場説明の記録（**現場説明書**）と質問に対する**回答書**（**質疑回答書**）も設計図書に含む。

　設計に関する作業は，建物の規模，種類によって，一級建築士，二級建築士あるいは木造建築士が行う。

監理と管理：p.11「2・5　工事監理者の業務」参照。

1・4　建物を建設する施工形態

施工者が工事を受注する一般的な方式は，設計が完了した後，主体となる施工業者一社が，発注者から直接一括して工事を受注する元請け方式と呼ばれる。この施工者は，一般に**元請**（**ゼネコン** general contractor：GCと略記）と呼ばれ，建物の完成までを担当するのが通例である。

工事全体は，コンクリート工事，鉄骨工事，建具工事，内装工事，設備工事などの種々の工事で構成され，元請によって，それぞれの専門工事会社に発注（外注）される。これらの専門工事会社は，**協力業者**（**サブコン** subcontractor：SCと略記）と呼ばれる。また，下請業者とも呼ばれる。

建物を建設する場合，発注者が設計を設計者に，施工を施工者に委託し，設計・施工を個別に契約する形が，従来からの一般的な方式である（図1・2）。企画と設計を一括して設計者に委託する場合と，両者を分けて，それぞれ企画者・設計者に委託する場合がある。

また，企画から設計，施工および監理までを，一貫して建設会社に発注する場合もある。これを**設計施工一貫方式**といい，この業者を設計施工一貫業者と呼ぶ（図1・3）。

さらに，発注する工事をいくつかの工区に分けたり，いくつかの職種に分けて発注する場合を，**分離発注**という。発注者が契約内容ごとに契約管理を行うことになり，発注者の責任やリスクが大きくなる一方，工事費の管理，品質の確保などに直接関与できるメリットは大きい。

この他，建物の企画から完成まで，あるいは入居後の運用を含めて専門の業者に発注するコンストラクション・マネジメント（CM）方式やターンキー方式がある。

これらの発注方式の仕組みを，図1・2～図1・5に図解する。

(1)　**CM方式**（図1・4）

企画・設計・施工を，一貫して専門のコンストラクション・マネージャー（CMrと略記）が監理し，まとめる方式である。発注者は，企画者，設計者，施工者およびCMrと，それぞれ契約を結ぶ。従来の方式や設計施工一貫方式に比べ契約の責任や手続業務が増えるが，経済的な工事の遂行の可能性を高めることになる。

CM方式を適用する大規模工事では，施工を担当する大手建設会社がCMrとしての役割を果たしている場合もある。

(2)　**ターンキー方式**（図1・5）

発注者が，建物の企画から設計，施工者の選定と監理，さらに入居後の運用までの一連の業務を，一括して専門のターンキー会社にまかせる方式である。

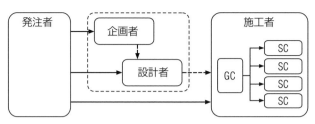

図1・2 従来の方式

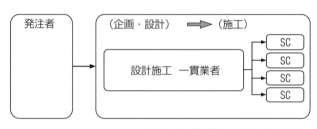

図1・3 設計施工一貫方式

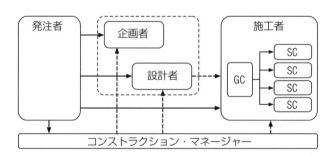

図1・4 コンストラクション・マネジメント（CM）方式

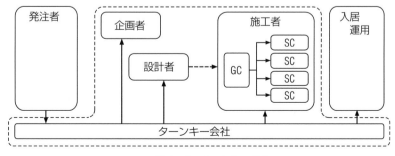

図1・5 ターンキー方式

第1章 章末問題

次の各問について，記述が正しい場合は○，誤っている場合には×をつけ，誤っている場合は正しい記述を示しなさい。
(中央建設業審議会「民間建設工事標準請負契約約款（甲）」(令和4年9月改正)から発注者と工事監理者に関しての設問)

【問 1】 請負契約に関して請負代金を変更するときは，原則として，工事の減少部分については監理者の確認を受けた請負代金内訳書の単価により，増加部分については時価による。(R6-25)

【問 2】 請負契約に関して受注者は，監理者の処置が著しく適当でないと認められるときは，発注者に対して異議を申し立てることができる。(R6-25)

【問 3】 請負契約に関して受注者は，契約を締結した後，速やかに請負代金内訳書及び工程表を発注者に，それぞれの写しを監理者に提出し，請負代金内訳書については，監理者の確認を受ける。(R6-25)

【問 4】 請負契約に関して発注者又は受注者は，工事について発注者，受注者間で通知，協議を行う場合は，契約に別段の定めがあるときを除き，原則として，通知は監理者を通じて，協議は監理者を参加させて行う。(R6-25)

【問 5】 請負契約に関して発注者は，契約の履行報告につき，設計図書に定めがあるときは，その定めるところにより監理者に報告しなければならない。(R6-25)

【問 6】 監理者は業務の担当者の氏名及び担当業務を受注者に通知する。(R5-25)

【問 7】 監理者は設計内容を伝えるため受注者と打合せ，適宜，工事を円滑に遂行するため，必要な時期に説明用図書を受注者に交付する。(R5-25)

【問 8】 監理者は受注者が契約に定められた指示，検査，試験，立会い，確認，審査，承認，助言，協議等を求めたときには，速やかにこれに応じる。(R5-25)

【問 9】 監理者は受注者の提出する出来高払又は完成払の請求書を技術的に審査する。(R5-25)

【問 10】 監理者は設計図書等の内容を把握し，設計図書等に明らかな矛盾，誤謬，脱漏，不適切な収まり等発見した場合は，受注者に通知する。(R5-25)

第2章

施工者を選定し，工事請負契約をむすぶ

- 2・1 施工者の選定 ──────── 8
- 2・2 工事契約の方式 ──────── 9
- 2・3 工事請負契約 ──────── 10
- 2・4 工事費用の見積と積算 ──── 11
- 2・5 工事監理者の業務 ────── 11
- 章末問題 ──────────── 12

2・1　施工者の選定

施工では，建物の規模や品質と，予定資金に見合う施工者を選ぶことが大事である。

住宅など，規模の小さな建物を個人が発注する場合，発注者が適切と考える施工会社を任意に選び，その見積価格が予定資金に見合えばその会社と契約する。あるいは，他社からも見積を取り，比較の後に契約する場合もある。このような契約方法を**随意契約方式**という。前者が**特命方式**，後者が**見積合わせ方式**である。

公共建物では，納税者の利益を守るため最も経済的で公正な方法で施工者を選定することが必要であり，方法として工事価格の高低だけで施工者を選定する**競争入札**の方法をとるのが一般的である。この方式では，入札結果が開示された上で施工業者が決定されるが，入札に参加する建設会社を発注者が指名する**指名競争入札**と，自由参加で入札を実施する**一般競争入札**がある。

この他，施工だけでなく，建物の企画・設計も含めて入札して競う場合もある。

施工者の選定方法を，図2・1に整理する。

2・1・1　随意契約方式

特命方式は，工事に最も適していると発注者が判断する施工者に発注出来るメリットがある一方で，他の業者との価格競争が無いため，工事費が高くなる可能性があるのが欠点である。

2・1・2　競争入札方式
(1) 指名競争入札

従来型指名は，発注者が，施工技術・工事完遂能力などの建設会社の施工能力や資金力，工事実績などを参考に，工事に適した建設会社を選んで指名し見積価格を入札させる方法である。

他に，発注者が工事内容・入札条件などを公表した上で入札参加希望者を募集し，応募した建設会社の中から工事に適した会社を選んで指名し，入札させる**公募型指名**や，発注者が，企画書，基本計画図や参考となる設計図などによって建物に求める機能や性能などを示し，従来型や公募型で指名した入札参加者から，設計変更を含めた自由な提案とそれに基づく見積を合わせて入札させる**提案型指名**がある。

(2) 一般競争入札

発注者が工事内容・入札条件などを公示し，入札を行う。全ての建設会社の参加が建前であるが，工事の質や適正工期の確保のため，入札への参加資格に条件を付ける場合が通例である（**従来型一般競争入札**）。

他に，入札に際して，建物に求められる機能や性能を損ねない範囲での設計変更を認め，その提案を含めた見積を入札させる**提案型一般競争入札**がある。この提案に際して，VE*（Value Engineering）手法が用いられることが多い。

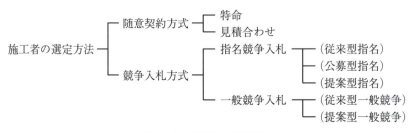

図2・1　施工者の選定方法

---

*VE：品質や機能を変えずにコストダウンや工期短縮を目指し，価値の向上をはかる手法。

近年では，施工期間の制約が強いもの，特別な配慮・対策を必要とするものなど，価格以外の要素を重視しなければならない工事を対象として，競争参加者が技術提案と価格提案とを一括して行う，**総合評価方式**も見られる。

2・2 工事契約の方式

建物を建設する場合，一般に，発注者が施工業者に一括して依頼する**請負方式**（請負仕事の完成をもって報酬を支払うことを約束すること）がとられる。なお，発注者が，直接建設資材を調達した上で作業員を雇って工事を完成させる方法を**直営方式**というが，採用される例は少ない。

請負方式の契約方法は，工事費の扱い方の違い，あるいは施工の形態の違いによって，図2・2のように分類される。

2・2・1 工事費の扱い方の違いによる請負方式の分類

工事全体の総額を決めて契約する方式を，**定額請負**という。

単価請負は，工事材料ごとの単価を決めて契約し，実際にかかった工事量で精算する方式である。コンクリート工事，掘削工事など，一つの工事種別ごとの工事量の多い土木工事などで，採用される場合がある。

実費精算請負は，工事に要した実費を出来高に応じて一定の工程ごとに支払う方式である。契約時に，工事内容に不確定要素が多い場合に適している。ただし，発注者と施工者が，材料費や施工費などについて共通の認識に立っていることが前提であり，さらに，双方が実費や出来高を正確に見積り，かつ査定する能力を持っていないと運用は難しい。

2・2・2 施工の形態の違いによる請負方式の分類

工事全体を一括して請負う方式を，**総合請負**という。設計・施工を，一貫して請負う場合も多い。一方，複数の施工者が工事を分割して請負う方式を，**分割請負**という。

請負の形は，通常，一つの建設会社が請負う

図2・3 ジョイント・ベンチャーの工事看板

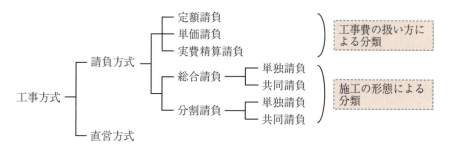

図2・2 工事契約の方式

単独請負であるが，複数の建設会社が共同して請負う場合もある。これを，**共同請負**（ジョイント・ベンチャー：JVと略記）といい，請負組織を共同企業体という。大規模工事や技術難度の高い工事で採用されることが多い。

図2・3は，建築工事・設備工事を分割請負としたJVの工事看板の例である。

JV方式の利点は，
① 大規模工事や特殊工事での発生確率の高い不測の事故や想定外の損失などの危険への対応，すなわちリスク分散を図る。
② JVを構成する各建設会社の持つ独自技術について，構成会社相互の技術交流と技術移転を推進する。
③ JV構成会社が連帯責任を負い，発注者にとっては，工事の確実性が増す。

などである。

一方，JV方式の欠点は，
① 工事ごとに新たな施工組織を作るので経費上のロスが多く，その分，工事費が高くなることが多い。
② 竣工後の責任の所在が不明確となる。

などである。

なお，現場の運営では，構成会社間の組織の違いによる不具合が生じやすく，JVのリーダーとなる建設会社の役割は大切である。

2・3 工事請負契約

工事請負契約に必要な書類は，建設業法によって，
① 工事請負契約書
② 工事請負契約約款
③ 設計図書（設計図，構造計算書，設備計算書，仕様書，現場説明書およびその回答書）

と定められている。また，同法には，請負契約書に記載すべき項目（表2・1）が定められている。

民間工事では，これらの内容が一定の書式で印刷された，民間（七会）連合＊協定の「工事請負契約約款」が広く用いられる。この約款には，契約不適合責任期間（不適合については，p.17参照）についても記載されている。さらに，請負業者が，発注者の承諾なしに工事の全部または一部を一括して第三者に請負わせること（一括下請負）を禁じている。

表2・1 工事請負契約書に記載する項目
（建設業法第19条1項）

①工事内容（契約書・設計図書・仕様書など）
②請負代金の額
③着工・完成時期
④前払い，出来高払いなどの支払方法と支払時期
⑤設計変更，工事中止の場合の請負代金，工期の変更，損害負担に関する定め
⑥天災その他不可抗力による損害の負担に関する定め
⑦価格などの変動に基づく，請負代金・工事内容の変更
⑧工事施工により第三者が受けた損害の賠償金の負担に関する定め
⑨発注者からの支給材料，貸与品の内容と方法
⑩竣工検査の方法と時期，引渡し時期
⑪竣工払いの支払方法と支払時期
⑫契約不適合責任や履行に関し保証保険契約の締結などの措置に関する定めをするときは，その内容
⑬履行遅延，債務不履行の場合の遅延利息と違約金その他の損害金
⑭契約に関する紛争の解決方法

＊民間（七会）連合：(一社)日本建築学会，(一社)日本建築協会，(公社)日本建築家協会，(一社)全国建設業協会，(一社)日本建設業連合会，(公社)日本建築士会連合会，(一社)日本建築士事務所協会連合会

2・4 工事費用の見積と積算

2・4・1 見積の種類

見積は,4つの段階で行われる。

(1) 発注者予算

建物の企画段階で,建物の予定面積に予定単価を乗じるなどして算出する。概算金額であるが,必要な資金が判明する。

(2) 設計見積

設計者は,発注者が示した予算金額を目安に,調整を図りながら設計を進め,設計終了の段階で,中立の立場で適正な見積を詳細に行う。

(3) 受注時見積,契約時見積

建設会社が,自己の経験と責任において,建物の適正な工事費を算出する。

(4) 実行予算(実施見積)

施工のための詳細な予算を組む。これによって,材料発注や協力業者の選定などを行う。

2・4・2 積算

工事費を算出するため,必要な材料の数量を適正に把握する。これを,**積算**という。

積算に用いる数量には,次の3種がある。

① 設計図書に示されている設計寸法から算出した数量や,本数・個数などの**設計数量**

② 材料の,市場で流通している寸法(**定尺**という)を考慮し,所定寸法とするための切り無駄や施工上の損耗を含んだ数量の**所要数量**

③ 土工事の根切り量や仮設数量などの,施工計画に基づいた数量の**計画数量**

数量積算の方法については,官民合同の建築工事建築数量積算研究会によって策定された建築数量積算基準がある。同基準による主な注意点を,表2・2に示す。

2・5 工事監理者の業務

施工現場では,工事監理と工事管理の2つの用語が用いられる。

工事監理は,工事が順調に進むように,また設計図書通りに工事が行われているかについて監督・指導することであり,**工事管理**は,施工者が,作業や安全,出来映え,予算,工程などを,常に点検・掌握する業務のことである。

工事監理を一級建築士,二級建築士あるいは木造建築士のいずれが行うかは工事規模で定められており,建築基準法および建築士法による。

建築士が行う通常の工事監理業務は,

① 施工者への設計意図の伝達

② 施工計画の検討と助言

③ 設計図書通りの施工の指示と確認(厳密には,設計の要求品質の確認),および発注者への報告

④ 工事完成検査の実施と引渡しへの立会いなどである。なお,設計図書に食い違いがある場合は,優先順位の高いものを正とする。優先順位は,一般的に,以下となる。

① 現場説明書と質疑回答書

② 特記仕様書

③ 図面

④ 標準仕様書

表 2・2 数量積算での主な注意点（建築数量積算基準による）

名　称	注意点
(1)土工事	根切り土量は計画数量とし，施工上必要な余裕幅 0.5 m に法幅を加えた寸法で算出する。
(2)山留め・地業工事	山留め壁の面積は，根切り深さに根入れ深さを加えた山留め壁の高さ×山留め壁周長とする。 地業は，設計図書から設計数量を算出する。
(3)コンクリート工事	鉄筋や小口径の配管類の容積は差し引かない。鉄骨については，鉄骨の設計数量の 7.85 t を 1.0 m³ として換算し，算出数量から差し引く。 開口部の面積が 0.5 m²／カ所以下の場合は，数量を差し引かない。
(4)型枠工事	柱梁の接続部で，面積が 1.0 m² 以下の場合は算出数量から差し引かない。 開口部の面積が 0.5 m²／カ所以下の場合は，数量を差し引かない。 斜面の勾配が 3/10 を超える場合は，上面型枠を算入する。
(5)鉄筋工事	フープ，スタラップの長さは，柱・梁の設計断面の周長とし，フックは加えない。 開口部の面積が 0.5 m²／カ所以下の場合は，数量を差し引かない。 継手箇所数は，径 13 mm 以下では 6.0 m ごとに，径 16 mm 以上では 7.0 m ごとに 1 カ所として算出する。
(6)鉄骨工事	所要数量は，使用部材長さによる設計数量に，形鋼・鋼管・平鋼で 5%，鋼板で 3%，ボルト類で 4% を割増して算出する。 鉄骨の溶接数量は，溶接部の種類，断面形状ごとに長さを求め，隅肉溶接脚長 6 mm に換算した延べ長さで算出する。
(7)間仕切下地	躯体の設計寸法による面積から，開口部の面積を差し引く。開口部面積が 0.5 m²／カ所以下の場合は，差し引かない。
(8)防水材	所要数量は，設計寸法による面積とする。立上り部も設計寸法を用いる。 シート防水などでの重ね代は算入しない。
(9)木材	所要数量は，板材（突きつけ）10%，合板類 15% の割合で設計数量を割増す。
(10)左官材	笠木，水切，幅木，ボーダー，側溝などの数量は設計寸法による高さ，幅ごとの延べ長さによる。 左官材による下地は対象外とし，仕上げ材の数量に含める。
(11)内装材	クロス張りの重ね代は算入しない。 ボード類は，張付工法（継目処理・目透かし・突付けなど）ごとに分けて算出する。 目地は，仕上げ材として算出し，設計数量とする。

第 2 章　章末問題

次の各問について，記述が正しい場合は○，誤っている場合には×をつけ，誤っている場合には正しい記述を示しなさい。

【問 1】　中央建設業審議会「民間建設工事標準請負契約約款（甲）」上，施工図は設計図書に含まれない。（R2-25）

【問 2】　建築士法において，建築士が行う工事監理標準業務として，設計図書の定めにより工事施工者が提案又は提出する工事材料が設計図書の内容にて適合しているかについて検討し，建築主に報告する。（R3-2）

【問 3】　施工計画の作成に当たっては，設計図書をよく検討し，不明な点や不足の情報，図面相互の不整合がないかを確認する。（R5-1）

【問 4】　施工計画に関して設計図書に指定がない工事の施工方法については，必要に応じて，監理者と施工者とが協議のうえ，施工者の責任において決定した。（R6-1）

第3章

工事に着手する（着工）

3・1　着工前の仕事の概要 ——— 14
3・2　施工計画の立案 ——— 14
3・3　品質管理 ——— 15
3・4　原価管理 ——— 18
3・5　工程計画・工程管理 ——— 19
3・6　安全衛生管理 ——— 21
3・7　環境管理 ——— 24
3・8　着工準備の内容 ——— 29
3・9　建設材料の保管と管理 ——— 35
3・10　工程表の例 ——— 36
3・11　建設機械 ——— 40
章末問題 ——— 43

3・1　着工前の仕事の概要

建物の建設工事に着手することを，着工という。

建設工事では，着工前の仕事は多く，大きく分けて，仮設や施工法の計画，施工管理方針の検討などを行う施工計画の立案と，敷地および敷地周辺（学校の有無，通学路や交通規制など）の調査，作業所組織の構成，諸官庁届出などを行う着工準備がある。これらを適切に処理することが，建設工事の成否を左右するといっても過言ではない。

それぞれの内容は，以下の各節で説明する。

3・2　施工計画の立案

3・2・1　施工計画・施工管理方針の考え方

施工管理の5大要点は，
① 工事の品質を確保する（Quality）
② 原価を低減する（Cost）
③ 工程を守る（Delivery）
④ 安全を確保する（Safety）
⑤ 環境に配慮する（Environment）

であり，管理の5大要点 QCDSE という。

これを実現するために，日々の現場管理において，PDCA（Plan：計画，Do：実施，Check：確認，Action：改善）の4つの管理サイクル（PDCA サイクル）を維持したスパイラルアップが必要である。

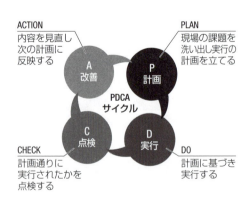

図3・1　PDCA サイクル

3・2・2　施工計画書・施工計画図

施工計画では，施工管理の5大要点 QCDSE を念頭に，施工計画書，施工計画図および工程表を作成する。この時，仮設物や機械・工具の配置，作業労務者の人数，資材の数量と搬入方法ならびに時期，施工順序，場合によっては，工区分割などの計画が最も重要となる。これらの計画を，工法計画という。

施工計画書には，工事別（土工事，コンクリート工事，……，仕上工事，設備工事など）の工法計画（使用材料・使用機械・施工方法や注意事項），品質管理や安全・衛生管理計画を示す。これらを図面化したものが施工計画図であり，主に，作業手順と仮設備（揚重設備，足場，安全設備など）の位置関係を示す。

以上まとめると，施工計画書・施工計画図には，主に次の5項目を策定し，明確にする。
① 仮設計画
② 工法計画
③ 品質管理計画
④ 安全衛生管理計画
⑤ 工程計画

3・3 品質管理

3・3・1 建築物の品質

建築物の品質は，設計図書で規定された品質を示し，施工工程の各段階で作り込まれる。すなわち，施工の各段階において試験・検査を行い，設定した管理値，基準値と満足していることを確認し（満足していない場合は手直し），次工程へ進むプロセスとなる。

また，設計図書どおりの建物が工程どおり無事完成し，発注者や使用者が，十分に満足することに加え，建物のメンテナンスやアフターサービスにも配慮されていることが求められる。

3・3・2 管理の統計的手法

管理方法を決定し実行する際の基本は，
「今までやっていて問題が出ていない」
ではなく，
「このようにすれば，このような品質が生まれる筈だ」
のように，安定した品質を生み出す方法を理論的に計画することにあるといわれる。

これは，科学的品質管理と呼ばれ，実績データの収集と分析を基本にして，統計的手法を用いる。一般に用いられる統計的手法には以下の(1)〜(7)があり，QC*7つ道具と呼ばれる。

(1) **特性要因図**（図3・2）

問題とする不具合（特性という）とその結果に影響を与えていると考えられる原因（要因という）との関係を，体系づけて整理した図である。図の形から，「フィッシュボーン（魚の骨）」と呼ばれる。不具合となった原因を探すときに用いられる。

(2) **パレート図**（図3・3）

不良，欠陥などの発生件数をその要因別に分類し，数値の大きい順に並べてその大きさを棒グラフで表し，さらに累積した折れ線グラフを併記する。

全体の中で大きな影響を与えている要素を見つけだすことに有効である。

(3) **層別（グラフ）**（図3・3）

データの特性を，いくつかの要因別のグルー

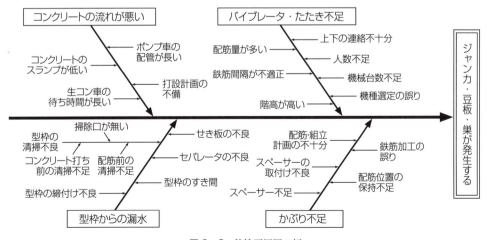

図3・2 特性要因図の例

---

*QC：Quality Control（品質管理）の略
　参照：スペーサー（P.76），せき板（P.83），セパレータ（P.84），豆板，スランプ（P.98）

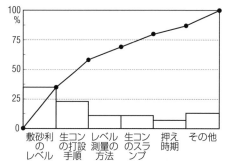

土間コンクリート床の仕上げ精度向上

図3・3 パレート図・層別の例

プに分けることを，層別するという。

層別した要因で，パレート図を表すことが多い。

(4) **チェックシート**（図3・4）

あらかじめ書式を定めて準備した，データ収集用道具のことである。

現状の把握，効果の確認などのデータをもとに，パレート図を用いて不良原因の特定などを行う。

(5) **ヒストグラム**（図3・5）

ばらつきのあるデータを一定の範囲ごとに区分し，区分ごとの発生頻度を棒グラフに表したものである。

データの分布状況を確認するのに有効である。

(6) **散布図**（図3・6）

2つのデータの相関性を調べるために用いる。

縦軸，横軸にそれぞれの結果を設定し，両者の対応するグラフ上に点をプロットする。

(7) **管理図**（図3・8）

作業工程における変動値をプロットし，管理の上下限値（UCL，LCL）*を定めて時間経過や回数による変動などに着目して管理する。

(8) **施工品質管理表**（QC工程表）（図3・7）

作業開始から完了までの各工程の品質管理を，どのような管理項目や管理方法で行うかをまとめたものである。

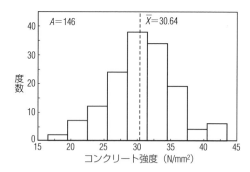

図3・4 チェックシートの例

図3・5 ヒストグラムの例

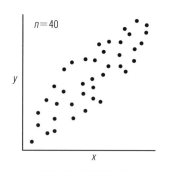

図3・6 散布図の例

図3・7 QC工程表の例

---

*UCL：Upper Control Limits（上方管理限界値），LCL：Lower Control Limits（下方管理限界値）

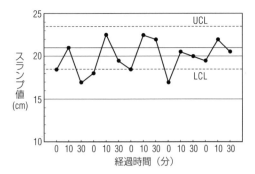

図3・8 管理図の例

3・3・3 品質保証

建築物の品質が発注者(顧客)の要望に合っていることを保証することが品質保証であり、これを、あらゆる発注者に対して確実に実行することが求められる。

建築物の生産は一品生産であって、生産工程も複雑であるため、品質保証では、外注先、材料の製造過程、協力業者などの全てに対して、確実な品質管理活動を実施することが必須条件となる。

住宅(戸建住宅、共同住宅、複合用途の住宅用途部分)については、「住宅の品質確保の促進等に関する法律」(略称:**品確法**)の「住宅性能表示制度」があり、新築住宅を対象に、耐震性、火災時の安全性、耐久性、環境負荷の軽減などの性能を設計図書と施工の双方で評価・判定し、設計段階の性能が施工段階でも確保されることを目的としている。

3・3・4 品質保証システム

こうした品質保証システムが適切に機能していることを保証するものが、品質保証規格の**ISO9000**シリーズである。これでは、完成した建築物の品質保証はもちろんのこと、施工段階の品質管理システムそのものの機能も保証している。官庁工事では、ISO9000シリーズの認証取得を、ISO14000シリーズ(3・7・2参照)とともに入札の条件としている場合が多い。なお、ISO(国際標準化機構:International Organization for Standardization)は、各国の代表的標準化機関からなる国際標準化機関で、電気・通信および電子技術を除く全産業(鉱工業・農業・医薬品など)に関する国際規格の作成を行っている。

3・3・5 施工した建物に対する責任

瑕疵(かし)とは、建築物が備えるべき通常の品質や性能、また契約上定められた機能が果たせないような、欠陥や不具合があることをいう。建築物に対する瑕疵には、目に見える欠陥ばかりでなく、法律的・心理的・環境的など様々なものが想定される。欠陥に対する責任、および修理・補修・賠償についての責任は、契約時に書類として示される内容で判断される。なお、2020年4月に施行された民法によると、「瑕疵」は「契約不適合」となった。

建築主が損害賠償などを請求する場合は、契約不適合を知ってから1年以内に通知しなければならず、引き渡し後10年を過ぎると責任期間が消滅するとされている。

消費者保護の観点から、住宅に関しては品確法で、構造耐力上主要な部分と雨水の浸入を防ぐ部分に対しては瑕疵に対する責任期間を10年としている。一般の建築物に比べ(責任期間1年ないし2年)、重い責任が課されている。

また、住宅瑕疵担保履行法[*1]では、10年間の瑕疵担保責任期間に住宅供給業者が倒産した場合のセーフティネットが設けられている。近年では、中古住宅流通の活性化を図るために、建物検査サービスが充実している。建物状況調査は、インスペクションと呼ばれ、売買時に共通の基準に基づいた第三者による住宅状況の調査結果を明示することで、現状の状態を把握した上で住宅売買が可能となる環境が出来上がっている。

---

*1:この法律では「瑕疵」の文言を存置。

3・4 原価管理

3・4・1 工事原価と工事価格

工事原価（建築コストともいう）は，材料費，労務費，外注費および経費の4つの合計で求められる。このうち材料費と労務費は，材料・労務の積算数量×単価を集計したものであって，単価は，材料・労務を入手する上での難易度，流通経路の普遍性などの調達状況や市況で変化する。

工事原価に人件費などの会社を運営，維持管理するために必要な経費や利益などの一般管理費などを加えたものが，発注者に提示される工事価格である。

3・4・2 実行予算

施工のための予算計画が実行予算であって，施工を効率よく，適正な原価で進めるための管理目標となる。

実行予算は大きく，**直接工事費**，**共通仮設費**，**現場経費**に分けられる。直接工事費は，建設する建物の正味の工事費用である。共通仮設費は，現場事務所，敷地周囲の仮囲いなどの費用であり，また現場経費は，施工図作成費，事務用品代，社員の人件費などである。

原価管理では，施工を進める中での変動コストを最少にする管理・計画が重要である。そのための重点管理項目は，

① 計画的な労務・建設機械の手配による不確定費用の圧縮
② 集中購買の数量効果による購買価格の引下げ
③ VE（バリューエンジニアリング）によるコスト削減
④ 仮設費，現場経費の削減

であり，これらの要素を中心に工事の**出来高予定曲線**（図3・9）を描き，工事の進捗度合いと予算の執行状況を監視することが，日々の重要な業務である。

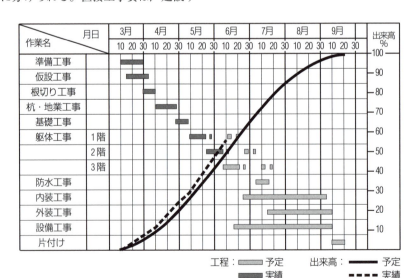

図3・9 出来高予定曲線の例

3・5 工程計画・工程管理

3・5・1 工程計画

定められた工期内に建物を完成させて引き渡すことは、施工の最重点目標の一つであって、このため、工程計画を練って工程表を作成する。

基本となる工程計画の策定に当たっては、

① 施工条件を考え、作業を詳細に分類し、具体化する。

② 各作業について、施工方法、施工手順を決定し、必要な材料、資材・機材、労務などを明確にした上で、所要日数を算出する。

③ 各作業相互の関係を、明らかにする。

④ 全体で要求工期内となるように計画する。

などが、主要な検討項目である。

3・5・2 工程表

工程表には、棒工程表（バーチャート）とネットワーク工程表がある。

(1) バーチャート工程表（図3・10 (a)）

縦軸に作業項目や工種、横軸に時間をとり、各作業の開始と終了、実施時期を棒線で表したもので、簡便なため、一般によく用いられている。各作業の関連は示されていない。

(2) ネットワーク工程表（図3・10 (b)）

各作業の関連に重点を置いた工程表であり、工程の調整がし易く、大規模工事には不可欠の手法である。ネットワーク工程表の基本ルールは、以下の①～⑦である。

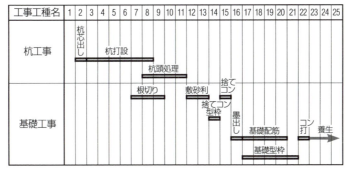

(a) バーチャート工程表

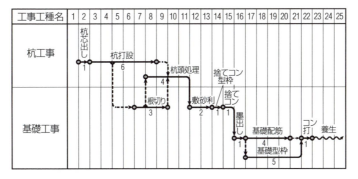

(b) ネットワーク工程表

図3・10 工程表の例（杭工事・基礎工事）

① **単位作業**（Job）は**矢線**（Arrow）で表し，作業名を矢線の上あるいは下に記す。
② 矢線は，作業の進行方向を示す。
③ 作業と作業は**結合点**（Node）で接続し，○印で表す。
④ 1つの結合点に出入りする作業は，単数でも複数でもよい。
⑤ 結合点から出る作業は，結合点に入る作業の終了後，実行出来る。

図3・11の場合，D，E，Fの作業は，A，B，Cの作業全てが終了した後，実行できる。

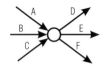

図3・11 結合点と作業

⑥ 破線の矢線（**ダミー**，Dummy）は，作業の進む方向を示すだけで，実作業はない。

図3・12において，(a)の場合，C，Dはともに，A，B両方の作業終了後にのみ着手出来る。しかし，(b)の場合，Cは，A，B両方の作業終了後にのみ着手できるが，DはBが終了しさえすれば着手出来る。

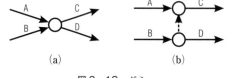

図3・12 ダミー

⑦ 各作業の工程の単位は日とし，その**所要日数**（Duration）を矢線の上または下に記入する。

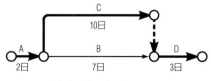

図3・13 ネットワーク

図3・13に示すネットワークでは，
1) 作業Aの終了後，作業B，Cに着手出来，さらに，作業B，Cの終了後，作業Dに着手出来る。
2) 作業B，Cを比べると作業Cが長いので，作業Dは作業Cの終了後に着手出来る。
3) 所要日数は，作業Aが2日，Bが7日，Cが10日，Dが3日である。
4) 作業B，Cは並行作業である。Bの作業期間はCに対して3日短いので，作業Dの開始までに**余裕日数**（フロート，Float）が3日ある。
5) 作業Aが始まって作業Dが終了するまでに，最長経路はA→C→Dで期間は15日必要で，この経路には余裕日数がない。この余裕日数のない作業経路のことを，**クリティカル・パス**（図3・13で，太線で表示）という。

3・5・3　工程管理

工程管理では，工程表を用いて計画と実施（実績）とを対照し，ズレのある場合やその発生が予測される場合には，工程の変更あるいは作業の改善の対策を講じる。

クリティカル・パス上の作業工程が計画より延びると，全体工程が延びることになる。これを重点管理することが工期を守ることにつながり，工程管理の主眼となる。

同一工程が繰返して現れる**サイクル工程**を，合理化，機械化，省力化によって短縮すると，その積み重ねが大きな工期短縮となる。

毎日の作業量の均一化，すなわち工期内での作業の平準化を図ることは，工程管理，安全管理の上で大切である。

3・6 安全衛生管理

3・6・1 安全衛生管理の基本

安全衛生管理では，工事に直接従事する作業員をはじめ，元請会社・協力業者の社員，設計者，管理者，その他来所する全ての労働者の危険や健康障害と災害を防止し，安全に工事を進めることに主眼を置く。図3・14は，朝礼会場に設置された安全衛生に関する規則や資格者名，注意喚起のポスターなどを掲示した安全看板である。最近は，デジタルサイネージを使い，視覚的に判断できる現場の情報を発信し災害防止につとめている。

3・6・2 現場での安全衛生管理

工事現場では，**労働安全衛生法**（略称：**安衛法**）という法律に則り，安全衛生管理を行う。具体的な基準・規則は，労働安全衛生法施行令で以下を定めている。
・労働安全衛生規則
・クレーン等安全規則
・有機溶剤中毒防止規則
・ゴンドラ安全規則
・酸素欠乏症等防止規則
・粉じん障害防止規則　　など

安衛法に基づく管理活動は，次の2つである。
① 元請が，現場全体を統括して行う統括管理
② 元請，協力業者が，それぞれの労働者の災害防止のために日々行う日常管理

安衛法には，常時の労働者が50人以上の場合には，**統括安全衛生責任者**を選任することが定められている。また，元請が果たすべき事柄として，以下を義務づけている。

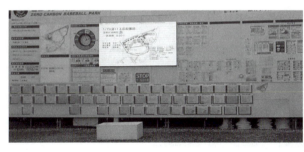

図3・14　朝礼広場に設置された安全看板

表3・1　労働災害の防止のため元請が講ずる措置

事　項	内　容
①安全衛生協議会の設置・運営	元請担当者，協力業者の社員・職長の全てを含めた協議会を組織する。
②作業相互間の連絡・調整	工事打合会として，毎日定時に開催する。 翌日の作業予定，人数，搬入物，揚重作業などを打ち合わせる。
③場内の巡視	特に，指示・打合せ・取り決め違反，不安全行動に注意する。
④安全衛生教育の指導・援助	新規入場者教育，協力業者への教育資料の提供などが重要である。
⑤機械・設備の配置計画・作業計画の指導	作業の工程計画，機械，設備などの配置計画を作成し，機械，設備などの使用上で法令の規定に基づいて講ずべき措置についての指導を行う。

① 協力業者とその労働者が，安衛法と安衛法に基づく命令に違反しないよう必要な指導を行い，また違反している場合は，是正のための必要な指示を行う。(安衛法29条の1)

② 同一場所で複数事業者の労働者が混在作業をすることによる労働災害を防止するため，表3・1に示す措置を講じる。(同30条の1)

③ 自ら所有・管理する設備，材料などを協力業者の労働者に使用させる場合は，労働災害防止のための必要な措置を講じる。(同31条)

日常管理は，元請・協力業者が共同して行い，毎日の一定した行動パターンとして確立される。これは，毎日の**安全施工サイクル**（図3・15 安全施工サイクル）と呼ばれ，一般に，以下のようなものである。

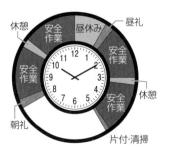

図3・15 安全施工サイクル

図3・16 安全朝礼

図3・17 危険予知ミーティング

① 安全朝礼・体操（図3・16）
　毎朝定時に全員が参加し，安全に向けた現場の一体感を高める役割を果たす。作業者の服装，体調チェックなども行う。
② 危険予知ミーティング（図3・17）
　各職種別に，担当者が当日の作業内容を把握し，危険作業の確認と防止手段を決める。
③ 使用開始時点検
　仮設設備，機械などの始業時点検と，操作に必要な免許のチェックを行う。
④ 場内の巡視，作業方法の監視
⑤ 安全・工程打合せ（毎日定時）
⑥ 片付け・清掃
⑦ 終業時点検

3・6・3 災害防止のための規定

危険を伴う工事，建設機械の使用などについて，労働安全衛生規則では作業主任者の選任や安全設備の設置などの詳細な規制を設けている。主なものについて，作業主任者の選任を要する作業を表3・2に，安全設備として設置すべきものを表3・3に示す。

3・6・4 度数率と強度率

工事の安全成績の尺度として使われている。

(1) **度数率**　災害発生の頻度を表わすもので，100万延べ労働時間あたりの労働災害による死傷数

$$度数率 = \frac{労働災害による死傷者数}{延べ労働時間数} \times 1{,}000{,}000$$

(2) **強度率**　災害の重さを表わすもので，1000延べ実働時間あたりの労働損失日数

$$強度率 = \frac{延べ労働損失日数}{延べ実労働時間数} \times 1{,}000$$

労働損失日数とは，労働災害により失われた日数を評価したもので，死亡が7,500日となる。

表3・2　作業主任者一覧表

名　　称	選任すべき作業
高圧室内作業主任者（免）	高圧室内作業
ガス溶接作業主任者（免）	アセチレン等を用いて行う金属の溶接・溶断・加熱作業
コンクリート破砕器作業主任者（技）	コンクリート破砕器を用いて行う破砕作業
地山掘削作業主任者（技）	掘削面の高さが2m以上となる地山掘削作業
土止め支保工作業主任者（技）	土止め支保工の切梁・腹起しの取付け・取外し作業
型枠支保工の組立て等作業主任者（技）	型枠支保工の組立解体作業
足場の組立て等作業主任者（技）	吊り足場（ゴンドラの吊り足場を除く），張出し足場または高さ5m以上の構造の足場の組立解体変更作業
建築物等の鉄骨の組立て等作業主任者（技）	建築物の骨組み，または塔であって，橋梁の上部構造で金属製の部材により構成される5m以上のものの組立解体変更作業
酸素欠乏危険作業主任者（技）	酸素欠乏危険場所における作業
ずい道等の掘削等作業主任者（技）	ずい道等の掘削作業またはこれに伴うずり積み，ずい道支保工の組立，ロックボルトの取付け，もしくはコンクリートの吹付作業
ずい道等の覆工作業主任者（技）	ずい道等の覆工作業
コンクリート橋架設等作業主任者（技）	上部構造の高さが5m以上のものまたは支間が30m以上であるコンクリート造の橋梁の架設または変更の作業
鋼橋架設等作業主任者（技）	上部構造の高さが5m以上のものまたは支間が30m以上である金属製の部材により構成される橋梁の架設，解体または変更の作業
木材加工用機械作業主任者（技）	木材加工用機械を5台以上（自動送材式帯のこ盤3台以上）の木材加工業
有機溶剤作業主任者（技）	有機溶剤を用いる作業
石綿作業主任者（技）	石綿を取り扱う作業

注　（免）：免許を受けた者　（技）：技能講習を修了した者

表3・3 安全設備の設置など

①墜落の危険のある箇所には，高さ85cm以上の手すりや中さんなどを設ける。
②地盤面からの高さが2m以上の箇所での作業は足場を組立て，作業床を設ける。
③移動はしごは丈夫な構造とし，幅は30cm以上とする。滑り止め装置を取付ける。
④単管足場における建地（足場の柱）の間隔は，桁行方向（長手方向）は1.85m以下，梁間方向（張間ともいう。短手方向）は1.5m以下とする。建地間の積載重量は，40 N/mm^{2}を限度とする。
⑤スレート葺き屋根上の作業では，幅30cmの歩み板を設け，防護網を張る。
⑥3m以上の高所から物体を投下する場合は，投下施設（たとえば，ダストシュートなど）を設置する。

3・7 環境管理

3・7・1 建物の建設に関わる環境問題

建築生産行為における環境管理は，新規に建築物を施工する際に生じるものと，建設された建物が不要になり解体される際に生じるものの2つが考えられ得る。

新築と解体に共通する環境問題として，その工事場所周辺とその近隣地域に対する大気汚染，水質汚濁，土壌汚染や，施工に伴う騒音・振動，粉じん，地盤沈下さらには建設副産物の問題がある。また，新築建物図面の環境問題としては，日照障害，風害，電波の受信障害などがある。

現場における環境管理は，施工に伴う問題を地域環境と地球環境の両面で捉え，環境に与える影響を出来るだけ少なくし，障害を発生させないようにするための計画を立て，確実に実施することが重要となる。

3・7・2 施工に伴う環境問題

日照障害，交通障害，大気汚染など，建設する建物が地域に与える環境問題については，通常の場合，計画・設計段階で検討され，地域住民の理解が得られていると考えてよい。したがって，施工では，計画・設計内容の実現に努力する。

工事の開始に当たっては，必要に応じ，近隣説明会を開き，工事の内容や日常の連絡窓口などについて，近隣住民の理解と協力を得る。

(1) 騒音・振動

杭打ちなど，騒音・振動が発生する作業を行う場合，騒音規制法，振動規制法による指定地域では事前の届出（P.34の表3・7）が必要である。特定建設作業の騒音・振動の規制基準を表3・4，3・5に示す。

(2) 水質汚濁

現場での排水に，土砂，セメント，油などが混入しないよう，必要な排水処理装置を設ける。

(3) 地盤沈下・電波障害

地盤沈下や電波障害の問題は，施工に伴って発生した障害か否かの判断が難しい場合が多い。着工前の，詳細な事前調査（3・8・1参照）が必要である。

(4) 建設副産物

一般的に，新築工事に伴って発生する建設副産物は，建設発生土のようにそのまま原料となる再生資源と，原料としての利用が不可能である廃棄物とに分けられる（図3・18参照）。施工現場内で副産物の分別を行うなどの対応策や，「建設工事に係る資材の再資源化等に関する法律」（通称：建設リサイクル法）によって，特定建設資材（コンクリート，木材など）の再資源化の推進と，廃棄物の減量が義務付けられている。種類別建設副産物の排出量を図3・19に

表3・4 特定建設作業の騒音規制基準

No.	特定建設作業	適用除外の作業	規制基準
1	くい打機 くい抜機 くい打杭抜機	くい打機（もんけん） 圧入式くい打くい抜機 くい打機をアースオーガーと併用する作業	・現場敷地境界線上 85 デシベル以下 ・第1号区域：19-7 時禁止 第2号区域：22-6 時禁止 ・第1号区域：1日 10 時間以内 第2号区域：1日 14 時間以内 ・連続 6 日以内 ・日曜日その他の休日の禁止 ・1 日で終わる場合や緊急を要する場合は適用除外
2	鋲打ち機	—	
3	さく岩機	1 日 50 m を超えて移動する作業	
4	空気圧縮機	電動機，定格出力 15 kW 未満の原動機，さく岩機の動力とする作業	
5	コンクリートプラント アスファルトプラント	混練容量 0.45 m³ 未満のコンクリートプラント モルタル製造プラント 混練重量 200 kg 未満のアスファルトプラント	
6	バックホウ	定格出力 80 kW 未満の原動機，環境大臣指定のもの	
7	トラクターショベル	定格出力 70 kW 未満の原動機，環境大臣指定のもの	
8	ブルドーザー	定格出力 40 kW 未満の原動機，環境大臣指定のもの	

表3・5 特定建設作業の振動規制基準

特定建設作業の種類	規制基準				
	振動の大きさ (dB)	深夜作業の禁止時間帯	1 日の作業時間の制限	作業時間の制限	作業禁止日
1. くい打機（モンケンおよび圧入式を除く），くい抜機（油圧式を除く）またはくい打くい抜機（圧入式を除く）を使用する作業 2. 鋼球を使用して建築物その他の工作物を破壊する作業 3. 舗装版破砕機を使用する作業（注） 4. ブレーカー（手持式のものを除く）を使用する作業（注）	75 以下	第1号区域：午後7時から翌日午前7時 第2号区域：午後10時から翌日午前6時	第1号区域：1日10時間以内 第2号区域：1日14時間以内	連続6日間を超えないこと	日曜日またはその他の休日

＊注　作業地点が連続的に移動する作業にあっては，1日における当該作業にかかわる2地点間の最大距離が50 m を超えない作業に限る。

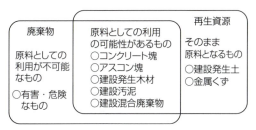

図3・18　建設副産物
（国土交通省）

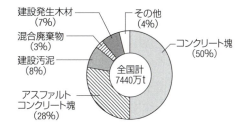

図3・19　種類別建設副産物の排出量
（平成30年度建設副産物実態調査結果）

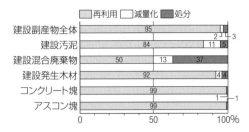

図3・20　種類別建設副産物の再利用・処分状況
（平成30年　国土交通省）

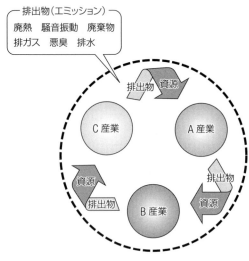

図3・21　ゼロエミッション

示す。

(5) ゼロエミッション

　ゼロエミッションは，ある産業から出る全ての廃棄物を新たに他の分野の原料として活用し，資源循環型の産業社会の形成を目指すというものである。

　より具体的には，「A社から排出された廃棄物をB社が原材料として使用し，B社から排出された廃棄物をC社が原材料として使用する」という産業連鎖により，最終的に廃棄物を限りなくゼロに近づけようというものである。ここで重要な点は，発生する廃棄物を極力最小化し，それでも発生する廃棄物を，他の企業や産業と連携を図ることによって適切に再資源化していこうとする点である（図3・21）。

　多種多様な材料・部材・部品をアセンブルした結果である建築物では，単一の産業による発生抑制・再資源化に限界があり，他産業との連携による取組みが不可欠である。このゼロエミッションを推進するためには，これまで関係の薄かった異業種企業間の情報交換や密接な連携が重要になってくる。種類別の建設副産物の再利用・処分状況を図3・20に示す。

　また，資源循環を確実に行うためには，工事中に発生する廃棄物を分別することが重要である。図3・22に廃棄物の分別の取組みを示す。

(6) グリーン調達

　循環型社会形成推進基本法の個別法のひとつとして，「環境物品等の調達の推進等に関する法律（グリーン購入法）」が制定されている。ここでは，国などの公的機関が率先して環境物品等（環境負荷低減に資する製品・サービス）の調達を推進することに加え，適切な情報提供の促進によって需要の転換を図り，持続的発展が可能な社会の構築を推進することを目指している。グリーン購入法に基づき，公共工事においても，事業毎の特性，必要とされる強度や耐久性，機能の確保，コストなどに留意しつつ，資材，建設機械，工法の調達を積極的に推進することを目標としている。

(7) ISO14000シリーズ

　ISO14000シリーズは，環境マネジメントシステムに関する規格である。材料の調達，生産（施工），維持・更新，リサイクルなどのあらゆる面で，環境への影響を評価・点検し，改善を進めるための環境管理・監査システムを整備・標準化し，実行することが要求される。公共工事では，ISO14000シリーズの認証取得を，ISO9000シリーズ（3・3・3参照）とともに入札の条件としている事例が増加している。

図3・22 施工現場での廃棄物の分別

3・7・3 解体に伴う環境問題

本書では新築建物の施工内容をわかりやすく解説するために，着工前の準備段階から基礎工事，躯体工事，仕上げ工事の順に述べている。

施工プロセス上，全くの空地に新たな建物を構築することはほとんどなく，多くの場合は既存建物を解体することから新築の施工が始まると言っても過言ではない。その際に環境問題が大きく影響する。また，最近ではリノベーション，リフォームなどの改善・補修工事も多く見られるようになり，その場合でも解体工事は不可欠な工事内容となる。工事の安全管理が極めて重要となるため，平成28年に工事許可業種として解体工事業が新設されている。

ここでは，今後の環境管理で重要な位置を占めるであろう解体工事について，その内容と留意すべき点について述べる。

(1) 解体工事の内容

(a) 事前調査

解体工事に先立ち，必要な事前調査を行う。
・敷地周辺の状況（境界からの距離，電気・ガス・上下水道のインフラ設備，周辺建物，道路）
・解体建物の情報（構造，規模，地下や杭の有無，地下水位）
・有害物質の有無（アスベスト（石綿）含有建材，PCB（ポリ塩化ビフェニル）含有機器，汚染土壌，など）

(b) 工事計画

解体には，手壊し分別解体，手壊し・機械併用分別解体，機械分別解体の3つの方法がある。

手壊し分別解体は，建物を再利用する場合や，周辺状況から重機が使用できない場合に採用される。高度な解体技術を要するとともに作業効率がよくないため，多くの労力と時間がかかり，また危険な作業に対する安全性の確保が必要になる。機械分別解体は，規模が大きく堅固な構造躯体の解体で採用され，地上から重機（圧砕機）で解体する場合と既存建物上に重機を設置して解体する場合がある。近年，超高層の鉄骨造の置物の解体工事が増えており，既存建物上で切断した部材をタワークレーンで地上に降ろしながら解体することもある。

廃棄物の搬出は，解体工事と並行して行われ

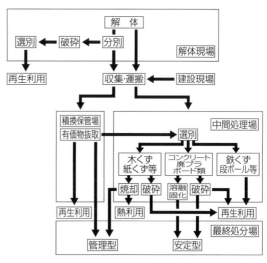

図3・23 建設廃棄物の最終処分場までの流れ

ることが多く，解体工事の進捗や搬出費用に影響を及ぼさないように適切な搬出計画を立てる。中間処理施設によっては，受入れ品目や再資源化可能な品目が制限される場合があるため，あらかじめ，施設の処分能力や実績などの情報を入手しておく。図3・23に廃棄物の分別・中間処理・最終処分までの流れを示す。

(c) **解体工事**

構造体の解体に先立って，電気・衛生・厨房・空調などの設備機器類の撤去，間仕切り・造作材・仕上げ材などの建物内部の非構造部材の撤去を行う。混合廃棄物とならないよう，材料，種類ごとに分別する。

撤去した廃棄物は，可能な限り品目別に分別し，他との混合を避けて集積しておく。混合の恐れがあるものは，袋詰め，専用のコンテナなどに集積する（図3・22）。

3・7・4 建設リサイクル法

建設リサイクル法（建設工事に係る資材の再資源化等に関する法律（平成12年5月31日法律第104号））では，特定建設資材（コンクリート（プレキャスト板等を含む。），アスファルト・コンクリート，木材）を用いた建築物等に係る解体工事または，その施工に特定建設資材を使用する新築工事等であって一定規模以上の建設工事（対象建設工事）について，その受注者等に対し，分別解体等および再資源化等を行うことを義務付けられており，対象工事は表3・6となる。

表3・6 分別解体の対象建設工事の規模

工事の種類	規模の基準
建築物の解体	床面積の合計　　80 m² 以上
建築物の新築・増築	床面積の合計　　500 m² 以上
建築物の修繕・模様替え（耐震改修等）	請負金額　　1億円以上
その他の工作物に関する工事（土木工事等）	請負金額　　500万円以上

3・8　着工準備の内容

着工準備には，事前調査・地盤調査・測量・整地・起工式・現場組織の立上げ，および官庁届出がある。

3・8・1　事前調査

着工前には，建設する建物の完成後や施工中の状況を想定した上で，建設予定地の現状や周りの環境などを詳細に調査する。

敷地については，敷地境界や道路境界を，隣接の土地所有者や道路管理者の立ち会いのもとに確認し，敷地を測量する。図3・24は，境界表示プレートの例である。

　　敷地境界　　　　　　　道路境界
図3・24　境界表示プレート

事前調査は主に，以下の項目を実施する。
① 付近の建物の現状，建設年，基礎深さ，構造などを調べ，写真などにも記録する。さらに必要に応じて近接する既存建物の内部調査（家屋調査）を行う。工事の影響の有無を予測し，工法の検討に役立てるとともに，建設中や建設後の紛争を避けることに有効である。
② 敷地外の地下埋設管（ガス，上下水道，電線），敷地内の既存の基礎，旧石垣，井戸の位置や形状を調べる。工事への影響の有無，および工事前の撤去の必要性の有無を検討する。なお，周辺で使用中の井戸があれば，その状況と，工事中の変化を把握しておく。
③ 空中障害物の有無，架空線や樹木の影響を調べる。工事に支障がある場合は，養生，保護，移動などの措置，樹木では伐採・移植などの措置をとる。
④ 工事用搬出入路における大型車両の規制の有無，一方通行，通学路，交通量，といった交通事情を調べ，工程計画や安全管理の検討に役立てる。

3・8・2　地盤調査

設計段階での地盤調査が十分ではない場合，あるいは地盤調査データが提供されていない場合には，地盤調査や試験を行って，地盤の構成，土質性状，地下水の深さや状況を調べ，必要なデータを得る。

調査の主な目的は，以下である。
① 基礎の設置のため，設計で指定された支持地盤の強度の確認
② 基礎杭の施工の検討
③ 基礎，地下の掘削方法の検討
④ 山留め工法の検討
⑤ 水替え方法の検討
（地盤掘削時に湧出する地下水を汲み上げる，あるいは掘削盤に地下水が湧出しないようにする工事を，**水替え**という。）

地盤調査には，以下の方法がよく用いられる。

(1) 平板載荷試験

基礎の支持地盤上に，30 cm角の正方形あるいは，直径30 cmの円形の平板（鋼製で板厚25 mm以上，**載荷板**という）を置いてこれに荷重を加え，荷重と沈下量の関係から支持力や

地盤反力係数を求める。荷重の加え方には，実載荷式と反力式とがある。

図3・25に，平板載荷試験の装置を図示する。なお，実載荷式の場合は，載荷梁上にバックホー，コンクリート塊や鉄板を載せて載荷荷重とする。

(2) ボーリング（図3・26）

ボーリングとは，機械器具を用いて地盤を掘削し孔を掘り下げることをいう。

ボーリングの主な目的は，以下である。

① 地盤の地層構成を知る。
② 土質試料を採取する。
③ ボーリング孔を利用し，地盤の実際の深さで自然状態における試験（**原位置試験**）を行う。

(3) 標準貫入試験（図3・26）

標準貫入試験で得られる **N 値**とは，重さ$63.5±0.5$ kg の重錘を$76±1$ cm の高さから自由落下させ，SPTサンプラーを地盤中に 30 cm 打込むために要する落下回数をいう。N 値は，地盤の堅さや強度の目安となる。SPTサンプラーによって，各深度での地盤の試料を採取する。

ボーリング孔を利用するのが通例である。

(4) サウンディング

スクリューや錘などをロッドの先端につけて地中に挿入し，貫入・回転・引抜きなどの抵抗から，地盤の強さを簡易的に知る方法である。

標準貫入試験もサウンディングの一方法であり，他に，オランダ式二重コーン貫入試験，スウェーデン式貫入試験（図3・27），ベーン試験などがある。

3・8・3 敷地の測量

(1) 形状・大きさ

敷地の形状や大きさを求めるには，**平板測量**（図3・28）を用いる。三脚上に水平にセットした平板の上に，直接，地形を描く方法である。

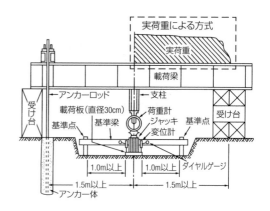

図3・25 平板載荷試験

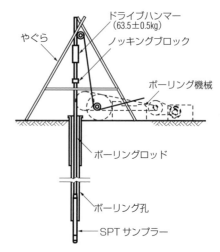

図3・26 標準貫入試験併用ボーリング

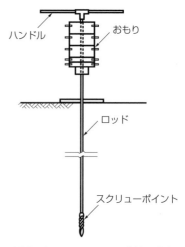

図3・27 スウェーデン式貫入試験

簡便なため，比較的よく用いられるが，可視距離が50m程度なので，50m以上を測る場合や敷地全体を一カ所から見通せない場合は，三脚の移動（**盛り替え**という）回数が多くなり，作業能率や精度は悪い。

測量手順を，以下に説明する。
① 三脚上の平板にアリダード（図3·29）を載せ，平板を水平に保つ（整準という）。
② 求心器と下げ振りを用いて，地上の基準となる測点と平板上の点を同一鉛直線上に合わせる。
③ 測点に紅白に塗り分けられたポールを立て，そのポールをアリダードで見通し，平板上の紙に測線を描く。
④ 基準測点と測点との距離を巻き尺などで測り，測線に添えて記入する。
⑤ この作業を各測点で繰り返すことによって，直接地形を図面化する。

(2) **高低差（水準測量）**

敷地の高低差は，レベルを用いて測量する。なお，高さの基準となるベンチマーク（BM）は，設計者が立ち会って設定する。

レベル測量は，三脚上に水平に載せた望遠鏡で測点に立てた標尺（スタッフ・箱尺）の目盛りを読み，測点の高低差を求める方法である。

レベル測量の要領を，図3·30に示す。標尺Aで地盤高Aを読み，標尺Bで地盤高Bを読む。標尺Aと標尺Bの読み値の差が，地盤の高低差である。

(3) **水平角・鉛直角（トラバース測量）**

水平角や鉛直角の測定は，トランシットを用いて行う（図3·31）。

三脚に載せたトランシットを整準装置で水平に保ち，望遠鏡で測点を視準して測点の水平角・鉛直角を求める。

建築物の基準となる通り心は，縦横直角に交わっている場合が多く，このトランシット測量

図3·28 平板測量

図3·29 アリダード

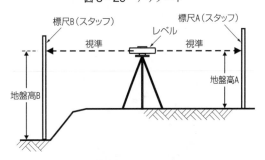

図3·30 レベル測量

図3·31 トランシット

が，現場における測量の基本となる。

(4) トータルステーションによる測量（図3・32）

トータルステーション（光波測距儀）は，レーザー（光波）を使って測点に設置したターゲットとの距離と角度を測定する測量器である。距離，高低差，水平角・鉛直角の全てを1台で行う。

トータルステーションを三脚に水平に載せ，望遠鏡で反射ミラー（プリズム）を視準し，測点までの距離，水平角・鉛直角を求める。反射ミラー（プリズム）には，**ターゲット**と呼ばれ三脚上に載せて測点位置に設置するものと，測点に正確に設置出来るピンポイント・プリズムとがある。

やや高度な技術を必要とする測量法であるが，現場における測量の主流となっている。

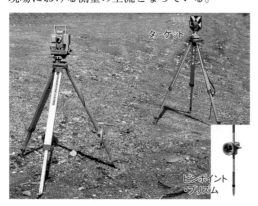

図3・32　トータルステーション

(5) GNSS（GPS）測量

複数の人工衛星から発射された電波を地上の受信機で受けて，解析機で受信機の位置を三次元で瞬時に決定する。2台以上のアンテナを使うと精度は向上する（相対測位）。

3・8・4　整地，起工式

配置図，総合仮設計画図などに基づいて，敷地内の工事対象範囲，仮設建物の建設位置，その他の作業スペースなどを設定し，確保する。

工事用車両の進入路および敷地内通路を整備するため，整地作業をする。

その後，吉日を選んで起工式＊を行うことが多く，けじめの一つとして，この日から工事が開始されるとしている。

3・8・5　作業所の運営と施工管理

工事の規模・内容に応じた作業所を設置し，作業員を指揮できる現場員を編成し，現場を運営することが，工事の成功につながる。

なお，現場には，元請に監理技術者，協力業者に主任技術者を配置し，施工技術を管理させることが，建設業法で定められている。

(1) 現場組織の概要

現場組織は，施工管理者，専門工事業者，工事監理者によって編成される。

施工管理者は，元請会社の社員から選出され，各々の工事ごとに施工を担当し，管理を行う。

各専門工事業者が実際の施工を行い，通常，労務・資材・施工機械も提供する。

工事監理者は施工組織の中では独立した存在であり，施工者と協同して，設計意図の施工現場での実現を図る役割を担っている。設計者と同一の場合も多く，工事規模によっては現場に常駐しないこともある。

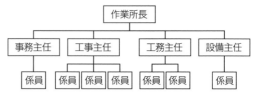

工事主任：実際の工事管理を担当
工務主任：工法，品質管理などの計画・管理を担当

図3・33　作業所組織の一例

＊起工式：安全祈願祭，地鎮祭などをあわせて執り行うことが多い。

図3・33は，中・大規模現場の施工管理組織の一例である。作業所長の元に，工事・工務・設備各主任が配置され，この指揮下に躯体・仕上げの各工事別に担当係員がつく。作業所長が工事主任を兼ねるなど複数の業務を一人が担当する場合も多い。

(2) **施工管理者の業務**

施工管理の業務は，組織上の地位や担当内容によって異なるが，個々の作業員が施工管理の5大要点QCDSE（3・2・1参照）への問題意識を持って日々の作業に当たることが出来るよう，配慮し，指導することが求められる。

近隣への工事説明は十分に行い，工事中も近隣が問題とするトラブルが発生しないように注意を怠らないことも大切である。

3・8・6　関係官庁への届出

工事に必要な諸官庁への申請書・届出書を提出し，許可を受ける。建築工事を行う場合，建築基準法，建設業法，労働安全衛生法などの法令により，各種の許認可・届出などの申請が必要である。特に，建物の性能・品質，および施工の安全・危険防止に関わるものが重要である。

これら申請・届出については，施工現場の見やすい場所に，確認・許可などの表示が必要となっているものがある。これらには，「建設業の許可票」，「労災関係成立票」，「建築基準法による確認済」などがある（図2・3参照）。

主要な申請・届出について，その申請・届出先を，表3・7に示す。

表3・7 主要な申請・届出の一覧

申請・届出の名称		届出・申請先	提出時期	備考
(1) 建築基準法関係				
①	建築確認申請	建築主事または指定確認検査機関	着工前	建築物・工作物（準用工作物指定工作物のみ）
②	建築工事届（着工届）特定行政庁		着工前	
③	中間検査申請		特定工程後，4日以内	
④	完成検査申請（工事完了届）	建築主事または指定確認検査機関	完了した日から4日以内	
⑤	建築物除却届	建築主事または指定確認検査機関	解体工事の前日まで	
(2) 道路関係法関係				
①	道路占有許可申請	道路管理者	工事開始1か月前	年度ごとに提出
②	道路使用許可申請	警察署長	着工前	工事ごとに提出
(3) 労働安全衛生法関係				
①	建設工事計画届 など	労働基準監督署長	仕事開始の14日前まで	高さ31mを超える建築物の新築・解体等，深さ10m以上の掘削 石綿の除去
②	機械など設置届	労働基準監督署長	仕事開始の30日前まで	設置期間が60日以上の吊足場，張り出し足場，高さ10m以上の足場 高さ及び長さが10m以上の架設通路 高さ3.5m以上の型枠支保工
③	共同企業体代表届	労働基準監督署長を経て局長	仕事開始の14日前まで	
④	統括安全衛生責任者選任報告	労働基準監督署長	選任後遅延なく	常時50人以上の作業所
⑤	総括安全衛生管理者選任報告	労働基準監督署長	選任後遅延なく	常時100人以上の作業所
(4) クレーンなど安全規則関係				
①	クレーン・エレベータ設置届	労働基準監督署長	仕事開始の14日前まで	3t以上のクレーン 積載荷重が1t以上のエレベータ
(5) 環境関係				
①	特定建設作業実施届	市町村長	作業開始の7日前	騒音規制法・振動規制法に規定する作業（杭打ち，削岩など）
②	建設リサイクル法	都道府県知事	工事着手の7日前	新築工事・解体工事

3・9　建設材料の保管と管理

　現場に置かれた材料，製品の移動量を少なくし，その移動ルートが整然と計画されていることが，工事の安全と品質確保，工程の短縮に大きく寄与する。したがって，材料，製品の移動に必要な仕事量を最小にするように保管場所を決める。ただし，安全のため，各種の規制や注意事項があるので，それに従わなければならない。
　主な注意事項を，表3・8に示す。

表3・8　主な材料の保管・管理上の注意事項

材　料	保管・管理上の注意事項
セメント	・防湿に注意し，風化させないよう通風を避ける。 ・袋の積み重ねは，10袋以下とする。
鉄筋	・種別・長さ別に整理する。 ・枕木などを用い，直接地面に接しないようにする（地面から10cm以上離す）。 ・シートで保護し，付着強度を低下させる油分，泥などの汚れ，浮き錆の発生を避ける。
骨材	・種類別に整理し，不純物が混入しないよう，周囲地面より高い所に保管し，地面に直置きしない。 ・骨材の吸水状態を一定に保つため，均一に散水を行う。
PC杭	・まくら木を2本使い，1段で並べる。やむを得ず2段に積む場合，同径のものを並べ，まくら材を同一鉛直面上にして仮置きする。
せき板（型枠）	・型枠用合板は直射日光を避け，シートなどで養生（保護）する。 ・乾燥させ，通風をよくする。
高力ボルト	・錆びないように，乾燥した場所に保管する。 ・梱包は，施工直前に開く。
溶接棒	・常に乾燥させておく。 ・吸湿している場合は，乾燥機で乾燥させてから用いる。
コンクリートブロック	・雨掛かりを避け，乾燥した場所で縦積みする。 ・積上げ高さは，1.6m以下。
アスファルト・ルーフィング	・屋内の乾燥した場所に，縦置きにする。 ・積上げは2段まで，砂付きルーフィングは1段。
プレキャストコンクリート板	・まくら木を2本使い，平積みとする。 ・積重ね板数は，6枚以下。
ALC板	・まくら木を使い，平積みとする。 ・積高さは，1段当たり1m以下，総高さ2m以下。
押出成形セメント板	・含水率により，反り変形を生じやすいので，雨水の影響を受けないように養生する。 ・積み上げ高さは1m以下とする。
板ガラス	・屋内の乾燥した場所に，クッション材を設置した上で縦置きで保管し，転倒しないようロープなどで緊結する。
塗料	・安全データシート（SDS）の記載内容に従い取り扱う。 ・建物や他の保管物から1.5m以上離し，独立の平屋倉庫に保管する。 ・塗料（フタル酸樹脂系塗料）が付着した布類は，自然発火の恐れがあるので密室には保管しない。
タイル	・雨露，日光の直射を避ける。
木毛セメント板	・まくら木を3本使用し，地面に直置きしない。 ・積高さは，3m以下。
ビニール壁紙	・横積すると押しつぶされてくせがつくので，縦置きにする。 ・直射日光は避け，湿気の多い場所やコンクリートの上に直置きはしない。
ロールカーペット	・屋内で直射日光の当たらない乾燥した平坦な場所で，縦置きせず，2～3段までの俵積みとする。
床シート類	・屋内で直射日光の当たらない乾燥した平坦な場所で，縦置きとする。

3・10　工程表の例

　図3・34に鉄筋コンクリート造（RC造）建物，図3・35に鉄骨造（S造）建物のネットワーク工程表の実例を示す。それぞれの，規模，用途などは，表3・9のとおりである。

9）　諸検査
10）　竣工・引渡し
11）　内覧会

表3・9　工程表例の建物規模など

	構造・規模	用途	計画工期
図3・34	RC造，5F	集合住宅	15か月
図3・35	S造，B1～9F	テナントビル	20.5か月

3・10・1　RC造建物についての解説

(1) 建物諸元
　　・構造・規模：RC造，地上5階
　　・用　　　途：小規模の集合住宅
　　・基 礎 形 式：杭基礎，べた基礎
　　・屋 根 防 水：アスファルト防水

(2) 施工計画の留意点
　　・工期：15か月
　　　着工：5月13日，引渡し：翌年8月7日
　　・工事規模が小さいため，固定式の揚重装置は用いず，移動式クレーンを活用
　　・試運転調査および検査に，30日程度

(3) 施工手順の概要
　　主に，1）～10）の手順で進行する。
　　1）　杭→根切
　　2）　基礎躯体
　　3）　1F→5Fの躯体工事
　　4）　打設コンクリートの養生期間経過後，型枠解体・片付
　　5）　内部仕上工事・設備工事
　　6）　並行して，屋上防水，外部仕上工事
　　7）　設備機器の取り付け
　　8）　外構

(4) 解説
① 躯体施工サイクル　1F 27日，2F～22日
② 打設コンクリートの養生期間は，24日
③ 昇降機の納まりは躯体との取合いが多いので，施工図は，基礎工事までに完成
④ 基礎コンクリート打設後，埋戻し
⑤ 最上階コンクリート打設から屋上防水工事の着手までには，十分な乾燥期間を確保
⑥ 外部仕上工事終了後，外部足場解体
⑦ 外部足場解体後，外装の残工事を施工
⑧ 設備工事は，着工時から竣工まで断続的に継続
⑨ 試運転調査，検査に30日間程度

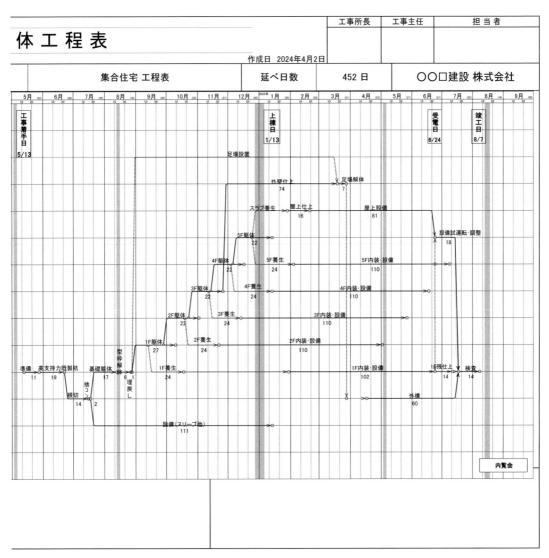

図3・34　RC造建物の工程表の例

3・10・2　S造建物についての解説

(1) 建物諸元
- 構造・規模：S造，地下1階・地上9階
- 用　　　途：テナントビル
- 基 礎 形 式：杭基礎
- 床　　　　：デッキプレート合成床
- 屋 根 防 水：アスファルト防水

(2) 施工計画の留意点
- 工期：21か月
  着工：5月15日，引渡し：翌々年2月4日
- 揚重装置は，鉄骨建方でタワークレーンを使用し，鉄骨建方後に外壁PCa版建込み，サッシ取り付け，内外装用にリフトを設置
- テナント個別の内装・設備工事があり，35日程度必要
- テナント工事は，一般の内装工事終了後に着手
- 引渡し前の諸検査はテナント工事後に受け，15日間必要

(3) 施工手順の概要（工程表最下段に該当期間を表示）

主に，1)～9)の手順で進行する。
1) 山留め壁→アースドリル→1次掘削→切梁→2次掘削→基礎，B1階躯体
2) 鉄骨建方・本締め（1節～4節）
3) 各階床コンクリート打設
4) 外壁PCa版板，サッシ建込み
5) 並行して，屋上防水，外部仕上工事
6) 内部仕上工事・設備工事
7) テナント工事
8) 外構
9) 諸検査

(4) 解説
① サッシ，昇降機の納まりは躯体との取合いが多いので，鉄骨の工場加工工程の初期段階までに，施工図を作成
② 基礎の工程から逆算して，鉄骨発注（FAB決定）
③ 鉄骨工程に合わせて，サッシ，設備の施工図作成に着手
④ タワークレーン組立
  鉄骨建方後，1F立上がり部の施工
⑤ 1F立上がり部の施工，鉄骨本締め後に，各階床コンクリート，墨出し
⑥ 外壁PCa版，サッシの取り付け後，耐火被覆内装工事に着手

施主名	○○○○都市開発株式会社	工事名称	
所在地	東京都○○区△△町		
構造・規模	地上 S造 9階 / 地下 RC造 1階	外部足場	
階高	4.2　m	外壁	
建築面積	900.0　㎡	屋根	
延床面積	8,100.0　㎡		
杭種	場所打ち杭	9F (S造)	
山留め	SMW	8F (S造)	
着工	2024年5月15日	7F (S造)	
上棟	2025年5月14日	6F (S造)	
中間検査	2025年6月10日	5F (S造)	
受電	2025年11月19日	4F (S造)	
消防検査	2026年1月15日	3F (S造)	
竣工	2026年2月4日	2F (S造)	
引渡し	2026年2月4日	1F (S造)	
		B1F (RC造)	
配置図		基礎	
		設備	

⑦　最上階床コンクリート打設から屋上防水工事着手までには，十分な乾燥期間を確保
⑧　タワークレーン解体
⑨　本工事の内装工事後，テナント工事に入る
⑩　内装工事終了後，リフト解体
⑪　設備工事は，着工時から竣工まで断続的に継続，受電
⑫　試運転竣工検査に，45日程度

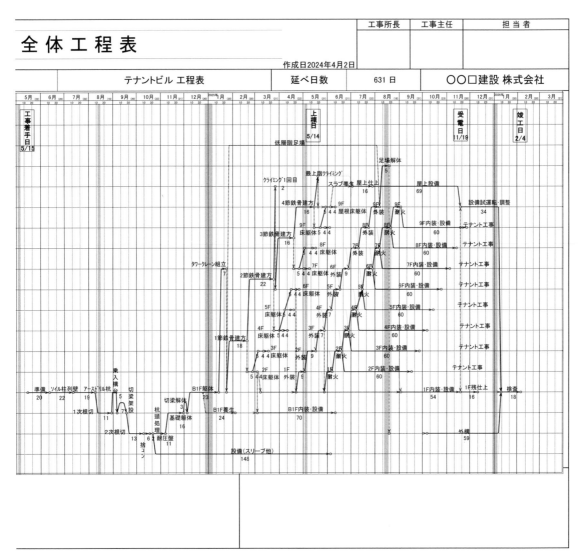

図3・35　S造建物の工程表の例

3・11 建設機械

建築に使用されている機械には，揚重作業で使われるクレーン，車両系建設機械，車両系荷役運搬機械，高所作業車などがあるが，主なものを以下に示す。

3・11・1 人や物を揚重する機械

作業員を作業場所に運ぶこと，材料，廃棄物を指定された場所に運ぶことなどを効率的に行うには，機械の使用を計画的に運用することが重要となる。

(1) **定置式クレーン**

・タワークレーン：高層ビルなどの建設などに用いられ，工事完了時は解体される。建物が上部に積層されていくにしたがって，タワークレーンを上部へあげる作業をクライミングという。クライミングはマストを継ぎ足すマストクライミングとベースを上昇させるベースクライミングがある。

(2) **移動式クレーン**

・車両の重量にもよるが，公道を走行できるラフテレンクレーン，ホイールクレーンと現場内で組立てを行うクローラークレーンがある。また，車両に付けている積載型トラッククレーンもある。

(3) **工事用エレベーター**

・構造の違いにより，ワイヤーロープ式エレベーターとラックドピニオン式エレベーターがある。工事の進捗にともない，本設エレベ

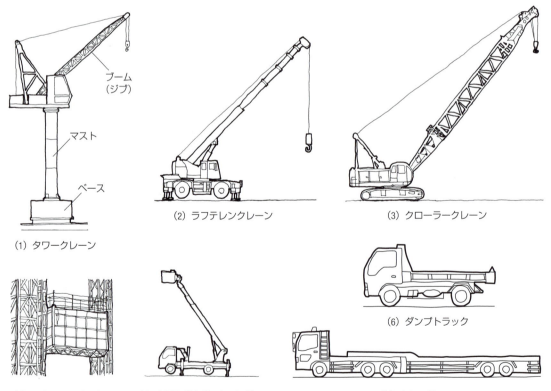

図3・36 工事で使用する主な建設機械(1)

ーターを仮使用することが多い。また荷物のみを運搬するリフトを設置することもある。

(4) 高所作業車
・作業員が，カゴに乗り高所で作業するために使用する。ホイール式とクローラー式がある。

3・11・2 土を除去する機械

建物の杭や地下部分を構築するには，既存の土を除去しなければならない。工法にあった適切な機械を選定することが重要である。

(1) 杭打機
・場所打ちコンクリート杭の施工で使用するアース・ドリルを示す。

(2) バックホウ
・ショベル系掘削機のアーム先端にバケットを取付け，掘削および積込みを行う。ブームの届くところでの作業となる。

(3) テレスコアーム掘削機
・テレスコアームと呼ばれる伸縮式のアームの先端にクラムシェルバケットを取付けた掘削機。深い掘削に対応する。

(4) ブルドーザ
・前面に設置された排工板で土砂を押し出したり，削ることで，整地・押土・集土を行う。

3・11・3 コンクリート関連の機械

レディーミクストコンクリート(生コン)は，生コン工場から工事場所に運搬し，打ち込まれる。

(1) コンクリートポンプ車（ブーム車）
・生コンの圧送に使用される。生コン車から生コンクリートを，取り込み所定の場所まで圧送する。

(2) 生コン車（アジテータ車）
・荷台部分にミキシングドラムを備えた貨物自動車。生コンを輸送するとともに，撹拌することができる。

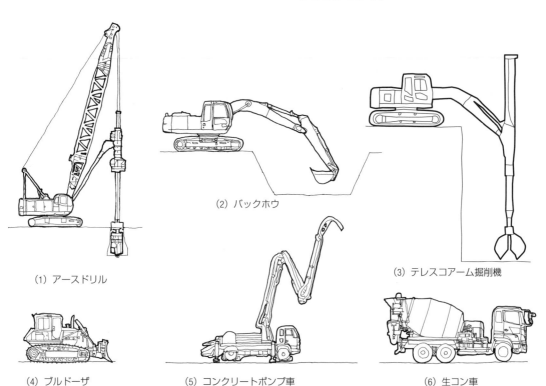

図3・37 工事で使用する主な建設機械(2)

第3章 章末問題

次の各問について，記述が正しい場合は○，誤っている場合には×をつけ，誤っている場合には正しい記述を示しなさい。

【問 1】 （品質管理について）工程（プロセス）の最適化より検査を厳しく行うことのほうが，優れた品質管理である。(R2-57)

【問 2】 品質管理は，品質計画の目標のレベルにかかわらず，緻密な管理を行う。(R2-57)

【問 3】 品質管理は，計画段階より施工段階で検討する方が，より効果的である。(R2-57)

【問 4】 （品質管理に用いる図表として）パレート図は，観測値若しくは統計量を時間順又はサンプル番号順に表し，工程が管理状態にあるかどうかを評価するために用いられる。(R1-60)

【問 5】 （品質管理に用いる図表として）ヒストグラムは，計量特性の度数分布のグラフ表示で，製品の品質の状態が規格値に対して満足のいくものか等を判断するために用いられる。(R1-60)

【問 6】 （品質管理に用いる図表として）特性要因図は，特定の結果と原因系の関係を系統的に表し，重要と思われる原因への対策の手を打っていくために用いられる。(R3-48)

【問 7】 （品質管理に用いる図表として）チェックシートは，欠点や不良項目などのデータを取るため又は作業の点検確認をするために用いられる。(R1-60)

【問 8】 （ネットワーク工程表について）クリティカルパス（CP）以外の作業でも，フロートを使い切ってしまうとクリティカルパス（CP）になる。(R3-46)

【問 9】 （労働災害の用語で）度数率は，災害発生の頻度を表すもので，100万延べ実労働時間当たりの延べ労働損失日数を示す。(H29-64)

【問 10】 （労働災害の用語で）強度率は，1,000延労働時間当たりの労働損失日数で表すもので，災害の重さの程度を示す。(R1-64)

【問 11】 労働損失日数は，死亡及び永久全労働不能の場合，1件につき5,000日としている。(R1-64)

【問 12】 次の作業のうち，作業主任者の選任が必要なものを○，必要で無いものは×，(R3-51)
①掘削面の高さが2mの地山の掘削作業
②高さが3mのコンクリート造の工作物の解体作業
③高さが4mの単管足場の組立作業
④高さが5mの鉄筋コンクリート造建築物のコンクリート打設作業（H28-66）
⑤高さが3mの型枠支保工の解体作業

【問 13】「建設工事に係る資材の再資源化等に関する法律（建設リサイクル法）」の届け出が必要な工事を○，必要で無いものは×，(R2-80)
①建築物の増築工事であって，当該工事に係る部分の床面積の合計が500 m^2 の工事
②建築物の大規模な修繕工事であって，請負代金の額が8,000万円の工事

③建築物の解体工事であって，当該工事に係る部分の床面積の合計が $80\,m^2$ の工事
　　④擁壁の解体工事であって，請負代金の額が 500 万円の工事

【問 14】（「振動規制法」上，特定地域内における特定建設作業の規制に関する規準として）特定建設作業の振動が，特定建設作業の場所の敷地の境界線において，85 dB を超える大きさのものでないこと。（H27-82）

【問 15】（「振動規制法上」特定地域内における特定建設作業の実施の届出について）特定建設作業開始の日までに，都道府県知事に届け出なければならない。（H29-82）

【問 16】　耐火建築物に吹き付けられた石綿を除去する場合。当該仕事の開始の日の 14 日前までに，届け出なければならない。（R3-43）

【問 17】（労働基準監督署長への計画の届出に関して）掘削の深さが 10 m 以上の地山の掘削の作業を労働者が立ち入って行う場合，当該仕事の開始の日の 30 日前までに届け出なければならない。（R3-43）

【問 18】（労働基準監督署長への計画の届出に関して）高さが 31 m を超える建築物を解体する場合，その計画を当該仕事の開始の日の 14 日前までに，労働基準監督署長に届け出なければならない。（R3-43）

【問 19】　共同連帯として請け負う際の共同企業体代表者届を提出する場合，当該届出に係る仕事の開始の日の 14 日前までに，労働基準監督署長を経由して都道府県労働局長に届け出なければならない。（R5-43）

【問 20】　つり上げ荷重が 3 t 以上であるクレーンの設置届を提出する場合，その計画を当該工事の開始の日の 14 日前までに，労働基準監督署長に届け出なければならない。（R5-43）

【問 21】（建築材料の保管について）高力ボルトは，工事現場受入れ時に包装を開封し，乾燥した場所に，使用する順序に従って整理して保管した。（R4-55）

【問 22】（建築材料の保管について）砂付ストレッチルーフィングは，ラップ部（張付け時の重ね部分）を下に向けて縦置保管した。

【問 23】（建築材料の保管について）ロール状に巻いたカーペットは，屋内の平坦で乾燥した場所に 4 段までの俵積みにして保管した。（R2-51）

【問 24】（建築材料の保管について）既製コンクリート杭は，やむを得ず 2 段に積む場合，同径のものを並べ，まくら材を同一鉛直面上にして仮置きする。

第Ⅱ編 躯体工事

第4章

仮設工事・準備工事

4・1 概説 ──────── 46

4・2 共通仮設工事 ──────── 47

4・3 直接仮設工事 ──────── 50

4・4 準備工事 ──────── 54

章末問題 ──────── 55

4・1 概　説

　仮設工事とは，建築物本体を完成させるために必要な工事用の施設・設備・機械・資材などの仮設物を施工に先立って設置し，完了後にこれらを解体・撤去する工事である。

　仮設工事計画は施工者の責任において立案されるが，計画の良否は，建築物の品質のみならず，安全で効率よく，かつ経済的な工事の運営に大きく影響する。そのため，仮設工事は予め綿密な計画を立て，それに基づき実行する必要がある。特に仮設物は建築物完成後には取り除かれるものであることに留意し，経済的な計画を行う必要がある。

　仮設工事は，いくつかの工事に共通して使用され，工事の進行および監理に必要な施設などの**共通仮設工事**と，建築物の構築に直接必要な**直接仮設工事**に分類される（表4・1）。

表4・1　仮設工事

共通仮設工事	仮囲い，門扉，仮設建物，クレーン，工事用エレベーター，車路，工事用電気および給排水設備
直接仮設工事	遣り方，墨出し，足場，桟橋，通路，揚重・運搬設備，安全防災設備

　仮設計画の主要なものをまとめて図示したものは**総合仮設計画図**と呼ばれる。総合仮設計画図には，建築物本体の施工に必要な共通仮設物および直接仮設物の大きさとその配置を表示する（図4・1）。

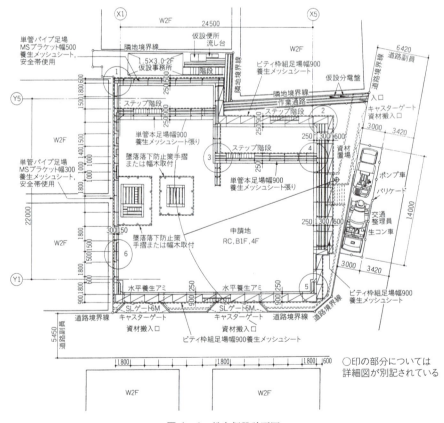

図4・1　総合仮設計画図

4・2 共通仮設工事

4・2・1 仮囲い,門扉

仮囲いは,工事現場と外部との隔離,盗難防止,通行人の安全および隣接物の保護のために設置する。また,周辺の景観を維持することも仮囲いを設置する大きな目的である。木造以外の2階建て以上の工事を行う場合,工事期間中,現場周囲に地盤面からの高さ1.8m以上の仮囲いを設けることが法律(建築基準法施行令136条の2の20)で義務づけられている。

図4・2 仮囲い(フラットパネル鋼板張り)

仮囲いの材料としては,鋼板が一般的であり,囲いの高さに応じて適切なものを使用する。最近は,仮囲いに周辺環境に適したデザインや植栽,広告などを施すこともある(図4・2)。

資機材の搬出入用の出入口は,全面道路が広く,車両の出入りが容易である面を選び,折りたたみ式のパネルゲート(図4・3)やアコーディオン式のキャスターゲートを取付ける。

4・2・2 仮設建物

(1) 工事事務所,作業員休憩所

仮設事務所は,監理事務所と工事事務所がある。監理事務所は工事監理者のための施設で,工事事務所は,施工者が日常のデスクワークや打合せを行うための施設である。建設場所は,現場や作業員を見渡せ,資機材の管理がしやすいところが望ましい。また,工事完了まで移動しないでよい場所に建設する。敷地に余裕がない場合は,近くの空室を借りて事務所とする場合もある。

図4・3 仮囲い(パネルゲート)

作業員休憩所は,現場作業に従事する作業員が更衣,食事,休憩,打合せなどを行う場所である。

敷地内に建てる場合の仮設事務所および作業

図4・4 工事事務所

員詰所の構造は，設置や撤去が容易な組立ハウス，ユニットハウスを用いることが多い（図4・4）。

(2) 下小屋，倉庫

大工，鉄筋工，左官工，塗装工などの各作業者が現場内で下ごしらえや工作・加工を行う場所を**下小屋**という。最近では工場で資材の加工を済ませて現場に持ち込むことが多く，下小屋の設置は少なくなっている。

倉庫は，材料，器具類，道具類を保管するものとペンキやボンベなど危険物を保管するものとを分けて設置する。

(3) 衛生施設

仮設便所，洗面所，シャワー室などの衛生施設は，ユニット式のものがほとんどであり，現場の規模に応じてユニットの組合せ方を計画する。

4・2・3 仮設用電気設備，給排水設備

工事用電気設備には，揚重機やポンプ類などの機械や溶接機などに電力を供給する**動力用**と仮設建物や現場内の照明に電力を供給する**照明用**がある。最大電力容量は，工事の規模や使用する機械設備から算定する。

仮設電力を使用する場合は，当該地域の電力会社に申請する。

原則として，契約電力が 50 KW 未満は低圧受電，50 KW 以上は高圧受電となる。高圧受電の場合は，敷地内にキュービクルと呼ばれる高圧受電設備（送電線から送られる 6,600 V の電気を 100 V や 200 V に降圧する設備）を設置する。

工事用水は，事務所，洗面などの生活用水のほかに，養生や散水，清掃など工事のために用いられる。工程に支障が生じないように十分な水量と圧力の供給を計画する。

水道の使用に当っても，敷地外部より引き込む必要がある。そのため，電力会社・水道事業者に申請手続きの後に接続を行う。また，使用までに時間が必要となるので，早期に必要容量を決定する。

現場で発生する雑排水は公共下水道に放流することができるが，汚泥を含んだ水やコンクリートやモルタルを洗浄したアルカリ分を含む汚水は，建設地の条例などに従い，適切な処理をしたうえで排水する。

なお，下水道を使用する場合は，下水道使用開始届を下水道事業者に提出する。

4・2・4 運搬揚重設備

現場内では，様々な資機材や作業員の運搬，移動が頻繁に生じる。それらの設備は水平，垂直の動きをとり，運搬対象物の重量も現場の規模によって様々である。そのため，運搬揚重計画の良否は施工品質やコスト，工期，安全に大きな影響を与える。計画に際して，建物の規模や高さ，運搬する資機材の重量，大きさなどについて検討を行い，効率的，経済的な揚重運搬設備を選定する。表4・2に揚重機の種類と特徴を示す。

表4・2 揚重機の種類と特徴

機能	分類			特徴
垂直・水平複合	クレーン	タワークレーン	傾斜ジブ型	・機種が豊富にあり，工事規模にあったものを選びやすい。 ・移動式クレーンに比べ設置面積が小さい。 ・基礎・構造体の補強および解体時の検討が必要になる。
			水平ジブ型	
		ジブクレーン		・機体を小ブロックに解体でき，組立て・解体が容易である。 ・機種によっては，水平移動が可能である。
	移動式クレーン	トラッククレーン	油圧式	・路上走行ができ，移動性能に優れている。 ・油圧式のものは，ブームを自在に伸縮できるので機動性に富む。 ・機械式のものは，ブームの組立て・解体に小型の揚重機が必要である。 ・走行路盤およびアウトリガー設置部に耐力が必要である。
			機械式	
		ホイールクレーン		・全装備のまま路上走行ができ，ブームを自在に伸縮できるので機動性に富む。 ・小回りがきき，狭い場所での作業が容易である。
		クローラクレーン	傾斜ブーム型	・現場への搬入には運搬車が必要である。 ・ブームの組立て・解体には揚重機と場所が必要である。 ・クローラーで移動し，アウトリガーなしで作業できる。
			タワー型	
垂直	工事用エレベーター	人荷用エレベーター ロングスパンエレベーター		・昇降機構がラックピニオン式のものとワイヤ式のものがある。 ・リフトに人を乗せることはできない。
	建設用リフト	高速リフト 一本構リフト・二本構リフト		

注）・クレーン類の能力は，モーメント（定格荷重 t×作業半径 m）によって表示されることもある。
　・一定の条件のもとでは，作業半径が大きくなるほど吊上げ荷重は小さくなる。

4・3 直接仮設工事

4・3・1 足場

(1) 足場の用途（表4・3）

足場には外部足場と内部足場がある。**外部足場**は躯体から外壁仕上げにわたる作業用のものであり、長期間にわたって使用される。作業床や通路としての機能のほか、外部への落下・墜落防止のための安全設備、また埃などの飛散防止のための保護設備としての機能も有する。

内部足場は建物内部の躯体工事や内装仕上げ工事で用いられる。これらのほとんどは、工事の進行に伴って設置・撤去が繰り返される。

その他に、上下の移動のための**階段、登り桟橋、踊場**、安全のための**手すり**や**中桟**が設けられる。

また、外部足場には倒壊や揺れ、変形を防止するため、本体建物とつなぐ、壁つなぎや足場からの飛来・落下物による事故を防止するため、足場外面にシートやネットを施す。

(2) 足場の構造

(a) 単管足場（図4・5）

単管足場は、鋼管を接続金具や緊結金具を用いて現場で組立ててつくる足場である。単管足場には、**本足場**、**ブラケット足場**がある。

本足場は、2列の**建地**（支柱）に**布**（水平材）を渡して腕木でつなぎ、それに足場板を敷いて作業床とする。組立て手順は、地盤上に敷いた敷板の上に固定型ベース金具を配置し、それに建地を差し込んで布を建地に水平に架け渡す。腕木は建地と布に直交クランプで緊結する。筋かいは自在クランプ（単管の設置角度を自由に調整できる）で緊結する。

ブラケット足場は建地にブラケットを取付け、それに足場板を敷いて作業床とする。狭い場所や低層の住宅用として使用される。

表4・3 足場の種類（建築工事監理指針（令和4年度）参照）

種類			外壁工事用	内装工事用	躯体工事用
支柱足場	本足場	枠組足場	○		○
		くさび緊結式足場	○		○
		単管足場	○		○
		手すり先行足場	○		○
	一側足場	ブラケット一側足場	○		○
		くさび緊結式一側足場	○		○
	棚足場	枠組足場		○	
		くさび緊結式足場		○	
		単管足場	○	○	
つり足場		つり枠足場			○
		つり棚足場			○
機械足場		高所作業車（機械式伸縮足場）	○	○	○
		ゴンドラ	○		
		移動昇降足場	○		
その他		張出し足場（張出しステージ上）	○		
		移動式足場（ローリングタワー）	○	○	
		移動式室内足場		○	
		可搬式作業台（可搬式足場）		○	

(b) 枠組足場（図4・6，図4・7）

枠組足場は，建枠，布板，筋かいなど，工場で加工した鋼管を現場で組み立てる方式の足場で，広く用いられている。

各枠の組立ては，連結部にピンを差し込み，上下の建枠を緊結する場合はアームロックを取付ける。

平成21年4月に「手すり先行工法に関するガイドラインの策定について」が出され，組立て時に先行して，手すりが設置できる枠組足場が採用されている。

(c) くさび緊結式足場

鋼管を建地（支柱）とし，それに設置された緊結部に手すり，筋かい，布などについたくさびをハンマーで打込み固定する足場で，手摺先行工法となる。

主にくさび緊結式足場において，階高を従来の1,700 mmから1,800～1,900 mmとしたり，先行手すり，すき間の少ない布といった安全性，作業性が向上した「次世代足場」が登場している。

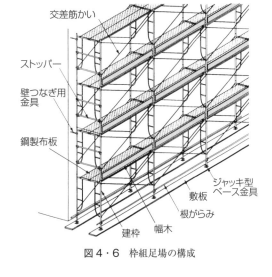

図4・6　枠組足場の構成

図4・7　枠組足場

図4・8　くさび式緊結足場

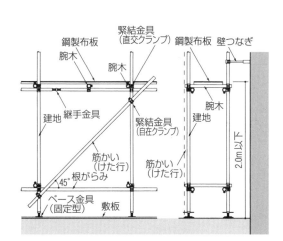

図4・5　単管足場の構成

4・3・2 安全設備

工事の安全を確保するための設備には，以下のようなものがある。

① 作業床，通路の端部や開口部からの墜落を防ぐための手すり，中桟，巾木，ネット
② 鉄骨建方時の落下防止のための**水平養生ネット**（図4・9）落下物により通行人や近隣施設に損傷を与えないようにするための**垂直養生ネット**（図4・10），防護棚（あさがお）
③ 感電防止や電線の損傷防止のため，敷地周辺の高圧線の保護や防火のための消火器や防火用水

図4・9　水平養生ネット

図4・10　垂直養生ネット

施工管理のポイント

(1) **作業床**
　①足場における高さ2m以上の作業場所には，作業床を設ける。
　②作業床の幅は40cm以上とし，床板材間のすきまは，3cm以下とする。
　③物体の落下防止として高さ10cm以上の幅木，メッシュシートまたは防網を設ける。

(2) **登り桟橋**
　①勾配は30°以下とする。15°を超えるものについては，踏み桟，その他の滑り止めを設ける。
　②墜落の危険のある箇所には，高さ85cm以上の手すりと高さ35cm以上50cm以下の中さんなどを設ける。
　③高さ8m以上の登り桟橋には，7m以内ごとに踊り場を設ける。

(3) 単管足場・枠組足場・くさび緊結式足場
　　（表4・4参照）

表4・4　足場の比較表

要点	単管足場	枠組足場	くさび緊結式足場
建地の間隔	・けた方向：1.85 m 以下 ・梁間方向：1.50 m 以下 ・建地の下端に作用する設計荷重が最大使用荷重（建地の破壊に至る荷重の2分の1以下の荷重）を超えないときは、鋼管を2本組としなくてよい。	高さ20 m を超える場合や重量物の積載を伴う作業をする場合は、 ・主枠の高さ：2 m 以下 ・主枠の間隔：1.85 m 以下	・けた方向：1.85 m 以下 ・梁間方向：1.50 m 以下
地上第1の布の高さ	2.0 m 以下		2.0 m 以下
建地脚部の滑動・沈下防止措置	ベース金具、敷板、敷角、脚輪付きは、ブレーキまたは歯止め	（同左）	ベース金具、敷板、根がらみ
継手部 接続部、交差部	付属金具で緊結	（同左）	・凸型、凹型金具等で打ち込む。 ・緊結金具を使用
補強	筋かいを入れる	（同左）	筋かいを入れる
壁つなぎ、控え	・垂直方向：5 m 以下 ・水平方向：5.5 m 以下	・垂直方向：9 m 以下 ・水平方向：8 m 以下 （高さ5 m 未満は除く）	・垂直方向：5 m 以下 ・水平方向：5.5 m 以下
壁つなぎの引張り材と圧縮材との間隔	1.0 m 以下	（同左）	――
建地間の積載荷重（表示する）	400 kg 以下	――	200 kg 以下
水平材	――	最上層および5層以内ごと	――
作業床[1]	・幅：40 cm 以上、すき間：3 cm 以下 ・転位脱落防止のため、2箇所以上を緊結する。 ・高さ2 m 以上に設ける場合、床材と建地とのすき間を12 cm 未満とする。		・幅：40 cm 以上、すき間：3 cm 以下 ・垂直間隔2 m 以下 ・腕木材又は緊結部材ブラケットに架け渡して取付ける。
墜落防止	高さ85 cm 以上の手すり及び中桟等[2]	・交さ筋かい及び下桟等[3] ・手すりわく	・高さ概ね90 cm の手すり及び中桟 ・幅木等
物体の落下防止	高さ10 cm 以上の幅木、メッシュシートまたは防網		
その他の留意事項	・建地の最高部から測って31 m を超える部分は、原則として鋼管2本組とする。	・通常使用の場合、高さは45 m 以下とする。	

1) 作業床は、支持点および重ね部分を釘や番線類で取り付け、移動しないようにする。
2) 高さ35 cm 以上50 cm 以下の桟またはこれと同等以上の機能を有する設備
3) 高さ15 cm 以上40 cm 以下の桟、高さ15 cm 以上の幅木、またはこれらと同等以上の機能を有する設備

＊本文、図ネームなどに示した片かっこ数字1) などは、巻末に掲載してある「引用・参考文献」の番号である。

4・4 準備工事

4・4・1 縄張り

工事着手の際に，設計された建物平面が敷地内に納まるかどうかを確認するために，地面にひも類で建物外周をつくりだす。この作業を縄張り，または**地縄張り**という（図4・11）。

この作業を通じ，建物と敷地の関係，敷地境界・隣接建物との位置関係などが明らかにできる。縄張りは施主，設計者，工事監理者の立ち会いのもとに行い，承認を受け，建物の位置を決定する。

4・4・2 遣り方

建物位置の決定後，それを基準にして**遣り方**を行う。遣り方は建物の通り心を明らかにするとともに，高低の基準を明確に表示するための作業である。通り心を挟んで木杭を両側に立て，水貫（貫板）をある高さの基準として水平に打ち付け，墨を打つ（図4・12，図4・13）。

4・4・3 ベンチマーク

一般の木造建築では遣り方を残したまま基礎工事を行うが，大型工事の場合は掘削部分が大きくなるため，基準となる通り心の墨を工事の影響のないところに移動する必要がある。その際には，建物の通り心の延長線上あるいは1〜2m水平移動した基準線の延長上で，移動や沈下などの変動のない既設の建物や新たに設置した杭などに基準点を設ける。これを**ベンチマーク（B.M.）** という（図4・14）。

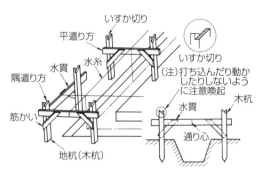

図4・12　一般的な遣り方の例

図4・13　遣り方

図4・11　縄張り[1)]

図4・14　ベンチマーク

第4章 章末問題

次の各問について，記述が正しい場合は○，誤っている場合には×をつけ，誤っている場合には正しい記述を示しなさい。

【問 1】 工事用の動力負荷は，工程表に基づいた電力量山積みの 50% を実負荷とする計画とした。(R4-41)

【問 2】 工事用電気設備のケーブルを直接埋設するため，その深さを，車両その他の重量物の圧力を受けるおそれがある場所を除き 60 cm 以上とし，埋設表示する計画とした。(R4-41)

【問 3】 必要な工事用使用電力が 60 kW のため，低圧受電で契約する計画とした。(R3-41)

【問 4】 作業員の仮設便所において，男性用大便所の便器の数は，同時に就業する男性作業員が 60 人ごとに，1 個設置する計画とした。

【問 5】 工事用の照明設備において，普通の作業を行う作業面の照度は，150 ルクスとする計画とした。(R2-47)

【問 6】 女性作業員用の仮設便器数は，同時に就業する女性作業員 20 人以内ごとに 1 個を設置する計画とした。

【問 7】 工事用使用電力量の算出に用いる，コンセントから使用する電動工具の同時使用係数は，1.0 として計画した。(R1-47)

【問 8】 （工事用電気設備について）溶接用ケーブル以外の屋外に使用する移動電線で，使用電圧が 300 V 以下のものは，1 種キャブタイヤケーブルを使用する計画とした。(H30-47)

【問 9】 仮設の給水設備において，工事事務所の使用水量は，50 リットル／人・日を見込む計画とした。(H30-47)

【問 10】 工事用使用電力量の算出において，照明器具の需要率及び負荷率を加味した同時使用係数は，0.6 として計画した。(H29-47)

【問 11】 アースドリル工法による掘削に使用する水量は，1 台当たり 10 m³/時として計画した。(H29-47)

【問 12】 前面道路に設置する仮囲いは，道路面を傷めないようにするため，ベースを H 形鋼とする計画とした。(R4-40)

【問 13】 （工事現場内の）塗料や溶剤等の保管場所は，管理をしやすくするため，資材倉庫の一画を不燃材料で間仕切り，設ける計画とした。(R2-46)

【問 14】 仮囲いは，工事現場の周辺や工事の状況により危害防止上支障がないので，設けない計画とした。(H30-46)

【問 15】 （外部足場において）防護棚は，外部足場の外側からのはね出し長さを水平距離で 2 m とし，水平面となす角度を 15° とした。(R3-50)

【問 16】 （外部足場において）落下物による危害を防止するために足場の外側に設けた工事用シートは，日本産業規格（JIS）で定められた建築工事用シートの 1 類を使用した。(H30-

【問 17】（外部足場において）コンクリート打設時のコンクリート等の飛散防止のために足場の外側に設けた工事用シートは，コンクリート打設階のスラブ高さまで立ち上げた。(H28-65)

【問 18】登り桟橋の高さが 15 m の場合，高さの半分の位置に 1 箇所踊場を設ける。(R3-52)

【問 19】（外部足場において）単管足場の建地を鋼管 2 本組とする部分は，建地の最高部から測って 31 m を超える部分とした。(R2-67)

【問 20】くさび緊結式足場の支柱の間隔は，桁行方向 2 m，梁間方向 1.2 m とした。(R2-67)

【問 21】単管足場の壁つなぎの間隔は，垂直方向 5.5 m 以下，水平方向 5 m 以下とする (R1-67)

【問 22】高さが 20 m を超える枠組足場の主枠間の間隔は，2 m 以下とした。(H30-67)

【問 23】枠組足場の使用高さは，通常使用の場合 45 m 以下とする。(H29-67)

【問 24】枠組足場に設ける水平材は，最上層及び 6 層以内ごととする。(H28-67)

【問 25】外部足場に設置した防護棚の敷板は，厚さ 1.6 mm の鉄板を用い，敷板どうしの隙間は 3 cm 以下とした。(R4-51)

【問 26】コンクリート工事計画に当たり，コンクリートポンプ車を前面道路に設置するため，道路使用許可申請書を道路管理者に提出した。(R3-40)

【問 27】セメントによって地盤改良された土の掘削に当たり，沈砂槽を設置して湧水を場外へ排水することとしたため，水質調査を省略した。(R1-46)

【問 28】掘削深さや地盤条件に応じた山留めを設けることとしたため，隣接建物の基礎の調査を省略した。(H29-46)

【問 29】建物の位置と高さの基準となるベンチマークは，複数設置すると誤差を生じるおそれがあるため，設置は 1 箇所とした。(H29-46)

第5章

土工事，地業・基礎工事

5・1　概説 —————————— 58
5・2　土工事 ————————— 58
5・3　地業・基礎工事 ————— 64
章末問題 —————————— 68

5・1 概説

建築物の基礎は，上部の構造体を支持し，上部構造からの荷重を支持地盤に伝え，建築物の沈下などを生じさせないといった，非常に重要な役割・機能を有するものである。建物完成後には地中に埋まり，確認ができなくなるため，基礎構造に関わる土工事，地業・基礎工事は細心の注意を払う必要がある。また，これらの工事は全体の工期や，特にコストに大きく影響することを念頭に置き，周到な施工計画を立て，工事を遂行することが重要である。

施工計画の立案に当たっては，敷地周辺状況の調査や敷地内の地盤調査の結果を十分留意した上で，技術的に実現可能であり，かつ施工の品質が保証できる工法を選択し，敷地周辺に悪影響を及ぼさないことに留意する。また，基礎構造に関わる工事では，建築物の用途や地盤条件・周辺環境，水位などの自然条件などによって工事の難易度が異なることが多い。そのため，設計時の検討内容をそのまま実行するのではなく，再度施工側で検討を加え，工事に着手する必要がある。

土工事，地業・基礎工事における事故や施工ミスは大きな災害を引き起こすばかりでなく，後続工事の工程や予算に大きく影響を与える。必要に応じて施工計画の見直しや設計変更を行うなど，信頼性の高い基礎構造を確実に実現させるよう工事を進めることが大事である。

5・2 土工事

土工事は，根切り，山留め，排水，埋め戻しなどの作業を総称したものである。根切りとは，建築物の基礎あるいは地下部分を構築するために行う地盤の掘削のことである。また，その際に周辺地盤の崩壊を防止すること，あるいはそのために設けられる構築物を山留めという。

工事の大型化につれて，深い根切りを伴う地下工事や，敷地いっぱいに建物が計画されることが増えている。このような場合は，地盤の沈下や変形，変動に伴う障害発生の可能性も大きくなるので，建築基準法，労働安全衛生法などの関連法規を遵守するだけでなく，常に周辺地盤や山留め壁，水位などの計測を行い不具合防止に努める。

5・2・1 山留め
(1) 山留め工法の種類と特徴
(a) 法付け（のりづけ）オープンカット工法

根切り部周辺に安定した斜面を造りながら掘削を行う工法である。比較的良質な地盤で敷地に余裕がある場合に採用される。機械力を活かすことが可能なため施工能率が高いが，根切り深さが深い場合は，掘削量，埋め戻し量が多くなるため不経済である。

(b) 山留め壁オープンカット工法

周辺地盤の移動，沈下，崩壊や土砂の流出を防止するため，基礎あるいは地下躯体外周部に山留め壁を設けて，掘削する工法である。根切り深さが浅い場合には，自立した山留め壁のみで構成されるが，深い場合には土圧を

第5章　土工事，地業・基礎工事　59

支持するため以下のような工法の検討が必要になる。

水平切梁工法（図5・1a）は，水平に架け渡した仮設の切梁（きりばり）などの支保工で，山留め壁にかかる土圧を支持する工法である。市街地における工事では最も一般的で，立地条件や地盤条件による制限も少ない。その反面，根切り面に切梁があるため，掘削や地下躯体工事の作業性が悪くなる場合もある。

複雑な平面形状や高低差の大きい敷地では，水平切梁を架けようとしても山留め壁にかかる土圧をバランスよく支持できなかったり，切梁自体がうまく架けられなかったりする場合がある。その場合，切梁の代わりに山留め壁背面の土中に**アンカーロッド**を埋め込み，地盤との摩擦力で山留め壁を支持する**地盤アンカー工法**（図5・1b）を採用することがある。切梁が必要ないので，掘削や地下躯体工事の作業性は向上するが，市街地では地盤アンカーが敷地外へ出てしまう場合の可否など施工に制限がかかることが多い。

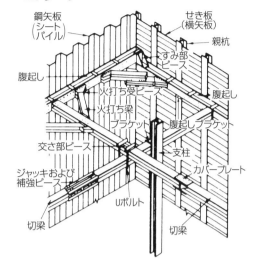

図5・2　水平切梁工法

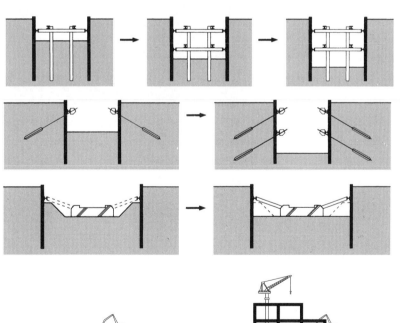

(a) 水平切梁工法
水平に架設した切梁などの支保工で，山留め壁にかかる土圧を支持する工法。市街地で一般的な工法。

(b) 地盤アンカー工法
切梁が出来ない場合に，切梁の代わりに山留め壁背面の土中に埋め込まれたアンカーロッドの引き抜き抵抗により，山留め壁を支持する工法。

(c) アイランド工法
根切り中央部を先行掘削後，地下躯体を構築し，これに反力をとり山留め壁を支持しながら周辺部を掘削する工法。

(d) 逆打ち工法
建物本体の1F床梁を先行施工し，これを支保工として順次下部の根切りと躯体構築を繰り返して工事を進める工法。

図5・1　山留め工法

(c) アイランド工法（図5・1c）

　山留め壁オープンカット工法の応用であり，根切り中央部を先行掘削したのち，地下躯体を構築し，これに反力をとり山留め壁を支持しながら周辺部を掘削する工法である。根切り平面が広く全面的に切梁を架けると不経済になる場合に用いられる。

(d) 逆打ち工法（図5・1d）

　切梁などの支保工の代わりに建物本体の床を山留め壁の抑えとして使用する工法である。場所打ち杭（本設あるいは逆打ち用に仮設で構築）にあらかじめ床を支えるための鉄骨柱（構真柱という）を設置しておく。躯体を利用するので剛性が高い支保工となり，また地下工事とともに地上の工事も同時に進めることができるので，工期を短縮できる。

(2) 山留め壁の種類

(a) 親杭横矢板工法（図5・4a）

　H形鋼，レールなどの**親杭**を，適切な間隔で地中に埋め込み，根切りしながら主に木製の**横矢板**を親杭間に差し込んで山留め壁をつくる工法である。地下水位が低く，良好な地盤に適する。経済的な工法であるが，止水性はないので，必要に応じて排水工法を併用する。

(b) 鋼矢板工法（シートパイル工法）（図5・4b）

　U型などの断面形状の鋼矢板を，継手部をかみ合わせながら連続的に地中に埋め込み，山留め壁を構築する工法である。止水性が高いので，地下水のある砂質土層，粘性土層に適している。

(c) ソイルセメント柱列壁工法（図5・4c）

　アースオーガー（地盤に丸い穴を掘る機械）で掘削した土とセメントを混練したソイ

図5・3　ソイルセメント柱列壁工法と切梁架設状況

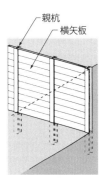 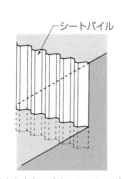 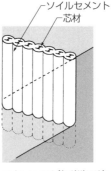

(a) 親杭横矢板工法　　(b) 鋼矢板工法（シートパイル工法）　(c) ソイルセメント柱列壁工法　(d) 場所打ち鉄筋コンクリート地中壁工法

図5・4　山留め壁の種類

ルセメントの柱体の中心に，芯材（H形鋼など）を挿入し，柱列状の山留め壁をつくる工法である。施工において振動，騒音が少なく，壁剛性や止水性も高いため，掘削が深く，地下水位が高い場合などに広く採用されている。

(d) 場所打ち鉄筋コンクリート地中壁工法
（図5・4d）

地中に壁状の穴を掘り，鉄筋かごを挿入しコンクリートを打設して山留め壁をつくる工法である。他の工法に比べ，工期が長く，コストも高くなるが，低騒音・低振動で施工でき，壁の剛性も高く止水性も高いことから，大規模，大深度や軟弱地盤の工事で用いられることが多い。さらに，当該壁を本設の地下外壁として利用する場合もある。

5・2・2 排水・止水工法

根切り，山留め工事中には，工事の進捗に支障となる地下水や外部からの流水などが発生する。これらは地盤の変動や土砂の崩壊につながるだけでなく，掘削作業の効率を低下させる。そのため，排水，止水工法を十分に検討しておく必要がある。

主な排水工法には，以下のものがある。

① **ウェルポイント工法**（図5・5a） 吸水管を地下水面下に打ち込み，減圧して地下水を吸収・排水する工法。

② **ディープウェル工法**（図5・5b） 深い井戸を設置し，揚程のある水中ポンプを直接入れて地下水を排水する工法。

③ **釜場排水工法**（図5・5c） 根切り底面に設けたくぼみ（釜場）に湧水を導き，水中ポンプで直接排水する工法。

④ **止水壁工法**

止水壁工法は，根切り部周囲に止水性の高い山留め壁を設け，その先端を不透水層まで貫入させることにより，根切り面への地下水の流入を遮断する工法である（図5・5d）。

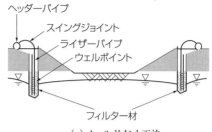

(a) ウェルポイント工法

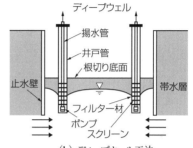

(b) ディープウェル工法

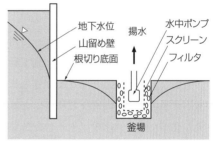

(c) 釜場排水工法

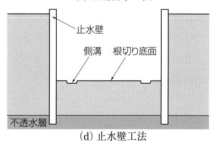

(d) 止水壁工法

図5・5 排水および止水工法

5・2・3 根切り底地盤の安定

土工事を安全に遂行するためには，根切り，山留め工法の選定と同時に根切り後の**水平地盤面（底地盤）**の安全性について検討する必要がある。底地盤を不安定にするものには，軟弱な粘性土地盤で起こりやすい**ヒービング現象**（図5・6a），地下水位の高い砂質土地盤で起こりやすい**ボイリング現象**（図5・6b），地下水圧の働く帯水層上の粘性土地盤での**盤ぶくれ現象**（図5・6c）がある。ヒービング現象に対しては，山留め壁の根入れ部分を長くする，ボイリング現象に対しては，地下水位を下げる，あるいは山留め壁を不透水層まで貫入させる，また盤ぶくれ現象に対しては，ディープウェルなどで排水し，被圧地下水を減圧するなどの防止策がある。（「施工管理のポイント」参照）

5・2・4 計測管理

山留め工事を安全に行うためには，周到な事前調査とそれに基づく慎重な設計・施工計画ならびに適切な施工が一体となって実施される必要がある。不均一で不確実な性状の土と地下水が対象となるため，施工前に仮定した条件が実際には異なっていたり，工事の進行が計画通りに進まなかったりすることがあり，事前の計画のみでは十分な安全性を確保することが困難である。このような状況を未然に防止するために，施工中の計測や点検による管理と見直しが不可欠となる。

主な計測管理の測定事項を以下に示す。

① 山留め壁の計測
　作用する土圧，水圧，山留め壁の曲げひずみ，変形量
② 切梁の計測
　作用する軸力，変形量，温度変化
③ 周辺地盤の変位計測
　背面地盤の変形量（沈下，側方変位）

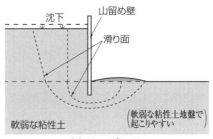

(a) ヒービング

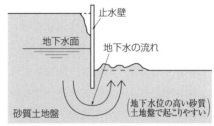

(b) ボイリング

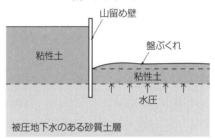

(c) 被圧地下水による盤ぶくれ

図5・6　底地盤の不安定現象

図5・7　傾斜計による計測管理

④ 周辺構造物の変位計測
　　構造物の沈下，傾斜，移動量，亀裂
⑤ 地下水位の観測
　　排水量と地下水位の変動

⑥ 漏水箇所の点検
　　これらの計測には，傾斜計，ひずみ計，ロードセルなどが用いられる。

施工管理のポイント

(1) 根切り工事の留意事項
　①根切りと切梁などの山留め支保工架設作業とをバランスよく計画する。
　②掘削の手順は，掘削の済んだ部分と済んでいない部分の土圧の違いを考慮して計画する。
(2) 山留め工事の留意事項
　①周囲への騒音や振動などの影響を小さくする。
　②周辺地盤が移動，沈下しないように，施工順序・方法を計画する。
　③施工スペースを確保し，地中に埋設されている障害物を事前に除去しておく。
　④大型重機を使用する場合は，堅固な作業路盤を確保しておく。
(3) 山留め壁工法別の留意点
　①山留め壁工法の選定では，地盤条件，壁の曲げ剛性，止水性，騒音・振動や周辺地盤の沈下，工期・コストなどを総合的に判断して決定する。
　②親杭横矢板工法：横矢板挿入後に，矢板と地盤背面の間にしっかりと土（裏込め土）を充填する。
　③鋼矢板工法：引き抜き時に周辺地盤が沈下することがある。
　④ソイルセメント柱列壁工法：施工スピードを上げると，ソイルセメントの硬化不良を起こしやすい。
　⑤場所打ち鉄筋コンクリート地中壁工法：安定液などを使い，地中に掘った壁の側面が崩れることを防ぐ。
(4) 用語の説明
　①ヒービング
　　軟弱な粘性土地盤を根切りする際に，山留め壁の背面土のまわり込みにより根切り底面の土が盛り上がる現象。対策としては下記となる。
　　・剛性の高い山留め壁を採用する。
　　・山留め壁の根入れを十分にとる。
　　・山留め壁外部の地盤をすきとり土圧を軽減する。
　　・根切り底より下部の軟弱地盤を改良する。
　　・部分的に根切りを進め，終了したところからコンクリートを打込むことを繰り返す。
　②ボイリング
　　砂質土のような透水性の高い地盤で，地下水の上向きの浸透力が砂の水中での有効重量より大きくなり，砂粒子が水中で浮遊する状態（クイックサンド）が発生し，根切り面が沸騰したように破壊される現象。またクイックサンドにより，山留め壁に沿って地盤内にパイプ状の孔や水みちができる現象をパイピングという。対策として下記となる。
　　・山留め壁の根入れを深くとる。
　　・根切り面内（あるいは山留め背面）の地下水を低下させる。
　③盤ぶくれ
　　根切り底面が粘性土のような難透水層であり，その下部に被圧帯水層が存在し，被圧地下水の揚圧力が土被り圧より大きい場合に，根切り底面が持ち上がる現象。対策として，下記となる。
　　・被圧帯水層の被圧地下水位を，ディープウェル等で低下させる。
　　・止水壁を被圧帯水層以深の難透水層まで根入れする。
　　・難透水層以深を地盤改良して土被りを厚くする。

5・3 地業・基礎工事

5・3・1 基礎の分類

基礎は，形状と支持形式により分類することができる。図5・8は基礎の種類を示したものである。**フーチング基礎**は，上部構造からの荷重を，ある程度広がりをもった底面によって地盤に伝えるものであり，この基礎には，単一の柱からの荷重を支持する**独立基礎**，壁または連続した柱からの荷重を支持する**連続基礎（布基礎ともいう）**がある。また，**べた基礎**は，建物の床面積全体を占めるスラブ状の基礎で，荷重を地盤に伝達するものである。

基礎や基礎スラブに働く荷重をどのように地盤面に伝えるかは，それらの下部の地盤に設けた支持材の形式によって異なる。支持の形式は総称して**地業**と呼ばれる。**直接地業**は，基礎底面から直接，荷重を支持地盤に伝えるものである。直接地業では，支持地盤（床付け面という）の許容支持力*が十分であることを確認する必要がある。床付け面の地盤性状によって，**割栗（割石）地業，砂利地業，捨てコンクリート地業**などが行われる。

杭地業は，地中に築造された杭を介して荷重を支持地盤に伝達する形式である。地盤への応力伝達方式には，杭の先端を支持地盤に到達させる**支持杭**と，杭周辺の地盤との摩擦力のみに期待する**摩擦杭**がある。また，杭の造り方の違いにより，**既製杭，場所打ちコンクリート杭**がある。

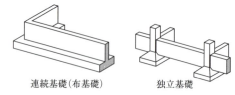

a. フーチング基礎

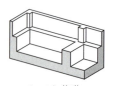

b. べた基礎

図5・8 基礎の種類

図5・9 捨てコンクリートの打設

施工管理のポイント

(1) 施工上の留意事項
 ①床付け面の支持力を確認するための試験を行う。
 ②床付け面を荒らさないように丁寧に掘削する。
 ③湧水についての検討を行う。

(2) 直接地業の種類
 ①地肌地業：堅固で良質な地盤をならして，支持面とする地業。
 ②砂地業：軟弱地盤に砂を敷き詰めて，地盤を改良する地業。
 ③砂利地業：根切り底に直接砂利を敷き並べて突き固める地業。
 ④割栗地業：根切り底に割栗石を小端立てに並べて，そのすき間に砂利を充填して突き固める地業。
 ⑤捨てコンクリート地業：墨出しなどが行いやすいように，地盤底面を平らにする目的でコンクリートを打設する地業。

---

*許容支持力：地盤の強度を地盤支持力といい，その極限の支持力に対し，安全率を考慮した強度をいう。

5・3・2 杭地業

(1) 既製杭

あらかじめ製造された杭を地中に埋設し築造するものを既製杭という。材料により，**既製コンクリート杭，鋼杭**がある。工場製作であるため，品質が安定している点が特徴であるが，施工時の杭の輸送方法や順序・設置方法を検討する必要がある。

既製杭の施工は，**ディーゼルハンマ，油圧パイルハンマ**などで打撃力を与え地中に打ち込む**打撃工法**が以前は一般的であった。打ち込み状況・貫入状況を観察しながら施工できるので，支持地盤への到達の確認がしやすいなどの利点もあるが，騒音，振動が伴うため市街地ではほとんど用いられない。騒音・振動を軽減させるために，一定の深さまで掘削し，杭を打撃しながら建て込む工法もある（**プレボーリング併用打撃工法**）。騒音・振動などの建設公害を避けるため，現在では地中に各種の方法で既製杭を埋め込む，**埋め込み工法**が主流となっている。最も一般的な**プレボーリング工法**（図5・10），杭径の大きな場合に用いられる**中掘工法**（図

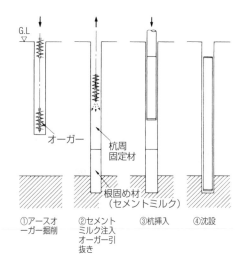

図5・10 既製コンクリート杭（プレボーリング工法）

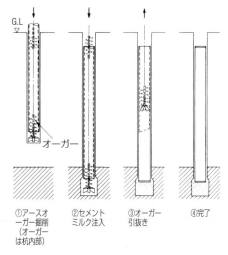

図5・11 既製コンクリート杭（中掘り工法）

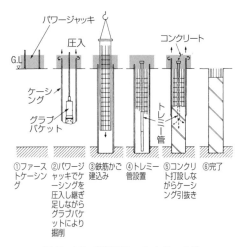

図5・12 場所打ちコンクリート杭（オールケーシング工法）

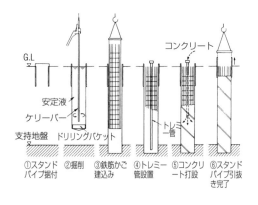

図5・13 場所打ちコンクリート杭（アースドリル工法）

5・11），杭全体を回転させながら埋め込む**回転圧入工法**などがある。埋め込み工法は，現場で簡易に杭の支持力を評価することが難しいため，工法の選定に当たっては，地盤性状や掘削方法，杭の施工標準・仕様などについて十分検討する必要がある。

(2) 場所打ちコンクリート杭

現場で築造される杭の代表的なものは，あらかじめ地盤に掘られた削孔内に鉄筋かごなどを挿入し，コンクリートを打設する**場所打ちコンクリート杭**である。大口径の杭や長大な杭に適しており，低騒音・低振動の公害の少ない工法であるが，施工時の孔壁の崩壊や先端地盤のゆるみなどに留意する必要がある。施工方法は，機械掘削と人力掘削に大別できる。機械掘削工法には，孔壁保護をケーシングで行う**オールケーシング工法**（図5・12），人工泥水の安定液で保護する**アースドリル工法**（図5・13）や，清水で保護する**リバースサーキュレーション工法**などがある。機械を用いることができない場合に採用される人力掘削工法は**深礎工法**と呼ばれ，支持地盤の確認が確実にできることが特徴であるが，孔内での作業環境（換気など）については，十分に配慮する必要がある。

図5・14 場所打ちコンクリート杭の施工（掘削）

図5・15 場所打ちコンクリート杭の施工（鉄筋かごの建込み）

施工管理のポイント

(1) 既製杭施工上の留意点
　①埋め込み工法の場合，工事初期段階に支持地盤の性状を把握するための試験杭を施工する。
　②支持層への根入れが，確保されているか確認。

(2) 場所打ちコンクリート杭施工上の留意点
　①孔壁保護のための安定液を反復使用する場合は，品質管理を確実に行う。
　②支持層への根入れが，確保されているか確認。
　③スライム（杭底部の沈殿物）は，杭先端支持力を低下させるので，確実に除去する。
　④鉄筋かごは，変形が生じないように必要に応じて補強する。
　⑤コンクリートの分離防止，コンクリートへの異物の混入防止のために，打設にはトレミー管（図5・12，図5・13参照）を使用する。
　⑥杭上部のコンクリートには不良箇所ができる可能性があるので，所定高さより50～100cm程度余分（余盛り）に打設する。
　⑦一般に，杭の施工精度は，水平方向が杭径の1/10かつ10cm以下，鉛直方向が杭長の1/100以下である。

5・3・3 その他の地業

(1) ケーソン基礎

あらかじめ地上または地下において**函体の構造物**をつくり，その底部の土を掘削し，自重によるか，もしくは荷重を加えて所定の地盤に沈設させるものである。中空の箱状構造物（ケーソン）の内部を掘削しながら沈下させる**オープンケーソン工法**，ケーソン先端部の作業空間に圧縮空気を送り，その圧力により地下水を排除して掘削し沈下させる**ニューマチックケーソン工法**（図5・16）がある。

(2) 地盤改良地業

埋立地のような軟弱地盤上に構造物を構築する場合には，地盤の安定化のために沈下防止対策・止水対策や液状化防止対策を施す必要がある。土の締め固めや固化などによって，人工的に地盤の支持力を高めることを**地盤改良地業**という。

振動により土を締め固める**バイブロフローテーション工法**，土中の間隙水を強制的に排水させる**サンドドレーン工法**（図5・17），化学的な処理によって土粒子間の結合力を高める**薬液注入工法**などがある。

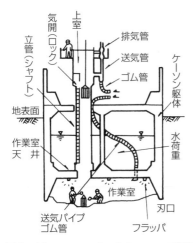

図5・16　ニューマチックケーソンの構造

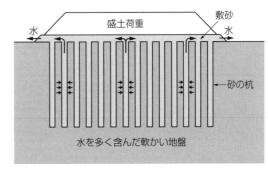

図5・17　サンドドレーン工法

第5章 章末問題

次の各問について，記述が正しい場合は○，誤っている場合には×をつけ，誤っている場合には正しい記述を示しなさい。

【問 1】（地下水処理工法について）釜場工法は，根切り部への浸透水や雨水を根切り底面に設けた釜場に集め，ポンプで排水する工法である。(R1-23)

【問 2】（地下水処理工法について）ディープウェル工法は，透水性の低い粘性土地盤の地下水位を低下させる場合に用いられる。(H28-23)

【問 3】（ソイルセメント柱列工法について）掘削土が粘性土の場合，砂質土に比べて掘削撹拌速度を速くする。(R2-23)

【問 4】（ソイルセメント柱列工法について）ソイルセメントの中に挿入する心材としては，H形鋼などが用いられる。(H30-23)

【問 5】（山留め工事の管理について）山留め壁周辺の地盤の沈下を計測するための基準点は，工事の影響を受けない付近の構造物に設置する。(R4-23)

【問 6】（山留め工事の管理について）油圧式荷重計は，切梁と火打梁との交点付近を避け，切梁の中央部に設置する。(H29-23)

【問 7】（土工事について）ヒービングとは，軟弱な粘性土地盤を掘削する際に，山留め壁の背面土のまわり込みにより掘削底面の土が盛り上がる現象をいう。

【問 8】（土工事について）盤ぶくれとは，掘削底面付近の砂地盤に上向きの水流が生じ，砂が持ち上げられ，掘削底面が破壊される現象をいう。

【問 9】（土工事について）クイックサンドとは，砂質土のように透水性の大きい地盤で，地下水の上向きの浸透力が砂の水中での有効重量より大きくなり，砂粒子が水中で浮遊する状態をいう。(R2-22)

【問 10】（土工事について）パイピングとは，粘性土中の弱い所が地下水流によって局部的に浸食されて孔や水みちが生じる現象をいう。(H28-22)

【問 11】（土工事について）根切り底面下の（不透水層の下層）に被圧帯水層があり，盤ぶくれの発生が予測されたので，ディープウェル工法で（被圧）地下水位を低下させた。(H30-22)

【問 12】（既製コンクリート杭について）PHC杭の頭部を切断した場合，切断面から350mm程度まではプレストレスが減少しているため，補強を行う必要がある。(R3-23)

【問 13】（既製コンクリート杭について）杭の施工精度は，傾斜を1/100以内とし，杭心ずれ量は杭径の1/4，かつ，100mm以下とする。(R1-24)

【問 14】（既製コンクリート杭について）荷降ろしのため杭を吊り上げるときは，安定するよう杭の両端の2点を支持して吊り上げるようにする。(H29-24)

【問 15】（場所打ちコンクリート杭について）オールケーシング工法における孔底処理は，孔内水がない場合やわずかな場合にはハンマーグラブにより掘りくずを除去した。(R4-24)

【問 16】（場所打ちコンクリート杭について）杭頭部の余盛り高さは，孔内水がない場合は 50 cm 以上，孔内水がある場合は 80～100 cm 程度とする。(R2-24)

【問 17】（場所打ちコンクリート杭について）アースドリル工法における鉄筋かごのスペーサーは，D10 以上の鉄筋を用いる。(R2-24)

【問 18】（場所打ちコンクリート杭について）掘削終了後，鉄筋かごを建て込む前に 1 次孔底処理を行い，有害なスライムが残留している場合には，コンクリートの打込み直前に 2 次孔底処理を行う。(H30-24)

【問 19】（場所打ちコンクリート杭について）安定液は，必要な造壁性があり，できるだけ高粘性，高比重のものを用いる。(H30-24)

【問 20】（場所打ちコンクリート杭について）地下水がなく，孔壁が自立する地盤では，安定液を使用しないことができる。(H30-24)

【問 21】（基礎構造について）直接基礎下における粘性土地盤の圧密沈下は，地中の応力の増加により長時間かかって土中の水が絞り出され，間隙が減少するために生じる。(H28-7)

【問 22】地盤の液状化は，地下水面下の緩い砂地盤が地震時に繰り返しせん断を受けることにより間隙水圧が減少し，水中に砂粒子が浮遊状態となる現象である。(H28-7)

【問 23】（杭基礎について）杭の周辺地盤に沈下が生じたときに杭に作用する負の摩擦力は，一般に摩擦杭の場合より支持杭の方が大きい。(R3-7)

第6章

鉄筋コンクリート工事

6・1　概説 ———————————— 72

6・2　鉄筋工事 ————————————— 74

6・3　型枠工事 ————————————— 83

6・4　コンクリート工事 ——————————— 91

章末問題 ———————————————— 99

6・1 概説

6・1・1 鉄筋コンクリート造建物の種類

鉄筋コンクリート造の主な構造方式は，ラーメンと壁式である。**ラーメン構造**は，柱と梁との接合部が剛接合されているもので，構造方式として広く普及しているものである。

壁式構造は，柱や梁がなく，水平・鉛直荷重を耐力壁に負担させるもので，住宅など壁の多い建築物に向いた構造方式である。その他特殊なものとして，梁を介さず，直接，柱で屋根や床を支持する**フラットスラブ構造**，屋根や壁に用いられる**シェル構造**などがある。

生産方式からは**場所打ち*コンクリート造**と**プレキャストコンクリート造**に大別できる。

場所打ちコンクリート造は，施工現場で組立てられた鉄筋の周囲に型枠を組立て，その中にコンクリートを打込むものである。最近では現場作業を効率化するために，あらかじめ組立てた鉄筋や大型型枠などを使用することが多くなっている。

プレキャストコンクリート造は，壁や床などの鉄筋コンクリート部材をあらかじめ工場で製作し，現場では組立てるだけのものである。外壁部材などでは仕上げ材料（タイルなど）をあらかじめ打込んだものもある。工期短縮，施工精度の向上，労務量の削減などの利点があり，様々な工法の開発・改良がなされている。

6・1・2 鉄筋コンクリート工事の施工手順

鉄筋コンクリート工事では，**鉄筋工事，型枠工事，コンクリート工事**の3つが中心となる。所定の品質を確保した建築物を工期内で経済的かつ安全に建設するために，それぞれの工事だけでなく，工事間の調整も含めた綿密な施工計画を立案し，工事を実行する必要がある。

(1) **施工計画**

施工計画を立案する際は，以下の事項に留意する。

(a) **品質管理**

鉄筋コンクリート躯体の出来上がりは見栄えだけでなく，仕上げなど後続の工事にも影響を及ぼす。強度などコンクリートそのものの品質のみならず，各部分の寸法，形状，位

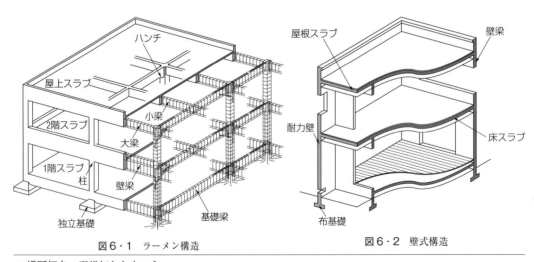

図6・1 ラーメン構造　　図6・2 壁式構造

＊場所打ち：現場打ちともいう。

置および仕上げについての十分な品質管理が必要である。

(b) 安全管理

工事中に構造体の変形や破損，崩壊が生じないように，安全性の高い工法を選定し，災害発生の防止対策を十分に検討する。

(c) 作業管理

鉄筋コンクリート工事には，多くの資材や仮設機器類，人員が投入される。作業の効率化に主眼を置き，資材発注計画や機器類の転用計画，人員の配置計画などを総合的に検討する。

(d) 工程管理

一般に鉄筋コンクリート工事は，全体工事の3～4割の日数がかかり，全工事期間を左右するものである。複数の階にある同一形状の部分などで生じる繰り返し工事部分の工期短縮を図るとともに，天候などによる工期変更も含めた，正確かつゆとりを持った工程を立案する。

施工計画の立案にあたっては，他の工事と同様に設計図や該当する仕様書などを十分に検討する必要があり，特に要求性能の確保が難しい場合は，設計や仕様書の変更について，設計者や管理者と協議し，問題点を解決した上で工事に臨む。

(2) 各種設備工事との調整

鉄筋コンクリート工事では，並行して行われる各種設備工事との調整も施工計画上の重要なポイントになる。

空調・衛生設備工事の具体例としては，配管・ダクトが梁や床などを貫通する箇所にあらかじめ穴を開けておくためのスリーブや開口用の型枠を取り付ける工事（スリーブ工事，箱入れ工事）がある。

また配管・ダクトを床スラブから吊り下げて支持する箇所に吊り金具を埋め込んでおく工事（インサート工事）が行われる。いずれも躯体に荷重が付加される，躯体に開口を設けることにより構造体そのものに負担をかけることになるので，適切な補強などが必要である。

さらに，**電気設備工事**では電気配線を保護するための管路の敷設も躯体施工時に行わなければならない。位置の間違いや開口，埋込物の忘れなどによるコンクリート打込み後のはつり工事は，躯体の損傷や構造的な影響もあるので，躯体工事前に構造設計者，設備設計者，意匠設計者を含め入念に打合せ行い，遺漏がないよう工事を進めることが重要である。

図6・3 プレキャストコンクリートの壁

図6・4 電線管の取付け[1]

6・2　鉄筋工事

　鉄筋はコンクリートと一体となって安全な構造体を作るための骨格であり，所定の位置に正しく配置されなければならない。鉄筋工事は躯体品質を確保する上で重要な役割を担う工事であり，特にコンクリート打込み後では修正などができないため，施工管理には細心の注意を払う必要がある。

6・2・1　材料と各部位の構成

(1)　材料

　鉄筋コンクリート造における鉄筋の主な役割は，**引張強度**の小さいコンクリートの補強である。
　鉄筋コンクリート用棒鋼には**丸鋼**（JIS 名称：SR）と**異形棒鋼**（JIS 名称：SD）がある。異形棒鋼は表面にリブや節がついており，コンクリートとの付着力が高いため，構造用のコンクリートには異形棒鋼を用いるのが一般的である。異形棒鋼の径は D6（6.4 mm）～D51（51 mm）までの 13 種類があるが，建築では主に D10～D41 を用いる。また強度による区分として，SD295, 345, 390, 490 の 4 種類がある。（SD の後の数値が降伏点，SD295 → 降伏点 295 N/mm^2）

(2)　各部位の構成

　(a)　柱

　　部材の軸方向に立てられた鉄筋を**主筋**，主筋を外側から巻くように所定の間隔で取付けられている補強鉄筋を**帯筋（フープ）**という。帯筋はせん断力に抵抗する役割のほかに，主筋の座屈防止，内部のコンクリートを拘束する役割も果たす。

　(b)　梁・基礎梁

　　水平荷重によって，梁には中央部上側にも引張応力が生じることがあり，梁材の下側だけでなく上側部分にも引張力を受け持つ主筋を配置することになる。また梁が受けるせん断力に対する補強筋として，**あばら筋（スターラップ）**を適切な間隔で配置する。あばら筋は主筋位置を固定するための役割も持つ。梁せいが 600 mm 以上の場合では，あばら筋の座屈を防止するための**腹筋**で補強し，**幅止め筋**で固定することによりあばら筋の移動を防ぐ。基礎梁のせいは，柱脚の剛性を高くするため一般階の梁よりも高くなる。

　(c)　スラブ

　　スラブとは，鉄筋コンクリート構造の床版

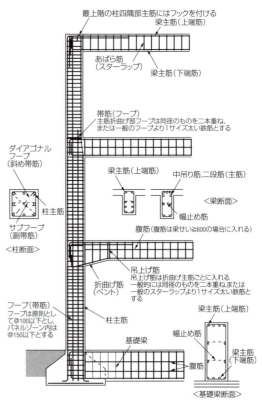

図 6・5　柱・梁の鉄筋の構成と各部の名称

の総称で屋根も含まれる。スラブの鉄筋は，通常，短辺方向を主筋，長辺方向の配力筋と呼び，主筋が外側になるように配置する。床に開けられた開口部周辺にはコンクリートにひび割れが発生しやすいので，開口によってなくなる鉄筋を開口周囲に補強する補強筋と角部に斜めの開口補強筋を入れる。

(d) 壁

壁では縦横に格子状に鉄筋を組み，一般的には主筋の役割を果たすものが外側になるように配置する。開口部を設ける場合は床スラブと同様に，補強筋と開口補強筋を挿入する。壁の配筋は使われる場所（土圧壁，間仕切壁など）や機能（耐力壁，非耐力壁など）によって異なるので，配筋要領に十分留意する。

6・2・2 配筋基準

(1) 鉄筋のかぶり厚さ

火熱による耐力低下やコンクリートの中性化による錆が発生しないように，鉄筋はコンクリートに十分に覆われている必要がある。鉄筋の

図6・6 床の鉄筋の構成と各部の名称[1]

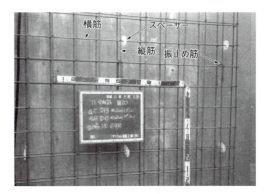

図6・7 壁の鉄筋の構成と各部の名称[1]

表6・1 設計かぶり厚さおよび最小かぶり厚さの規定

(JASS 5：供用期間が標準・長期の場合)

部材の種類		設計かぶり厚さ (mm)		最小かぶり厚さ (mm)		建築基準法施行令かぶり厚さの規定
		屋内	屋外[1]	屋内	屋外[1]	
構造部材	柱・梁・耐力壁	40	50	30	40	3 cm 以上
	床スラブ・屋根スラブ	30	40	20	30	2 cm 以上
非構造部材	構造部材と同等の耐久性を要求する部材	30	40	20	30	2 cm 以上
	計画供用期間中に維持保全を行う部材[2]	30	40	20	30	2 cm 以上
直接土に接する柱・梁・壁・床および布基礎の立上り部		50		40		4 cm 以上
基礎		70		60		6 cm 以上

(1) 耐久性上有効な仕上げを施す場合は，屋外側では，かぶり厚さを10 mm 減じることができる。
(2) 計画供用期間とは，建築主または設計者が設定する建築物の予定供用期間のことである。JASS 5では，短期，標準，長期，超長期の4つを設定している。

かぶり厚さとは，各部材の最外側の鉄筋の表面とこれを覆うコンクリートの表面までの最短距離をいう。JASS 5*などでは最小かぶり厚さが規定されている。(表6・1参照)

特にJASS 5では，建物の計画供用期間ごとに数値が規定されているので，注意が必要である。所定のかぶり厚さの確保は，鉄筋と型枠の間の適正な位置に，**鉄筋のサポート・スペーサー**（図6・23参照），を配置することによって実現する。設計時における適切なかぶり厚さの設定とともに，施工時のかぶり厚さの精度確保が重要となる。

(2) **鉄筋の間隔**

鉄筋の間隔とは，隣接する鉄筋の芯々間隔をいい，鉄筋のあきとは隣接する鉄筋の表面間の最短距離をいう。鉄筋のあきは，コンクリートが分離することなく密実に打込まれ，鉄筋とコンクリートの間の付着による応力伝達が十分に行われるように，必要最小値が定められている（表6・2）。

表6・2 鉄筋のあき・間隔の最小寸法（JASS 5）

		鉄筋のあき	鉄筋の間隔
異形鉄筋	間隔・D・あき・D	・呼び名の数値の1.5倍 ・粗骨材の最大寸法の1.25倍 ・25 mm のうち最も大きい数値	・呼び名の数値の1.5倍＋最外径 ・粗骨材の最大寸法の1.25倍＋最外径 ・25 mm＋最外径 のうち最も大きい数値
丸鋼	間隔・d・あき・d	・鉄筋径の1.5倍 ・粗骨材の最大寸法の1.25倍 ・25 mm のうち最も大きい数値	・鉄筋径の2.5倍 ・粗骨材の最大寸法の1.25倍＋鉄筋径 ・25 mm＋鉄筋径 のうち最も大きい数値

〔注〕 D：鉄筋の最外径, d：鉄筋径

表6・3 異形鉄筋の重ね継手の長さ（JASS 5）

コンクリートの設計基準強度 F_C (N/mm²)	重ね継手の長さ (L_1（直線）L_1h（フック付）)			
	SD 295	SD 345	SD 390	SD 490
18	45d	50d	—	—
	35d	35d		
21	40d	45d	50d	—
	30d	30d	35d	
24〜27	35d	40d	45d	55d
	25d	30d	35d	40d
30〜36	35d	35d	40d	50d
	25d	25d	30d	35d
39〜45	30d	35d	40d	45d
	20d	25d	30d	35d
48〜60	30d	30d	35d	40d
	20d	20d	25d	30d

上段：直線，下段：フック付き
d：鉄筋の呼び名（例 D10 であれば $d=10$）

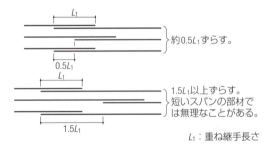

図6・8 重ね継手のずらし方（JASS 5）

L_1：重ね継手長さ

図6・9 機械式継手

＊JASS 5：日本建築学会編「建築工事標準仕様書・同解説 鉄筋コンクリート工事」（2022年版）

(3) 継手

限られた長さの鉄筋を施工現場で連続させるための接合（あるいは異なる太さの鉄筋相互の接合）が継手である。

継手工法には**重ね継手**，**ガス圧接継手**，**機械式継手**（図6・9），溶接継手があるが，壁や床スラブにおいては，2本の鉄筋を単純に重ね合わせた重ね継手が一般的である。鉄筋の径が太くなると重ね継手では型枠内で鉄筋が混み合うので，ガス圧接継手や機械式継手を用いる。

重ね継手における重ね長さは，JASS5に規定されている（表6・3）。鉄筋の継手位置は，原則として応力の小さい位置とし，また一カ所に集中することなく相互にずらして設ける（図6・8）。

表6・4 異形鉄筋の直線定着長さ（JASS 5）

(a) 一般

コンクリートの設計基準強度 F_C (N/mm²)	定着長さ（L_2（直線）L_2h（フック付き））			
	SD 295	SD 345	SD 390	SD 490
18	40d	40d	—	—
	30d	30d	—	—
21	35d	35d	40d	—
	25d	25d	30d	—
24〜27	30d	35d	40d	45d
	20d	25d	30d	35d
30〜36	30d	30d	35d	40d
	20d	20d	25d	30d
39〜45	25d	30d	35d	40d
	15d	20d	25d	30d
48〜60	25d	25d	30d	35d
	15d	15d	20d	25d

上段：直線，下段：フック付き

(b) 下端筋

コンクリートの設計基準強度 F_C (N/mm²)	鉄筋の種類	下端筋の定着長さ（L_3）	
		小梁	スラブ
18〜60	SD295 SD345 SD390	20d 直線または 10d フック付き	10d 以上かつ 150 mm（フック付きは ——）

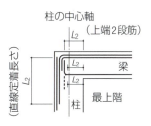

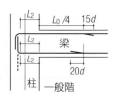

L_2：定着長さ
L_0：柱間長さ

図6・10 定着長さ（JASS 5）

施工管理のポイント

(1) かぶり厚さ

設計かぶり厚さとは，鉄筋・型枠の加工・組立ての際に施工誤差が生じても，必要なかぶり厚さを確保できるよう，最小かぶり厚さに対し，施工精度に応じた値を加えたかぶり厚さの寸法のことである。

(2) 重ね継手

① 重ね継手の長さは，一般に鉄筋の呼び名の倍数で nd として表す。（D10であれば $n=10$）
② 鉄筋末端のフックは，重ね長さに含まない。
③ 径の異なる鉄筋の重ね継手の長さは，細い方の径（d）を用いる。
④ コンクリート強度が大きいほうが小さいものより継手の長さが短くてよい。
⑤ D35以上の太径の異形鉄筋には原則として重ね継手を用いない。

(3) 定着

① 定着長さは，一般に鉄筋の呼び名の倍数で nd として表す。
② 鉄筋末端のフックは，定着長さに含まない。
③ コンクリート強度が大きいほうが小さいものより定着長さが短くてよい。

(4) 定着

鉄筋コンクリート部材では接合部を剛接合にするのが一般的であり，一方の部材の鉄筋を他方の部材内に所定の長さだけ延長して埋め込み，鉄筋周囲のコンクリートの付着力により引き抜けないようにする必要がある。これを**定着**といい，必要なのみ込み長さを**定着長さ**（表6・4，図6・10）という。

6・2・3 鉄筋の加工・組立て・検査

(1) 施工前の検討事項

(a) 設計図書の確認と検討

合理的で，高い品質を実現する施工を行うためには，施工段階で設計図書類とJASS5などの仕様書の内容から使用材料の種類および数量，配筋基準，組立て方法，納め方などを十分に把握し，問題点を事前に解決しておく必要がある。

(b) 施工計画の立案

鉄筋コンクリート造では，鉄筋の組立てと型枠の組立ては同時に進められるが，型枠工事の工程が主体となるため，それに準じた鉄筋工事の工程計画を立案する。工程は躯体の標準施工サイクル工程をもとに，できるだけ労務が平準化するように計画する。

(c) 施工図の作成

仕様書，配筋基準図，構造設計図およびコンクリート施工図に基づき，事前に確認，検討された事項を反映しながら鉄筋の施工図を作成する。特に，配筋が複雑な箇所やコンクリートの打込みが難しいと予測される箇所については，詳細な組立て図や納まり図を作成する。

(d) 材料および工事の発注

設計図書および施工図をもとに，鉄筋の材質別，径別，長さ別の本数を算出し，メーカーに発注する。納入時期は施工現場での組立て工程および専門工事業者加工場での加工工

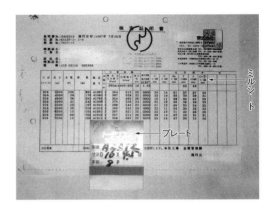

図6・11 メタルタグ，ミルシート

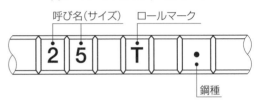

図6・12 ロールマーク

図6・13 バーベンダー（自動鉄筋折曲げ機）

程，さらに型枠工事，コンクリート工事などの後続工程との関連も考慮して決定する。最近では専門工事業者の加工場に直接材料を納入し，保管，加工を行うことが多い。

搬入された鉄筋の品質管理は，鉄筋に添付してある**荷札（メタルタグ）**と，メーカーから提出された**ミルシート（鋼材検査証明書）**（図6・11）とを照合して，JISに定められた規格品であることを確認する。

また鉄筋には，等間隔で呼び径と鉄筋の種類を示すロールマーク（図6・12）が打ち込まれているので，仕様に適合しているかを合わせて確認する。

(2) 鉄筋の加工

鉄筋は配筋基準図，施工図および鉄筋加工図に基づいて，必要な寸法に切断・折り曲げられる。切断はシヤカッターまたは電動のこぎりで，折り曲げはバーベンダーなどの機械を用いて冷間加工で行う。丸鋼材あるいはあばら筋・帯筋，柱・梁出隅部などの鉄筋，煙突の鉄筋の末端部には図6・13のようにフックを付ける。

折曲げ図	折曲げ角度	鉄筋の種類	鉄筋の径による区分	鉄筋の折曲げ内法直径 (D)
180° 余長4d以上	180° 135° 90°	SR235 SR295 SD295 SD345	16φ以下 D16以下	3d以上
135° 余長6d以上			19φ D19〜D41	4d以上
90° 余長8d以上	90°	SD390 SD490	D41以下	5d以上
			D25以下	
			D29〜D41	6d以上

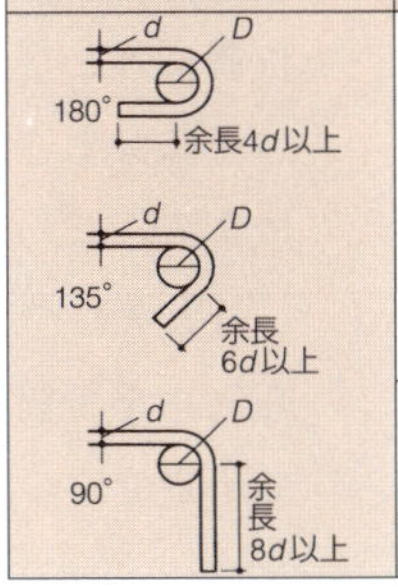

図6・14 鉄筋の折曲げ形状・寸法（JASS 5）

(3) 鉄筋の組立て

鉄筋コンクリート造の地上部分における鉄筋の一般的な組立て手順は，①柱筋の圧接・組立て，②壁の配筋，③大梁の配筋・圧接，④小梁の配筋・圧接，⑤スラブ配筋，⑥その他の部分，である。組立て作業では，所定の位置に正しく配筋し，コンクリートの打込み完了まで移動しないように堅固に保持することが重要である。

(4) 継手作業

継手作業は6・2・1（3）にある継手工法による。そのうちガス圧接継手は，鉄筋端部同士を突き合わせ，軸方向に圧縮力を加えながら突き合わせ部分を加熱し，接合面をわずかに溶かし膨らませて接合する方法である。作業に際しては，鉄筋の材質や圧接装置，また圧接工の技量，天候などによる施工不良が生じやすいので十分な管理が必要である。

(5) 各部の配筋

(a) 柱の配筋

① 主筋・帯筋の配置

柱主筋はX, Y方向で本数が異なることが多いので間違いのないよう配置する。帯筋は柱主筋を圧接する前に挿入しておく。

② 主筋の継手作業（図6・15）

図6・15 柱主筋の圧接[1]

図6・16 帯筋の取付け

図6・17 内壁鉄筋の配筋

圧接の場合上下主筋のリブを合わせ，中心がずれないよう圧接器を取付けた後，資格を有した技術者によって確実に行う。

③　帯筋の取付け（図6・16）

主筋に帯筋の取付け位置をマーキングし，それに合わせて4隅の主筋と帯筋との間に隙間ができないようにしっかりと結束する。

④　スペーサーの取付け

帯筋にかぶり厚さおよび鉄筋相互の位置（あき）を保持するためのスペーサーを取付ける。

(b)　壁の配筋（複筋壁の場合）

①　縦筋・横筋の配筋（図6・17）

縦筋，横筋の順で配筋を行い，スペーサーを所定の間隔に取付ける。次に反対側の壁配筋を行い，内外の鉄筋間隔を正しく保持するための幅止め筋を所定の位置に挿入し結束する。さらにスペーサーを取付ける。

②　補強筋の配筋

開口部周囲の補強筋やひび割れ防止筋を，他の鉄筋とのあきやかぶり厚さを確認しながら確実に配筋する。

(c)　梁の配筋

①　上下主筋の配筋

まず梁下主筋受け用の桟木を渡し，鉄筋を配置する。次に，梁上主筋を受けるためのうまを設け パイプを渡し，その上で配筋する（図6・19）。主筋の圧接は柱主筋と同じ要領で行う。

②　あばら筋の取付け

下主筋を桟木ごと持ち上げて上下主筋の間隔を狭めた後，あばら筋を所定の間隔に取付ける。

③　上下主筋の結束

あばら筋と上下主筋を結束した後，正しい位置に腹筋・幅止め筋を挿入・結束し，さらにあばら筋にスペーサーを取付ける。

④　梁筋の落とし込み

組上がった梁筋を水平に保ちながら所定の位置に落とし込む。その際，梁下のかぶり厚さを確保するための梁底用バーサポートを設置する。

柱と梁については，主筋と帯筋（梁はあばら筋）を1箇所で組立て（地組），クレーンで所定位置に取付けることがある。

図6・18　梁上主筋の圧接状況[1]

図6・19　梁上主筋の配筋状況[1]

図6・20　梁の配筋状況

(d) スラブ（床）の配筋
① 下端筋・上端筋の配筋

スラブ型枠面に配筋間隔をマーキングし，配筋ピッチに合わせ，下端筋の主筋（短辺方向），配力筋（長辺方向）の順で配置し結束する。次に上端筋を配力筋，主筋の順に配筋する。所定の位置にスラブ開口部補強筋（図6・21），ひび割れ防止筋を配筋する。

② スペーサーの取付け

かぶり厚さを確保するために，下端筋の主筋の下および上端筋の配力筋の下に，スペーサーを配置する。

(6) 配筋検査

配筋完了後，コンクリート打込み前に必ず配筋検査を実施する。検査は工事監理者によって行われるのが一般的である。指摘された不具合箇所は，コンクリート打込み前に必ず修正する。鉄筋は組立てられた後では，検査およびそれに伴う修正が困難になるので，各工程においてそのつど鉄筋専門工事業者およびゼネコン社員が自主的な検査を実施するとともに，検査機関提出用の記録写真を撮影しておく。

配筋検査の主な項目を以下に示す。

① 鉄筋の種別，径，本数
② 組立て精度（倒れ，曲がり）
③ 折り曲げ寸法，フック
④ 継手の位置，定着の長さと位置
⑤ 鉄筋相互のあき，かぶり厚さ
⑥ 鉄筋の固定度（鉄筋のサポート・スペーサーの配置）

図6・21 スラブ開口部の補強の配筋[1]

図6・22 階段の配筋

図6・23 鉄筋用スペーサー

表6・5 鉄筋のサポートおよびスペーサーの種類・配置の標準（JASS 5）

部　　位	スラブ	梁	柱
種　　類	鋼製・コンクリート製	鋼製・コンクリート製	鋼製・コンクリート製
数量または配置	上端筋，下端筋それぞれ 1.3個/m² 程度	間隔は1.5m程度 端部は0.5m程度	上段は梁下より0.5m程度 中段は上段より1.5m間隔程度 柱幅方向は1.0m以下2個 1.0m超え3個
備　　考		上または下のいずれかと側面の両側へ対称に設置	同一平面に点対称となるように設置

梁・柱・基礎梁・壁および地下外壁のスペーサーは側面に限りプラスチック製でもよい。

> **施工管理のポイント**

(1) 施工前の検討事項
 (a) 鉄筋工事に関係のある設計図書類
  特記仕様書，配筋基準図，各種伏図，断面図，軸組図，断面リスト，各部配筋詳細図など
 (b) 工程計画検討時の留意事項
  ① 資材の搬入時期
  ② 資材揚重時期と揚重機の能力
  ③ ガス圧接継手などの検査方法・頻度
  ④ 配筋検査の時期
 (c) 鉄筋施工図に必要な記述内容
  ① 鉄筋の種類，径，本数
  ② 鉄筋ごとの働き寸法
  ③ かぶり厚さ，定着長さ，継手位置
  ④ 鉄筋のサポート・スペーサー，開口補強筋の位置
 (d) 鉄筋材料の受け入れ検査の内容
  検査項目：種類，径，長さ，数量，曲がり，欠損など外観上の不具合
 (e) 鉄筋材料の保管方法
  ① 種類毎に断面をペイントで色分けし，区別，整理する。
  ② 防錆のため，まくら木を敷き，その上に置く。
  ③ 雨風にさらされたり，泥などが付着しないようにシートをかぶせ養生する。

(2) 鉄筋の加工，組立て
 (a) 鉄筋加工時の留意事項
  ① 有害な曲がりや断面欠損，ひび割れ，過度に錆のある鉄筋は使用しない。
  ② 鉄筋は熱処理を行うと鋼材としての性能が変わるので，常温加工する（冷間加工という）。
  ③ 太径の鉄筋は曲げ加工時に外側にひび割れが生じやすいので，折り曲げ内法の直径を大きくする。
  ④ 加工寸法の許容差は，主筋で±15～20 mm，あばら筋・帯筋で±5 mm 程度とする。
 (b) 鉄筋組立て時の留意事項
  ① 配筋基準に従って，鉄筋の定着長さ，継手位置，開口部補強を正しく行う。
  ② 必要箇所に適切な鉄筋のサポート・スペーサーなどを配置し，所定のかぶり厚さや鉄筋間隔を確保する。
  ③ 鉄筋の交差する箇所では，コンクリート打込み中に鉄筋が移動しないように，結束線で堅固に緊結する。
  ④ 鉄筋の端部で，安全管理上必要な箇所には，キャップをかぶせるなどの処置を行う。

(3) ガス圧接継手
 ① 種類の異なる鉄筋同士，また同一種でも径の差が 7 mm を超える場合には，原則として行ってはならない。
 ② 圧接部の鉄筋突き合わせ面の隙間は 2 mm 以下とする。
 ③ 圧接部の形状
  ふくらみ直径：鉄筋径の 1.4 倍以上
  ふくらみ長さ：鉄筋径の 1.1 倍以上
  鉄筋中心軸の偏心量　鉄筋径の 1/5 以下
 ④ ガス圧接部は原則として 400 mm 以上ずらす。
 ⑤ 強風，降雨時には作業を行わない。
 ⑥ 圧接完了後には，圧接部全数に対して膨らみの直径，長さ，ずれなどの外観検査を行い，さらに超音波探傷法または引張試験法による抜取検査を行う。

(4) 各部の配筋
 (a) 柱配筋作業の留意事項
  ① 下階のコンクリート内に打込まれた主筋の位置を確認する。
  ② コンクリート打込み後の鉄筋の位置修正（台直し）は，鉄筋の根元で急激に行わない。
 (b) 梁配筋作業の留意事項
  ① 組立てられた梁鉄筋の落とし込み後に位置修正などが生じないように，適切なかぶり厚さ，あき間隔を確保する。
  ② 柱梁接合部（パネルゾーン）の帯筋は入れ忘れることが多いので，あらかじめ柱主筋に入れておく。
  ③ 梁貫通スリーブ位置の補強筋の挿入時期については設備工事業者と協議し決定する。
 (c) 床スラブ配筋作業の留意事項
  ① 設備配管や各種インサート，断熱材，防音材の設置位置，型枠搬出用の開口などの位置を確認してから作業に着手する。

6・3 型枠工事

コンクリートは現場で流動体であるフレッシュコンクリートを型枠内に流し込んで（打込みという）形を作る。即ち型枠は躯体を形成するための鋳型である。プレキャストコンクリート（PCa）として工場で壁版や床版の形にする場合を除き、型枠は工事ごとに組立てる。

型枠はコンクリートに直に接する木や金属などの板類であるせき板と、せき板を所定の位置に固定するための支保工で構成される。コンクリートが必要強度に達するまで、所定の形状と精度を確保しなくてはならず、型枠工事は躯体の品質に大きな影響を及ぼす。しかし、一方で型枠は建物完成時には全く残らない仮設物であるので、経済性（コスト）を考慮し合理化を図る必要がある。そのためには綿密な計画を立て慎重かつ確実な施工を行うとともに、できるだけ型枠を合理的な形状（標準化、大型化など）とし、運搬、組立て、転用の効率化・省力化などを検討することが望ましい。

6・3・1 型枠の構成
(1) せき板

打込まれたコンクリートによる圧力（**側圧**という）を支え、流出を防ぐためのコンクリートと接する板で、材料としては合板が一般的である。日本農林規格（JAS）には、「**コンクリート型枠用合板**」の規定があり、打放しや直仕上げ用、普通用などの種類がある。厚さ12mm、15mmのものが通常多く用いられる。コンクリートの表面が固まりにくくなることを防止するため、耐アルカリ性樹脂で表面処理をした塗装合板型枠もある。

金属系では鋼製、樹脂系ではプラスチック製のものがある。剛性と精度がよく、多数回の使用が可能である。またコンクリートの仕上がり面が平滑にできる。

最近は、柱コンクリートを単独で打ち込むことがあり、システム型枠を使うこともある。（図6・25）

せき板が打ち込まれたコンクリートと一体となり、取り外す必要がなく、そのまま仕上げまたは仕上げの下地を兼ねるものを**打込み型枠**（捨て型枠）という。これを用いることにより工事の省力化が図れる。代表的なものに**薄肉PCa版**（ハーフPCa版）、などがある。

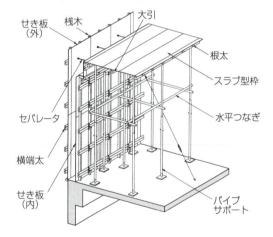

図6・24 型枠の構成と各部の名称

図6・25 システム型枠

(2) 桟木

せき板を押さえて補強するための木材のことで，縦方向を縦桟，横方向を横桟という。寸法は 30 mm×50 mm 程度が一般的である。

(3) 端太（ばた）

せき板を所定の位置に保持するためにせき板を外部から押さえて締め付け金具に荷重を伝えるもので，縦方向を縦端太，横方向を横端太という。一般には単管，角形鋼管および軽量形鋼などの鋼材が用いられる。

(4) 大引・根太

梁，スラブのせき板を受ける支保工で，根太はせき板を支え，大引は根太を支える。単管，角形鋼管，木材が使われる。

(5) 支柱（サポート）

梁，スラブなどのコンクリート型枠のたわみ・変形を防ぎ，コンクリートが固まって鉄筋コンクリートとしての強度が出るまでコンクリートの重さを支えるための仮設材で，長さの調整機能を持った鋼製パイプのものが一般的である。

(6) 型枠締付け金物（フォームタイ）

せき板の間隔を一定に保ち，側圧を支えるために，型枠を貫通させて相互に結ぶ締付け金具をいう。セパレータ，コーン，ボルト，座金などから構成されている。締付け金具は図 6・27 に示すようにいくつかの種類のものが，柱の太さや梁の幅，壁の厚さの様々な寸法に対応できるように用意されている。

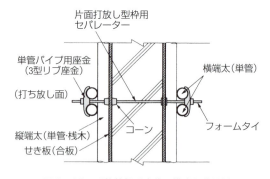

図 6・26 型枠締付け金物の構成と使用例

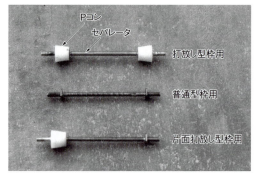

図 6・27 セパレータの種類

施工管理のポイント

(1) せき板材料の選択に関する留意事項
　①軽量である（強度・剛性に支障がない場合）
　②変形，変質しない
　③作業荷重で破損しない
　④切断・加工しやすい
　⑤転用に耐える
　⑥経済的である

(2) 合板せき板に関する留意事項
　①製材した板類は，長時間直射日光が当たると表面が乾燥し，コンクリートの硬化不良が生じるので，シートなどをかぶせて保護する。
　②再使用に当たっては，表面をよく清掃し，破損個所を修理の上，剥離剤を塗布する。

(3) サポートに関する留意事項
　①上下階のサポートはできるだけ同じ位置に配置する。
　②パイプサポートの座屈を防ぐため，3 本以上継いではならない。2 本の場合でも 4 本以上のボルトあるいは専用金具を用いて継ぐ。
　③パイプサポートを支柱とする場合，高さが 3.5 m を超えるものについては，高さ 2 m ごとに水平つなぎを 2 方向に設ける。

(7) 剥離剤

剥離剤は，コンクリートと型枠のせき板との付着を防ぎ，せき板を取り外した後の清掃を容易にする目的で用いられる。主成分によって分類すると油性系・樹脂系・ワックス系などに大別される。

6・3・2 型枠の加工・組立て・検査

(1) 施工前の検討事項

(a) 設計図書の確認と検討

仕様書，意匠図，構造図，設備図などを十分に照合し，不明確な内容，施工上の問題点や変更が必要な事項などを見つけ出し，施工前に対処方法を決定しておく。普通型枠，打放し型枠など，使い分けの区分を確認することも重要である。

(b) 施工計画の立案

① 工程計画の検討

型枠工事は鉄筋コンクリート躯体工事の中で最も工数のかかる工事である。建物の形状や柱や梁などの各部の形状によって工事の難易度が大きく異なる。関連工事である鉄筋工事などの工程を調整し，無駄がなく，工期短縮が図れるように円滑な作業工程を組む。

② 転用計画の検討

型枠の転用計画では，できるだけ少ない材料をできるだけ多く反復使用することにより，資源の有効利用，コストダウンを図ることを

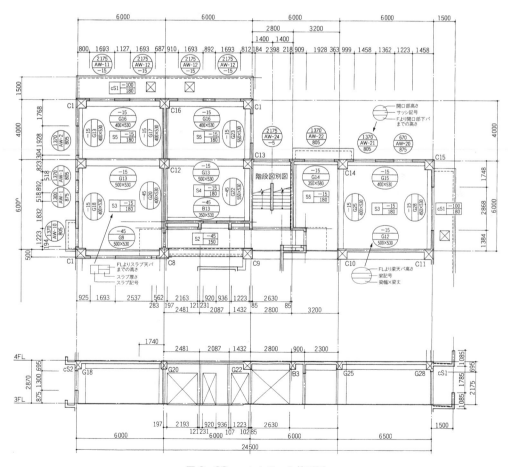

図6・28 コンクリート施工図

③ 運搬・揚重計画の検討

型枠工事では，大量の材料を短期間に取り扱うことになるので，作業工程に応じた適切な搬入，小運搬，荷揚げの計画を立てる。

荷揚げはスラブに仮開口を設けることもあるので，位置，塞ぎ方法を検討しておく（図6・30）。

(c) 施工図の作成

型枠工事に必要な施工図は，コンクリート部分の寸法・形状を正確に示したコンクリート施工図（図6・28）である。施工図の作成に当たっては，設計図書に基づき，躯体工事に必要な仮設や仕上げ・設備などの条件を考慮して，他の工事との取合い部分の納まりや複数の設計図の間で矛盾する不明確な寸法を決定していきながら完成させる。特に，階段・パラペット・斜路・曲面壁などについては原寸図を作成して検討する。

(d) 型枠および支保工の構造計算

型枠の構造計算では，構造上の安全性を十分に考慮する必要があるが，あくまでも仮設材であることに留意し，作業性，経済性も含めた無駄のないものとする。型枠の強度および剛性の計算は，鉛直荷重，水平荷重および柱や壁，梁に作用するコンクリートの側圧について行う。

支保工については，鉛直荷重と水平荷重に対し検討を行う。

(3) **型枠の加工**

型枠の加工は多くの場合，施工現場以外でコンクリート施工図に基づいて行われる。柱・梁・階段・特殊部位などの下ごしらえを必要とする部分については，別に加工図を作成する。

(4) **型枠の組立て**

鉄筋コンクリート造の地上部分における型枠は，まず地墨に沿って敷き桟を取り付け，①柱，②外壁外部側，③梁，外壁内部側および内壁，④スラブ，⑤階段などその他の部分，の順に建込まれるのが一般的である。

型枠の組立て作業は，鉄筋工事，設備工事，足場の組立て作業などと並行して行われるので，相互間の連携を十分にとりながら工事を進める。

図6・29 型枠一時置場[1]

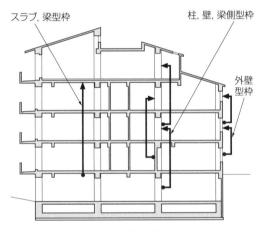

図6・30 型枠の転用計画

図6・31 型枠の加工状況[1]

(5) 各部分の型枠の組立て

(a) 柱

① 型枠の下ごしらえ・加工

梁型，壁などとの取合い部分を切り欠いた合板の外側の端部などに桟木を取付けて，一枚のパネルとして加工する。加工後，型枠割付図に従ってセパレータ位置にドリルで穴を開ける。

② 型枠パネルの建込み

床面に取付けた敷桟に合わせて，型枠パネルを取付ける。型枠パネルの内側からセパレータを差し込み，その後外側からセパレータ頭部にフォームタイをねじ込む。

取付けた型枠に相対するパネルの穴に既に取付けられたセパレータの頭部を差し込みながら垂直に立てる。さらに桟木を用いて隣接パネルを組み合わせる。

組みあがったパネルに縦，横の順に端太を通し，座金を当てフォームタイのナットを締め付け固定する。（図6・23, 33）

(b) 梁

① 型枠の下ごしらえ・加工

梁の型枠は底板と2枚の側板で構成される。柱と同様にパネルにして箱形状に組立てる。大梁には小梁が取付くことが多いが，その場合は，大梁の側面のパネルに小梁の欠き込みをしておく（図6・34, 35, 36）。

② 型枠の建込み

建込みは事前に床上で箱形に下ごしらえした型枠を柱間に掛け渡す方法が一般的である。

(c) 壁

① 型枠の下ごしらえ・加工

壁のように面積の大きい部材は，コンクリート施工図をもとに効率よく割り付ける。

下ごしらえ・加工では，壁に設置される出入口や窓，設備用配管および機器ボックス類のせき板などについても並行して行う。その際，サッシアンカー，スリーブ，埋め込み金物などを型枠に取り付けておく。

図6・32 型枠の建込み状況[1]

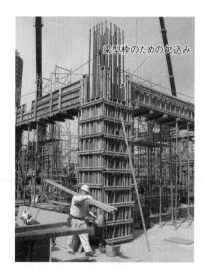

図6・33 組立てられた柱型枠

図6・34 梁型枠の組立て

② 型枠パネルの建込み

型枠の合理的な転用を考慮して，建物の階高などに合わせた大型パネルを順次上階に持ち上げていく方法が一般的である。型枠の足下は，柱型枠と同様にベース金物や敷桟で根巻きを行う。（図6・37，38）

(d) 床スラブ

① 大引・根太・サポートの取付け

サポートを建て起こした後，大引の上に所定の間隔で根太を敷き込む。

② せき板合板張り

床の周囲から中央に向かう要領でせき板を桟木に釘止めする。その際，せき板が梁型枠面に食い込まないようにする。

③ 埋め込み金物・インサート類の取付け

天井仕上げ用の吊りボルト類，アンカーボルトなどの埋込み金物・木れんが，および配管スリーブ類を，施工図に基づき，数量の見落としのないよう正確に取付ける。

(e) 階段型枠の組立て

階段はその構造や意匠によって種々の形状があり，型枠の施工の中でも，最も手間のかかる部分である。

① 型枠の下ごしらえ・加工

まず型枠合板を床に敷き，その上に階高，踊り場の高さ，階段の長さ，蹴上げ，踏み面などを現寸で描く。現寸図に合わせて段部分の切り欠きや桟木の取付けを行い一枚のパネルに加工し，仮組みする。

② 型枠の建込み

仮組みしたパネルを分解し，まず側板パネルを建込み，次に底板を取付ける。さらに，配筋完了後に段形状のせき板を取り付ける。

(6) 型枠検査

型枠建込み終了後，コンクリート打込みの前に型枠工事全般にわたって最終検査を行う。型枠の施工不良，精度不良は，打込み後のはつり

図6・35 梁型枠

図6・36 大梁の建込み完了

図6・37 開口枠

図6・38 壁型枠の建込み

図6・39 階段型枠の組立て

表6・6 せき板の存置期間（JASS 5）

存置期間中の平均気温	20℃以上	10〜20℃
早強ポルトランドセメント	2日	3日
普通ポルトランドセメント・混合セメントA種	4日	6日
混合セメントB種	5日	8日

混合セメント：高炉セメント，シリカセメント，フライアッシュセメント

などの不要な作業を引き起こすばかりでなく，構造強度と建物の出来映えに大きな影響を及ぼすことになるので，検査は確実かつ綿密に行う。

(7) **型枠の取り外し**

(a) 型枠の解体計画

早期に型枠の取り外しが可能であれば，上階でのせき板・サポートの建込み作業や打設階の後続作業の着手といった工期の短縮につながる。一方で，コンクリート強度が不十分な状態で取り外しを行うと，かけや表面にキズが生じるだけでなく，コンクリートに有害な曲げやひび割れが発生する。解体計画では，これらの条件を慎重に検討し，適切な時期を決定する。

(b) 型枠の存置期間

コンクリート打込み後型枠を取り外すまでの期間を**存置期間**という。基礎，梁側面，柱，壁のせき板の存置期間は，コンクリート圧縮強度が5 N/mm² 以上（計画供用期間が短期，標準の場合。長期，超長期の場合は10 N/mm² 以上）に達したことを圧縮強度試験によって確認するまでとする。ただし，平均気温が10℃以上の場合は，表6・6に示す日数以上経過すれば取り外してもよい。スラブ下や梁下面のせき板は，原則としてサポート除去後に取り外す。スラブ下や梁下面のサポートについては，コンクリート圧縮強度が設計基準強度の100%出ていることを確認しなければ，取り外しできないことになっている。ただし，支柱取り外し後の安全性が計算によって確認された場合には，早期に取り外すことができる。いずれにせよ，圧縮強度の確認のために，コンクリート打設日に**供試体**をとっておく。

(c) 取り外し作業

せき板の取り外しは，まず柱，壁，梁側型枠，次いで梁底，床型枠の手順で行う。せき板の取り外しに際しては，コンクリートが破損しないよう丁寧に行う。

施工管理のポイント

(1) 施工前の検討事項
　(a) 型枠転用計画の検討
　　躯体工事の施工期間，型枠の存置期間などの工程的要因，材料の寿命や損傷具合などの材料的要因を考慮し，転用型枠の使用箇所，大きさ，使用量を算出する。
　(b) 運搬・揚重計画検討時の留意事項
　　①材料置き場の位置と面積
　　②荷揚げ用開口部の位置と大きさ
　　③揚重機の位置・能力，台数
　(c) コンクリート施工図に必要な記述内容
　　①躯体各部および開口部の記号や寸法，位置
　　②埋め込み金物・アンカー類の位置と種類
　　③目地（打継ぎ，ひび割れ誘発）の位置と大きさ
　　④配管などの躯体貫通スリーブの位置
　(d) 型枠の構造計算における留意事項
　　①鉛直・水平荷重の内容
　　　鉛直荷重：型枠の自重，コンクリート・鉄筋の重量，コンクリート打込み時の作業荷重など
　　　水平荷重：地震力，風圧力など
　　②コンクリートの側圧が大きくなる要因：
　　　打込み速さが速い，流動性が高い
　　　部材の水平断面積が大きい，気温が低い，型枠の剛性が大きい。

(2) 型枠の加工時の留意事項
　①型枠組立て計画に従い材料の転用を常に考慮し，無駄のない型取り，寸法割付けを行う。
　②切断，孔開けについては正確に墨を打ち，小口にささくれがないように注意する。
　③金物，木れんが，箱入れなどについては正確に墨出しを行い型枠に取付ける。

(3) 型枠の組立て時の留意事項
　①コンクリート打上がり面に段差や目違いが生じないように，正確な寸法で組立てる。
　②コンクリート打込み時の振動や衝撃に十分耐えるように強固に組立てる。
　③せき板の継ぎ目からセメントペースト，モルタルが漏れないように緊密に組立てる。
　④足場や遣り方などの仮設物と連結させない。
　⑤取り外し時に型枠構成材を損傷したり，コンクリートに衝撃を与えないような組立てを行う。
　⑥コンクリート打込み前に型枠内の不要物を取り除くことができるように，必要箇所に清掃口を設ける。
　⑦配管スリーブ，ボックス，埋め込み金具類は，移動しないようにせき板にしっかりと留める。

(4) 各部分の型枠の組立て
　(a) 柱型枠
　　①組立て時にパネルの上下の間違いがないように，床面より1m上がった位置に墨付けなどを行う。
　　②梁欠きの位置と高さをよく確認する。
　(b) 壁型枠
　　①規格寸法以外のサイズの合板が，できるだけ少なくなるように割付けを行う。
　　②化粧打ち放し壁面ではパネルの割付けやセパレーターの位置が見栄えに影響するので，事前に工事監理者との確認を行い計画する。
　　③型枠の締め付けは，全てのフォームタイを均等に締め付けるようにし，締め過ぎによる型枠パネルの湾曲を防ぐ。
　　④開口部サッシ取付け用アンカー金物や打込み物（金物やスリーブ）などは寸法，個数に間違いがないように取付けておく。
　(c) 床型枠
　　①施工に先立ち，下階の柱や壁型枠が曲がっていないこと，出隅，入隅部が直角になっていることを確認する。
　　②コンクリート打込み時の荷重により中央部が垂れ下がる恐れがあるので，サポートに遊びのないように締め付け，調整する。

(5) 型枠工事の検査項目
　①型枠の位置および寸法精度
　②開口部の位置
　③締め付け金物の数量，位置
　④各種配管，埋め込み金物などの位置，数量
　⑤鉄筋のサポート・スペーサーの材質，位置
　⑥型枠内の異物の除去
　⑦支保工の配置

6・4 コンクリート工事

コンクリート工事はコンクリート材料の製造とコンクリートの打込みの2つに大別される。

現在ではコンクリートを施工現場で製造することはほとんどなく，工場で製造されたレディーミクストコンクリート（生コン）を使用するのが一般的である。

施工に当たっては，コンクリート打込み後の乾燥収縮による**ひび割れ**，コンクリートの**中性化**，鉄筋が錆びることによる強度低下など，工事の良否が耐久性に大きく影響することを十分理解し，良質な材料選定，適切な調合設計による密実なコンクリートの打込みを実行する。

特に打込みは，ジャンカ，コールドジョイント，表面気泡といった欠陥が発生しないように計画する。

6・4・1 コンクリート材料

(1) コンクリートの種類

JASS 5 では，コンクリートに使用する骨材により，**普通コンクリート**，**軽量コンクリート**，**重量コンクリート**の3つに大きく分類している。また，コンクリートの使用材料，施工条件，要求性能などの違いによる区分がなされている。

(2) コンクリートの品質と基準強度

コンクリートの品質は，フレッシュな状態と硬化した状態で異なる。フレッシュな状態では型枠内の隅々に行き渡り，締め固めができる作業性（ワーカビリティ），粗骨材の分離がないこと，ブリーディングが生じにくいといったことが求められる。

また硬化した状態では，所要の強度，ひび割れが少ない，耐久性といった機能が求められる。（基準強度は，下記施工管理のポイントを参照）

施工管理のポイント

(1) コンクリートの種類
　特殊なコンクリートの区分と名称
　①施工条件：寒中コンクリート，暑中コンクリート，マスコンクリート，水中コンクリートなど
　②要求性能：高流動コンクリート，高強度コンクリート，水密コンクリートなど

(2) コンクリートの強度（JASS 5）
　①設計基準強度（Fc）：構造計算において基準としたコンクリートの圧縮強度。
　②耐久設計基準強度（Fd）：構造体および部材の計画供用期間の級に応ずる耐久性を確保するために必要とするコンクリートの圧縮強度の基準値。
　③品質基準強度（Fq）：設計基準強度と耐久設計基準強度の大きい方。
　④調合管理強度（Fm）：品質基準強度に構造体強度補正値（mSn）を加えた強度。
　⑤調合強度（F）：コンクリートの調合を定める場合に目標とする強度。

(3) コンクリートの作業性・耐久性
　①ワーカビリティー：フレッシュコンクリートにおいて，材料の分離を起こさず打込み・締固め・仕上げなどの作業が容易にできる程度を示すもの。
　②スランプ：ワーカビリティーのうち主として軟らかさの程度を表すもの。
　③耐久性：アルカリシリカ反応を生じるおそれのないものとする。

6・4・2 コンクリートの打込み

(1) 施工準備

(a) 設計図書の確認と検討

コンクリート工事の施工計画を立案するために、意匠図、詳細図、構造図、構造計算書、仕様書などを確認し、打込み方法を十分に検討する。また、構造設計によって、打込みの難易度や手順などが異なるので、構造方式や躯体形状、要求かぶり厚さの許容値などを確認しておく。またコンクリートの仕様（強度、スランプ、空気量、補正値など）を確認する。

(b) レディーミクストコンクリートの発注

レディーミクストコンクリート工場としては、原則としてJISマーク表示製品を製造しており、資格を有する技術者が常駐している所で、適正な時間内に打込みを行うことができる運搬距離内にある工場を選定しなければならない。さらに、工場の出荷能力、品質管理能力、使用骨材の種類などについても事前に検討しておく。

(c) コンクリート打込み計画

一日の打込み量は、工程、施工手順、打継ぎ位置などを検討して総合的に設定する。打込み区画は運搬機器の能力（表6・7）、生コ

図6・40 コンクリート打込み（ポンプ圧送）状況

図6・41 コンクリート打込み状況（コンクリートバケットによる）

表6・7 コンクリートの運搬機器の概要（JASS 5）

運搬機器	運搬方向	可能な運搬距離 (m)	標準運搬量	動力	主な用途	スランプの範囲 (cm)	留意点
コンクリートポンプ	水平 鉛直	～500 ～200	20～70 (m^3/h)	内燃機 電動機	一般・長距離・高所	8～21	圧送負荷による機種選定
コンクリートバケット	水平 鉛直	～100 ～30	15～20 (m^3/h)	クレーン使用	一般・高層 RC・スリップフォーム工法	8～21	揚重計画が重要
カート	水平	10～60	0.05～0.1 (m^3/台)	人力	少量運搬 水平専用	12～21	桟橋が必要
ベルトコンベア	水平 やや勾配	5～100	5～20 (m^3/h)	電動	水平専用	5～15	分離に注意
シュート	鉛直 斜め	～20 ～5	10～50 (m^3/h)	重力	高落差 場所打ち杭	12～21	分離に注意

ン工場の供給能力，打込みの難易度，気象条件を把握した上で決定する。

打込み高さが高い部分や薄い壁，階段，開口部廻り，傾斜したスラブなど，コンクリート打込みが難しい箇所では充填不良が生じやすいので，事前に打込み要領を検討しておく。また，コンクリートの打継ぎ部分は強度とともに防水，鉄筋の防錆に対しても弱点となりやすいので，適切な打継ぎ箇所を設定する。

(2) コンクリートの打込み

打込み前日までに鉄筋，型枠，埋め込み金物類などについて検査を行う。また，型枠内を清掃し，せき板や打継ぎ部分に水湿しをしておく。

(a) コンクリート打込み作業

コンクリートの運搬には，コンクリートポンプによる圧送と，バケット，シュートによる方法がある。均質で一体化したコンクリート躯体を造るには，コンクリートが分離しないように打込むことが最も重要である。型枠内のコンクリートの横流しや打込み高さが高い場合では，コンクリートが分離しやすく打込み不良が生じやすい。打込み目的の位置にできるだけホースを近づけ，コンクリートの落下高さを小さくする配慮が必要である。

(b) 締固め

締固めの目的は，打込まれたコンクリート

図6・42 コンクリートポンプ車による圧送

図6・43 コンクリート打込み状況

図6・44 バイブレータによる締固め

図6・45 木づちによる締固め[1]

を型枠の隅々まで充填させ，鉄筋との一体化を図るとともに，打込み中に混入した空気を排除することである。締固めでは，一般に**内部振動機（バイブレータ）**，外部振動機（型枠バイブレータ），木づちが用いられる。

(c) 各部位の打込み・締固め

① 柱

柱はスラブや梁から落とし込み，一方向からだけ打込むことは避け，締固める。自由落下高さが高いとコンクリートが分離してしまうので，2～3層に分けて打込む。

② 梁

全せいを同時に，両端から中央に向かって打設する。主筋，あばら筋の上にはスラブ筋が重なっているので，柱側などから打ち足し確実に充填する。

③ 壁

打込み用の落とし口を多数設け，片流れ，横流れが生じないように打込む。一度に壁上端まで打込まず，1回の打ち上げ高さを小さくし，十分に締固めてから上部を打込む。

④ 床スラブ

床スラブの一か所にコンクリートが盛り上げられるのを避け，均等に配分して打込み，締固め，ならびにタンピングを行う（図6・

図6・46 基礎梁の打込み

図6・47 柱の打込み

図6・48 床スラブ打込み

図6・49 コンクリート上面のタンピング

48, 49)。また，打込み中にスラブの配筋を乱さないように歩行用の仮設材（メッシュロード）を置いて作業を行う。

⑤　階段

下段から一段ずつ，コンクリートの充填を確認しながら打込む。

(d)　コンクリート上面の仕上げ

コンクリート打込み終了後，木ごてや金ごてで**天端均し**をする（仕上下地の場合は金ゴテ押え）。その際コンクリートの沈降によるひび割れ，粗骨材の分離，ブリーディングなどの欠陥が生じないよう十分に押える。（図6・50，51，52）

図6・50　コンクリート上面の均し

(3)　コンクリートの養生

養生の目的には，乾燥や凍結の防止，水和反応の促進，躯体の変形や応力によるひび割れの防止などがある。直射日光や高温によるコンクリート表面の乾燥を防ぐためには，散水やシートを掛けるなどの**湿潤養生，防風・遮光養生**を行う。

打込み後に湿潤養生が行いにくい床部材などの水平部材では，コンクリート被膜養生剤の塗布などによる湿潤養生も効果がある。

表6・8　湿潤養生の期間（JASS 5）

セメントの種類	計画供用期間の級　短期および標準	長期および超長期
早強ポルトランドセメント	3日以上	5日以上
普通ポルトランドセメント 高炉セメントA種相当	5日以上	7日以上
中庸熱ポルトランドセメント 低　熱　　〃 高炉セメントB種相当	7日以上	10日以上

図6・51　金ごてによる押さえ作業

図6・52　騎乗式トロウェルによる押さえ作業

施工管理のポイント

(1) 施工準備
 (a) レディーミクストコンクリートの発注
  ①工場に対する指示事項：コンクリートの種類, 骨材の品質, 呼び強度, スランプなど
  ②工場からの提出書類：コンクリート配合計画書（報告書），セメント試験成績書，骨材の試験成績書など
 (b) レディーミクストコンクリートの受け入れ検討事項：生コン車の動線, コンクリートポンプ車の配置, 品質試験の実施場所, 生コン車の待機場所, 誘導方法など
 (c) コンクリート打込み計画の留意事項
  ①運搬, 打込み, 締固めの方法および使用機器の種類と数量
  ②コンクリート練混ぜから打込み終了までの時間の限度
  ③打込み区画および打込み順序
  ④1日の打込み量および単位時間当りの打込み量
  ⑤打継ぎ部の処理方法

(2) コンクリートの打込み
 (a) 打込み前の確認事項
  ①当日の打込み量, 打込み方法, コンクリートの種類と品質, 打込み開始・終了時刻など
 (b) 打込み時の留意事項
  ①打込み位置にできるだけ近づけて打込む。
  ②1回に打込みで計画された区画内では, コンクリートが一体になるよう連続して打込む。
  ③打込み時の圧力により, 鉄筋, 型枠, スペーサーおよびバーサポートなどが移動しないように注意する。
  ④パラペットの立上り, ひさし, ベランダなどは, これを支持する構造体部分と同一の打込み区画とする。
  ⑤コンクリートの自由落下高さは, コンクリートが分離しない範囲とする。
  ⑥同一区画の打込み継続中の打重ね時間間隔の限度は, 外気温25℃未満の場合は150分, 25℃以上の場合は120分以内とする。
 (c) バイブレーターによる締固めの留意事項
  ①長時間の加振によるコンクリートの分離や, 先端部の接触による鉄筋, 型枠などのずれに注意を払う。
  ②振動時間はコンクリート表面にセメントペーストが浮き上がるまでとし, 目安は一カ所5〜15秒程度である。
  ③バイブレータが使用できない部位では, 突き棒, 木づちなどで突いたり, 叩いたりする方法を併用する。
 (d) 打継ぎ部
  ①打継ぎ部の位置は, 梁, 床スラブおよび屋根スラブではスパンの中央付近に, 柱および壁では床スラブ, 梁, 基礎梁の上端に設ける。
  ②打継ぎ面には水がたまらないようにし, 脆弱なコンクリートを取り除き, 健全なコンクリートを露出させる。
 (e) 打込み工法
  ①回し打ち：柱・壁部分を階高の半分, あるいは梁下まで打込み後に, 梁・スラブを打込む方法（図6・53）。
  ②片押し打ち：一方の端から一度に柱, 壁, 梁, スラブまで打込みし, 順次打込み箇所を移動していく方法（図6・54）。
 (f) 打込み不良
  ①ジャンカ：セメントと骨材が分離し, 骨材だけが塊状に集まってできた空隙の多い部分。
  ②コールドジョイント：先に打込まれたコンクリートが凝固し, 後から打込まれたコンクリートと一体化されずにできた継ぎ目。

(3) 各部の打込み
 (a) 柱打込みの留意点
  梁筋と柱筋が交差している場所から打込むと分離しやすい。
 (b) 梁打込みの留意点
  梁せいの高い場合は, スラブと一緒に打込まず, 梁だけを先に打込み, コンクリートの沈降を待つ。
 (c) 壁打込みの留意点
  開口部の下などでは, コンクリートの充填が確認できるような工夫をする。

(d) 床スラブ打込みの留意点
　床スラブ厚が一定になるよう，ならし板（トンボ）などを用いて平滑にする。
(e) コンクリート上面の仕上げの留意事項
①表面仕上げの精度は，仕上げ材の有無や種類により異なるので，施工図に基づき確実に行う。
②ブリーディング（打込み後に水が分離してコンクリート表面に上昇する現象）が発生したときは，表面の水分を取り除きタンピングを行う。
(4) コンクリートの養生
①打込み後のコンクリートは，5日間以上湿潤状態に保つ。
②寒冷期においてはシート，マットなどを用い，コンクリートを寒気から保護し，打込み後5日間以上コンクリートの温度を2℃以上に保つ。
③コンクリート打込み後少なくとも1日間は，歩行，資材の積載，施工作業を行わない。

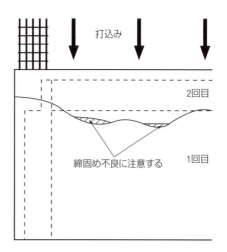

図6・53　壁への打込み（回し打ち工法）

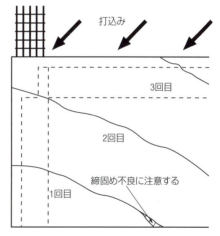

図6・54　壁への打込み（片押し打ち工法）

6・4・3　コンクリートの品質管理と検査

(1) 生コンの受入れ検査

受入れ検査は生コンの荷卸し地点で実施する。試験に際しては、コンクリートの採取方法、試験体の作製および試験方法が正しく行われているかを確認する。

(2) 構造体コンクリートの圧縮強度の検査

検査は、構造体に打込まれたコンクリートが調合管理強度を確保していることを確認するため、また型枠取り外し時期などを決定するために行われる。

供試体の採取は打込み日・打込み工区ごと、かつ150 m³ごとに区分して採取する。一回の試験には3個の供試体を用い、適当な間隔をあけた3台の運搬車から1個ずつ、合計3個採取する。（高強度コンクリートは別の基準となる）

(3) コンクリートの仕上り状態の検査

仕上り状態の検査は、一般的には表面の平坦さや色むらなどのコンクリート表面の肌合いと、欠けやジャンカ、コールドジョイントなどの打込み時に生じる欠陥の有無について行う。

(4) コンクリート不良箇所の処置

打上がったコンクリートに発生した、豆板、コールドジョイント、気泡、欠け、ひび割れなどは、その種類や程度に応じた補修を行う。

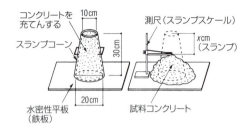

図6・55　スランプ試験

表6・9　荷卸し地点でのスランプの許容差
（単位：cm）（JIS A 5308）

スランプ	スランプの許容差
2.5	±1
5および6.5	±1.5
8以上18以下	±2.5
21	±1.5※

注※　呼び強度27以上で、高性能AE減水剤を使用する場合は、±2とする。

施工管理のポイント

(1) 生コンの受け入れ検査の留意事項
　①検査項目：フロー値* 　スランプ　空気量　コンクリート温度　塩化物量など
　②試験結果が要求性能を満たしていない場合は、荷卸しせずに工場に送り返し、原因を調べ、必要に応じて調合補正を行う。

(2) 構造体コンクリートの強度検査の留意事項
　採取した供試体の養生方法は、材齢28日の場合は標準養生または現場水中養生とし、材齢28日を超える場合は現場封かん養生とする。

＊フロー値：コンクリートの流動性を表す値。スランプ試験時によって測定する。

第6章　章末問題

次の各問について，記述が正しい場合は○，誤っている場合には×をつけ，誤っている場合には正しい記述を示しなさい。

（鉄筋工事）

【問 1】 D16の鉄筋相互のあき寸法の最小値は，粗骨材の最大寸法が20 mmのため，25 mmとした。（H29-25）

【問 2】 一般スラブに使用するSD 295の鉄筋の末端部を90°フックとするので，その余長を$6d$とした。（H29-25）

【問 3】 SD 345，D 25の異形鉄筋を90°折曲げ加工する場合の内法直径は，$3d$とした。（図6・14参照）（H28-25）

【問 4】 梁主筋を柱にフック付き定着としたため，定着長さは鉄筋末端のフックの全長を含めた長さとした。（R3-55）

【問 5】 梁の主筋を重ね継手としたため，隣り合う鉄筋の継手中心位置は，重ね継手長さの1.0倍ずらした。（図6・8参照）（R3-55）

【問 6】 D 35以上の鉄筋には，原則として，重ね継手を用いない。（R2-25）

【問 7】 大梁主筋にSD 390を用いる場合のフック付定着の長さは，同径のSD 345を用いる場合と同じである。（表6・4参照）（R2-25）

【問 8】 径の異なる鉄筋を重ね継手とする場合，重ね継手長さは細い方の径により算定する。（R1-25）

【問 9】 隣り合うガス圧接継手の位置は，300 mm程度ずらした。（R4-25）

【問 10】 圧接部のふくらみの長さは，鉄筋径の1.1倍以上とした。（R4-25）

【問 11】 SD 345のD 29を手動ガス圧接で接合するために必要となる資格は，日本産業規格（JIS）に基づく技量資格1種である。（R3-24）

【問 12】 径の異なる鉄筋のガス圧接部のふくらみの直径は，細い方の径の1.4倍以上とする。（R3-24）

【問 13】 同一径の鉄筋の圧接部における鉄筋中心軸の偏心量は，鉄筋径の1/4以下とした。（H29-26）

（型枠工事）

【問 14】 支保工以外の材料の許容応力度は，長期許容応力度と短期許容応力度の平均値とする。（R2-27）

【問 15】 コンクリート型枠用合板の曲げヤング係数は，長さ方向スパン用と幅方向スパン用では異なる数値とする。（R2-27）

【問 16】 パイプサポートを支保工とするスラブ型枠の場合，打込み時に支保工の上端に作用する水平荷重は，鉛直荷重の5%とする。（R2-27）

【問 17】 コンクリート打込み時の側圧に対するせき板の許容たわみ量は，5 mm とする。(R2-27)

【問 18】 パイプサポート以外の鋼管を支柱として用いる場合，高さ 2.5 m 以内ごとに水平つなぎを 2 方向に設けなければならない。(R3-56)

【問 19】 支柱として用いる鋼管枠は，最上層および 5 層以内ごとに水平つなぎを設けなければならない。(R3-56)

【問 20】 支柱として用いる組立て鋼柱の高さが 5 m を超える場合，高さ 5 m 以内ごとに水平つなぎを 2 方向に設けなければならない。(R3-56)

【問 21】 支柱として用いるパイプサポートの高さが 3.5 m を超えたので，高さ 2 m 以内ごとに水平つなぎを 2 方向に設けた。(H29-27)

【問 22】 コンクリート打込み時に型枠に作用する鉛直荷重は，コンクリートと型枠による固定荷重とした。(R4-56)

【問 23】 (型枠支保工において) 支柱を立てる場所が沈下するおそれがなかったため，脚部の固定と根がらみの取付けは行わなかった。(R4-56)

(コンクリート工事)

【問 24】 コンクリートの調合強度を定める際に使用するコンクリートの圧縮強度の標準偏差は，コンクリート工場に実績がない場合，1.5 N/mm^2 とする。(R4-26)

【問 25】 単位水量は，185 kg/m^2 以下とし，コンクリートの品質が得られる範囲内で，できるだけ小さくする。(R4-26)

【問 26】 コンクリートの調合管理強度は，品質基準強度に構造体強度補正値を加えたものである。(R3-25)

【問 27】 単位セメント量が過小のコンクリートは，水密性，耐久性が低下するが，ワーカビリティーはよくなる。(R3-25)

【問 28】 アルカリシリカ反応性試験で無害でないものと判定された骨材であっても，コンクリート中のアルカリ総量を 3.0 kg/m^2 以下とすれば使用することができる。(R2-28)

【問 29】 調合管理強度が 21 N/mm^2 の普通コンクリートの場合のスランプは，21 cm を標準とする。(H28-28)

【問 30】 外気温が 25℃ を超えていたため，練混ぜ開始から打込み終了までの時間を 90 分以内とした。(R3-26)

【問 31】 コンクリートの圧送開始前に圧送するモルタルは，型枠内に打ち込まないが，富調合のものとした。(R3-26)

【問 32】 コンクリート内部振動機 (棒形振動機) による締固めにおいて，加振時間を 1 箇所当たり 60 秒程度とした。(R3-26)

【問 33】 梁及びスラブの鉛直打継ぎ部は，梁及びスラブの端部に設けた。(H28-29)

【問 34】 (せき板の存置期間について) コンクリートの圧縮強度による場合，柱のせき板の最小存置期間は，圧縮強度が 3 N/mm^2 に達するまでとする。(R4-57)

【問 35】 湿潤養生の期間は，早強ポルトランドセメントを用いたコンクリートの場合は，普通ポルトランドセメントを用いた場合より短くすることができる。(H30-29)

【問 36】 寒中コンクリートの初期養生の期間は，圧縮強度が $5\,\mathrm{N/mm^2}$ に達するまでとする。(H29-29)

第7章

鉄骨工事

7・1　概説 —————————— 104
7・2　工場製作 ————————— 107
7・3　工事現場施工 ——————— 128
章末問題 ——————————— 144

7・1 概 説

鉄骨工事は，主に，鉄骨造（S造）建物，鉄骨鉄筋コンクリート造（SRC造）建物あるいは鉄骨コンクリート造（SC造）建物の躯体工事に概当する。

本章では，S造建物の場合について解説する。

7・1・1 鉄骨造建物の特徴

S造建物は，躯体を鉄骨で作り，その上に外装・内装の下地を組立て仕上げをして完成する。

S造の躯体は，鉄骨製作業者が製作した部材を現場に搬入し，工事現場で順次組み立てる（**鉄骨建方**という）ことによって出来上がる。つまり，鉄骨工事は工場製作と現場施工の2段階に分かれる。

S造建物の施工フローと役割の概念を，図7・1に示す。

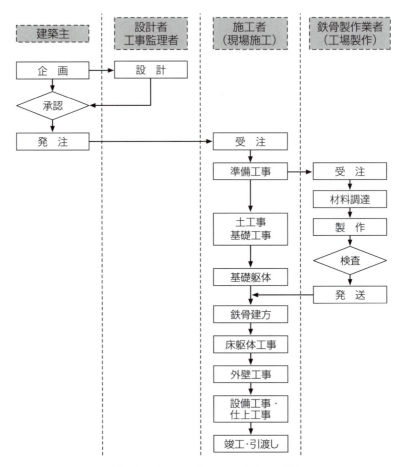

図7・1　S造建物の施工フローと役割の概念
（日本建築学会：鉄骨工事技術指針をもとに作成）

7・1・2 鉄骨工事計画

鉄骨工事は，建物の工期や出来上がりに与える影響が大きい。したがって，鉄骨工事計画では，発注者，設計者，施工管理者および工事監理者の四者が，

① 全体工程
② 他の工事・工種との関係
③ 総合仮設計画による鉄骨建方関連工事

を総合的に検討する。

鉄骨部材は，形が大きく，重いものが多い。また，鉄骨躯体に取付ける外壁PCパネルや内装ユニットなども，重量が大きいものを機械で揚重して取付ける作業が多い。そこで，揚重機械の選び方や配置，部材の搬入や取付け手順などの綿密な計画が必要となる。

計画検討の留意点は，以下である。

① 製作工場から施工現場までの道路事情，輸送の経路と手段を検討するとともに設置可能な揚重設備における作業半径と吊り能力を確認し，鉄骨製品の大きさや重量を決める。
② 設計図書で示された仕口や継手が，①で設定した製品の大きさや重量に対応できているかを検討する。
③ 輸送，荷卸し，揚重などの時に製品に無理な力が作用しないよう，必要に応じて補強方法を検討する。
④ 計画している仮設構造物が，製品の重量に耐えうるかを検討する。
⑤ 1日あたりの取付数量を試算する。

7・1・3 基礎躯体

S造建物は，同じ階数であればRC造建物に比べて建物総重量が軽いため，基礎構造も小規模となることが多い。また，倉庫，工場，体育館など，大スパンや階高の大きなS造建物では，建物規模に対して柱本数が少なく，基礎の数もそれに応じて少なくなる。そのため，基礎ごとの施工誤差，たとえば杭基礎では杭の偏心や，鉄骨を建込むためのアンカーボルトの位置のずれなど，わずかな誤差が建物全体の安全性を損ねることになるので注意を要する。

(1) **アンカーセット**

柱脚は，ベースプレート，アンカーボルト，ベースモルタルおよび基礎コンクリートの4要素で構成される。基礎コンクリートにアンカーボルトを設置する作業を**アンカーセット**と呼ぶ。

柱脚の形式には，引張・圧縮・曲げ・せん断の全応力を伝達する固定形式と，曲げは伝達しないピン形式がある。固定形式では，鉄骨柱脚を基礎コンクリートに埋込む場合と露出させる場合とがある。これらの構造上の考え方は構造設計によって決定されるので，事前に構造設計者に確認する必要がある。

また，構造耐力を負担せず，鉄骨建方時の鉄骨の足元を固定することを目的とする「建方用アンカーボルト」がある。

アンカーボルトの据え付け工法には，以下の3つがある。

(a) 固定埋込み工法（図7・2）

鉄骨アングルなどを組み合わせて組み上げたアンカーボルト固定用の枠（**アンカーフレーム**と呼ぶ）に，アンカーボルトを固定する。

この工法は，径が大きなアンカーボルトに

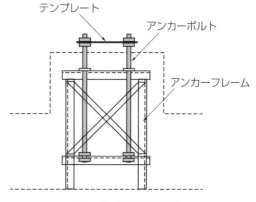

図7・2 固定埋込み工法

適している。図7・3は，実際の設置状況である。

(b) 箱抜き工法（図7・4）

アンカーボルトが埋込まれる位置の周囲をスパイラルチューブなどの型枠で囲み，部分的にコンクリートが回り込まないようにすることを，**箱抜き**という。

鉄骨建方時に，アンカーボルトを正しい位置に保持し，箱抜きした箇所に入念にコンクリートを後詰め（グラウト）して，アンカーボルトを所定の位置に固定する。後詰めで打設するコンクリートの強度は，基礎コンクリートと同等，あるいはそれ以上とする。

(2) アンカーボルト位置のチェック

アンカーボルト位置の確認のポイントは，図7・5に示すように，

① 桁行，梁間通り心の各距離
② 桁行，梁間通り心を基準とした設置位置の寸法（**寄り寸法**という）
③ 柱位置相互の対角距離
④ 設置高さ

などである。

図7・3 アンカーセット（固定埋込み工法）

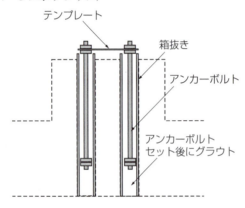

図7・4 箱抜き工法

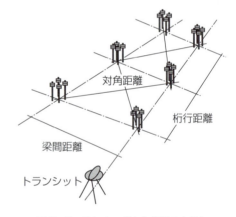

図7・5 アンカーボルト位置の心出し

施工管理のポイント

(1) ベースプレート，アンカーボルトの製作上での留意事項

① ベースプレートのボルト孔径は，ボルトの径に5mm加えた大きさ以下とする。
② ナットは，緩み防止のため，必ず二重ナットとする。
③ ボルト長さは，ボルト頭のねじ山が，二重ナットの外に3山以上出るように計画する。

(2) アンカーボルトの位置，その他の留意事項

① アンカーボルトの心出しは，テンプレート（型板）を用いて基準墨に合わせて正しく行う（図7・5）。
② 基礎コンクリートの打設に先立ち，アンカーボルトのねじ部の損傷，さびの発生，コンクリートの付着を防止するため，布やビニールテープを巻いて保護する。この，汚れやキズから保護することを，**養生**という。
③ 構造耐力を負担しない建方用アンカーボルトの場合は，ボルトを急激に曲げない範囲（傾斜1/6以下）で位置修正（台直しと呼ぶ）することもあるが、構造耐力を負担するボルトには適用できない。

7・2 工場製作

7・2・1 鉄骨製作工場の選定

鉄骨製作工場(鉄骨ファブリケータを略してファブとも呼ぶ)を選定するうえで留意する点は，以下である。

① 設計図書に記載された鉄骨工場のグレードに適合している。(施工管理のポイント参照)
② 工事の規模に合っている。
③ 所定の品質を確保することができる。
④ 設計変更や工程変更などに柔軟に対応できる。
⑤ 工場の稼動状況が過大でない。
⑥ 現場との距離，交通に要する時間などが適当である。

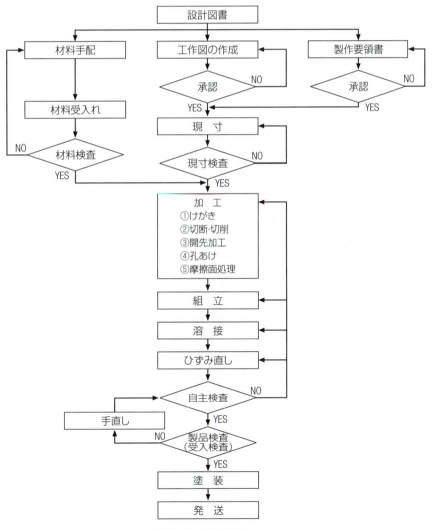

図7・6 工場製作のフロー

7・2・2 工場製作の手順

鉄骨製作工場での作業は，
① 製作要領の検討と作成
② 工作図の作成，材料の発注
③ 現寸
④ 材料の受入・加工・組立て・溶接・ひずみ修正
⑤ 製品検査
⑥ 工事現場への発送・輸送

が主なものである。

工場製作の作業手順を，図7・6に示す。

7・2・3 製作要領書

設計図書には通常，鉄骨の加工法は指定されていないので，鉄骨製作工場では，工場での作業方法と手順を具体的に詳しく規定し，製作要領書を作成する。これは，現場施工のための施工計画書と同様に，工場製作において非常に重要な計画書であって，品質を確保する上で重要なものである。

製作要領書には，鉄骨製作工場の設備・技術・要員・経験などをふまえたうえで製作組織，施設，材料，工作，検査などの手順を具体的に

表7・1 製作要領書の記載内容の例

1	総則	要領書の適用範囲 標準仕様書の適用項目・適用外項目 準拠基規準 疑義・変更の処置
2	工事概要	工事名称，建物概要，工事範囲 構造概要（構造材料種別・接合方法） 鉄骨重量（全重量，各部重量または部材の最大重量）
3	製作工場概要	名称・所在地 担当組織，作業分担担当者組織 設備・機械 溶接技能者名簿，その他工事に必要な特別技能者（名簿で添付） 工事に使用する機器機具の一覧
4	使用材料	使用材料種別・メーカー（鋼材・ボルト・溶接棒） 鋼材の識別方法 材料の保管方法 材料試験・検査の方法（試験方法・基準値）
5	工場製作	作業系統図 各工程の，使用機器機具・加工要領・組立順序・溶接方法 工作図，現寸図，型板などの作成方法 材料切断，孔あけ，ガス加工，曲げ加工，摩擦面の処理，組立，溶接，ひずみ取りなどの方法 精度標準 設計図書に明示のない必要事項（エンドタブの処置，仮ボルト孔の処置など）
6	品質管理	命令・情報系統図，製作管理方法，不良品の処置方法
7	検査・試験	検査標準および検査方法（方法・個数・時期・報告形式） 溶接技量検査，高力ボルト試験，すべり試験 現寸検査，仮組検査，溶接検査，製品検査 社内検査規準
8	塗装	塗装仕様・素地調整・塗り残し
9	輸送	輸送方法・荷姿・経路 緊急連絡先および搬入時間
10	その他	工程表，溶接基準，仕上げ塗装

示す。さらに，品質確保のための自主的な管理方法を書く。

製作要領書は，工事監理者の承認を受ける。記載内容を，表7・1に例示する。

7・2・4 材料

(1) 材料の種類

通常用いる材料の種類は，鋼材，高力ボルト，ボルト，溶接材料，塗料などである。

鋼材には，各流通過程において，材料の品質を証明するための表7・2に示す各種証明書が発行されている。

検査証明書は，一般にミルシートと呼ばれる。これによって，鋼材の材質と製造会社が確認できる。

(2) 建築用鋼材の種類

建築用鋼材には，主に一般構造用のSS材，溶接構造用のSM材および建築構造用のSN材がある（表7・3）。

各鋼材は，A種，B種，C種の3種に区分されており，SN材については以下の様になっている。

A種：建物の大きな変形に対応出来ない溶接を行わない箇所に使用する。

B種：建物の大きな変形に対応出来る良好な溶接性を有する。

C種：板厚方向の特性を規定，主にダイヤフラムに使われる。

大型の形鋼材が生産されるようになったため，H形鋼や角形鋼管をそのままの形で梁・柱に用いることが多い。しかし，大スパンや大空間を構成する部材にはさらに大型のものが必要となるため，既製の形鋼材を組み合わせて，箱形，I型，十字型などとして用いることがある。

図7・7に，形鋼材の種類を示す。

(3) 材料の受入れ・保管

鋼材の保管の際は混同しないようにし，泥・油・ペンキなどで汚れたり，水・酸などでさびないように十分注意する。また，山積みにする場合は，無理な力が加わって変形しないようにする。

(a) 構造用鋼材

製鉄所から出荷された時は，鋼材には表示マークが付いており，規格品証明書との照合は容易である。しかし，製作工程では鋼材を切断するので，切断した鋼材ごとに仕分けの

表7・2 鋼材の品質証明書の種類

1	製品証明書	鋼材製品の製造業者あるいは加工・販売業者が，出荷状態において，その製品の品質を自社工程の責任の範囲内で証明する明細書で，製造業者などで発行する証明書の総称。発行する業者によって，「規格品証明書」と「原品証明書」に区分される。
2	規格品証明書	JIS，その他の団体などの公的に認知された規格があり，その報告規定に基づいて製造業者が発行する証明書，もしくは国土交通大臣認定品に適合することを証明する書類。
3	原品証明書	規格品証明書（原本相当規格品証明書を含む）の付いている鋼材の切断・切削・孔あけなどの中間加工を施す業者，あるいは一般流通業者（問屋）が，少量販売する鋼材に付して発行する証明書。 自社工程で付加した品質内容（寸法，形状，数量，現品の納入状態など）の記載の他，前工程で証明された原品の規格名・証明書番号・製造業者名・溶鋼番号などを必要に応じて転記する。 日付，担当業者名とその社印，公的に認知された鋼材管理責任者の署名・捺印がある。
4	原本相当規格品証明書	規格品証明書の原本，または前工程で発行された原本相当証明書をコピーしたものに，公的に認知された鋼材管理責任者が現品との照合を実施して当該鋼材と整合していることを証明したもの。 当該鋼材管理責任者の署名・捺印と日付がある。

ための印を付ける。

(b) 高力ボルト

高力ボルトのセット（ボルト・ナット・座金の一組をいう）は，JIS B 1186 に規定されているか国土交通大臣の認定品となっている。

常に，セット単位で扱うようにし，別ロットのものを混同して用いることのないよう注意する。

保管に当たっては，防湿，防じんに配慮し，ねじ山に傷がつかないように注意する。

(c) 溶接材料

溶接材料に原則として JIS 規格適合品を使用する。建築鉄骨の溶接は，溶接能率の高いガスシールドアーク溶接材料やサブマージアーク溶接材料が多く，被覆アーク溶接材料（手溶接）は使用頻度が少ない。

表7・3　主な建築用鋼材の名称と規格

記号	名称	規格
SS	一般構造用圧延鋼材	JIS G 3101
SM	溶接構造用圧延鋼材	JIS G 3106
SN	建築構造用圧延鋼材（SN材）	JIS G 3136
	建築構造用炭素鋼鋼管（STKN材）	JIS G 3475
	建築構造用圧延棒鋼（SNR材）	JIS G 3138
BCP	建築構造用冷間プレス成形角型鋼管	国土交通大臣認定品
BCR	建築構造用冷間ロール成形角型鋼管	

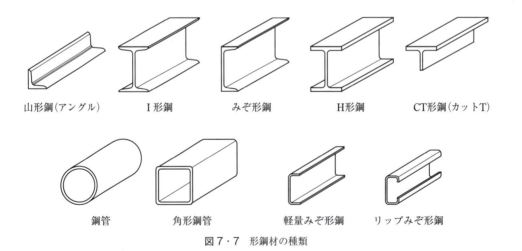

図7・7　形鋼材の種類

施工管理のポイント

(1) 鉄骨製作工場の認定制度

鉄骨製作工場で製作される建築鉄骨の品質保証（特に溶接部）の信頼度を評価し，評価結果に基づき国土交通大臣が認定しているもので，指定性能評価機関として㈱日本鉄骨評価センター（略称：評価センター）と㈱全国鉄骨評価機構（略称：全鉄評）の2機関が国土交通大臣の指定を受け，同一の性能評価基準で認定している。

認定は，建設規模・使用鋼材の適用範囲に応じ，5グレード（S，H，M，R，J）に区分している。適用範囲は表7・4による。

(2) 材料の種類についての留意点

① SN（B, C）材は，降伏強さの上限，降伏比が規定された耐震構造用鋼材である。

② SM（B, C）材は，溶接用鋼材であるが，降伏強さの上限，降伏比などの規定がないので，SN材と同等ではない。

③ SM材も，材料試験などを行ってSN材の規定を満たしていると判定された場合は，SN材同等として扱ってよい。

(3) 材料の調達についての留意点

① 信頼のおける流通経路を経て調達されたものであること。

(4) 材料の受入れ時検査の項目

① ミルシートと現品との照合による材質の確認

② 外観検査

③ 形状・寸法の検査

④ 員数（数量）の確認

(5) 材料保管での留意事項

① 材料が混同しないよう配慮する。

② 泥・油・ペンキなどによる汚れ，水・酸などによるさびの発生を避ける。

③ 山積みによる変形を避ける。

④ 高力ボルトは，使用時に梱包をほどく。開梱後は，ボルト・ナット・座金のセットで取り扱う。

⑤ 溶接棒は十分乾燥したものを用いる。

表7・4 鉄骨製作工場の認定制度

グレード	S	H	M	R	J
製作可能な建物	制限なし	制限なし	制限なし	5階以下 延床面積 3000 m^2 以内 高さ 20 m 以上	3階以下 延床面積 500 m^2 以内 高さ 13 m 以下 軒高 10 m 以下
使用できる鋼材	制限なし	520N, 490N, 400N級	490N, 400N級	490N, 400N級	400N級
板厚	制限なし	60 mm 以下※	40 mm 以下	25 mm 以下	16 mm 以下
通しダイアフラム（開先なし）の材質及び板厚	制限なし	400N, 490N 及び 520N級で 70 mm 以下	490N, 400N級で板厚 32 mm 以下	490N, 400N級で板厚 32 mm 以下	490N, 400N級で板厚 22 mm 以下
溶接作業条件	制限なし	下向き，横向き，立向き	下向き，横向き	原則として下向き，横向きは条件による	原則として下向き，横向きは条件による

7・2・5 工作図（加工図）・現寸

(1) 工作図の位置付けと役割

　工作図は，鉄骨部材の工場製作や現場施工のための詳細図面である。設計図書の内容に，施工に必要な情報を付け加えて鉄骨製作業者が作成し，設計者，工事監理者および施工者が承認する。なお，設計変更や追加工事，施工方法や施工手順の変更などの確認にも不可欠である。

　従来，工作図は現寸作業のための情報の整理・展開の役割であり，次工程で作成される現寸図の方が重要な位置を占めていた。しかし，コンピュータの普及に伴って工場製作でのCAD/CAM化が進んだ結果，工作図を基本にして，工場製作と現場施工が進められるようになり，この工作図が重要な位置を占めるようになった。

(2) 工作図の内容

　工作図は，設計図書のうち構造図を基本にして作成するが，詳細な納まりについては意匠詳細図によって検討する。工作図の種類は，

① 一般図
② 基準図
③ 詳細図

の3つに区分される（表7・5）。用いる縮尺は，1/200，1/100，1/50，1/20，1/10である。

(a) 一般図

　骨組となる柱・梁などについて，基礎部分，各階および各通りについての構造を描いた図面である。各部材の取合いや配置関係を明確に描く。

(b) 基準図

　詳細図に逐一記載すると煩雑となる内容や共通の内容を，まとめて表現した図面である。

　接合部標準として，高力ボルト接合部のボルトの種類と配置，あるいは溶接継手部の形状などを分類して図示する。

　現場施工に必要な仮設部材・設備関連部材・内外装取合部材の他，以下に示すような詳細図と配置図なども含まれる。

① 現場施工の計画に基づいた，取付け部材の情報
　・柱に取り付けるタラップの形状や仕様（例：図7・43）
　・足場や落下防止用ネット取付用ピース
　・親綱取付け用フック（例：図7・46）など
② 設備関係では，配管用開口の情報
　・梁貫通孔の位置，径と補強方法（例：図7・39）
③ 機械設備を設置する上で必要な情報
　・固定方法
　・梁あるいは柱の補強
　・追加する補助部材　　　　　　　など
④ 外壁のPCパネルや内装ユニット，鋼製建具（サッシ，シャッターなど）などを取付けるために必要な部材についての情報
　・ファスナー（例：図9・33）
　・下地金物　　　　　　　　　　など

(c) 詳細図

　現場施工での建方単位および揚重単位に分割した鉄骨製品ごとに，詳細形状・寸法・材

表7・5　工作図の種類

図面の区分	図　面　名　称
一　般　図	アンカー伏図，梁伏図，軸組図，部材リスト
基　準　図	継手基準図，溶接基準図，仮設部材基準図，スリーブ配置図，ファスナー配置図，胴縁・母屋配置図，その他関連工事取合基準図
詳　細　図	柱詳細図，間柱詳細図，大梁詳細図，小梁詳細図，ブレース詳細図，その他各部材詳細図

質・数量，それぞれに取付く部材の位置・形状などを詳細に示したものである。

必要に応じて，展開図，原寸図（実際の寸法，すなわち原寸（1/1縮尺）で描いた図），拡大図などにより，部材の取り合い状況や部材の細部形状を決定する。また，溶接継手や高力ボルト接合の施工性のチェックを行う。

図7・8，図7・9に，工作図を例示する。

(3) 現寸

現寸作業は，工場加工の前の工作図作成に引き続いて行われる。

現寸では，工作図をもとにして，工場製作に必要な定規や型板，さらにNC（数値制御）情報を作成する。

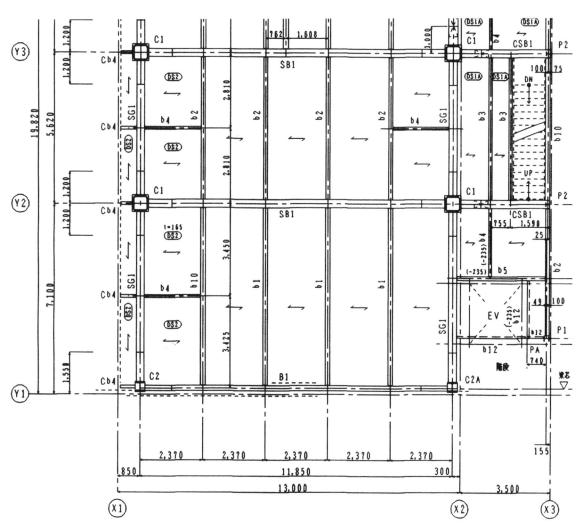

2階床梁伏図 S=1/50
一般鉄骨梁天バ＝2SL-165 とする
( )内数値は，2SLよりの鉄骨梁天バを示す
⟵ は，デッキプレートで 特記なき限り DS1

図7・8 工作図（梁伏図）

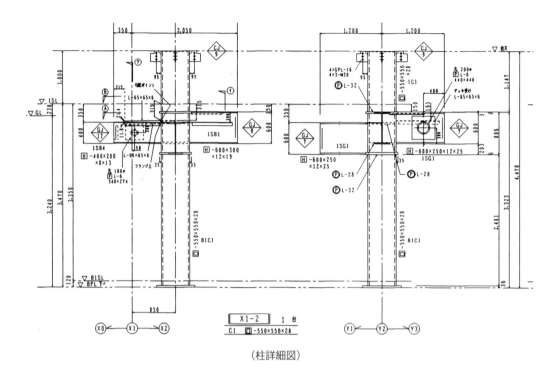

(柱詳細図)

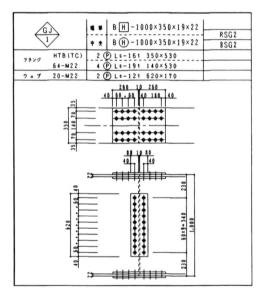

(基準図)

図7・9 工作図

施工管理のポイント

(1) 工作図についての留意点
① 工場製作,現場施工の可否や施工性の難易度を検討する。
② 設計者,施工者,工事監理者,鉄骨製作業者が十分打ち合わせる。
③ 工作図で加工・組立てについて十分検討されていれば,現寸図は不要となる。
④ 追加,変更事項を確実に反映する。
⑤ 仮設,設備,内外装に必要な取付け部品や貫通孔を表示する。

(2) 現寸についての留意点
① 工作図の内容を,工場製作に必要なデータに整理・展開する。

工作図のCAD化,加工・組立のNC化の普及と定着にともなって,現寸図を省略して工作図を中心とする製作工程が一般化した。従来,重要な位置を占めていた床書き現寸図と現寸検査の工程がなくなって鉄骨製作業者の自主管理の重要度が増し,工作図の確認・承認が最も重要な作業となっている。

床書き現寸場

現寸検査

7・2・6 加工

けがき,切断・切削加工,開先加工,スカラップ加工,孔あけ加工,摩擦面の処理などの作業を,まとめて加工と呼ぶ。

(1) けがき

製作に必要な,材質,寸法,切断・孔あけ位置などの情報を,工作図,定規,型板,部材リストなどに基づいて,鋼材に直接書く作業である。けがきは,加工目的によって,次の種類に分けられる。

① 原板からの板取りのため
② 形鋼・鋼管など鋼材からの部材取りのため
③ 曲げ・孔あけなどの加工のため
④ 組立てのため
⑤ 仕口・付属金物などの取付けのため

鉄骨製作システムの自動化により,NC制御による自動けがき装置が用いられる。NC切断機と一体となったものも多い。

図7・10に現寸型板の例を示す。

図7・10 現寸型板

けがきの段階で材質・部材記号などの情報を記入する。

(2) 切断・切削加工

けがきに従って，板・部材などを切断する。
鋼材の切断方法には，以下がある。
① ガス切断法
② 機械切断法
③ 電気切断法（プラズマ切断法）
④ レーザー切断法

一般には，ガス切断法，機械切断法（バンドソー（帯のこ盤））がよく用いられる。図7・11は，バンドソーによるH形鋼の切断作業である。

(3) 開先加工

溶接継手のため，鋼材の切り口に施す加工を開先加工という。

開先加工法には，以下がある。
① 機械加工法
② ガス加工法
③ プラズマ加工法

このうち，①，②が形鋼形状への適応度，開先形状・加工精度，加工機械の操作性の良さなどの理由から，最も広く使われている。

加工後，目視による全体的な外観チェックを行った後，開先の形状・寸法・角度を，専用の検査器具（**ゲージ**と呼ぶ）を用いてチェックする。

図7・12，図7・13に，機械加工および自動ガス切断機による開先加工を示す。また，図7・14は，ゲージを用いた開先検査の状況である。

(4) スカラップ加工

スカラップは，フランジ部の完全溶込み溶接部や，ガセットプレートなどの溶接線が重なる部分（図7・15）に用いられる。

スカラップの形状・大きさは，通常，1/4円で半径 $r=35$ mm 程度である。しかし，スカラ

図7・11 バンドソー切断機

図7・12 開先加工（機械加工）

図7・13 開先加工（可搬式自動ガス切断機）

図7・14 ゲージによる開先検査

ップ端部からの鋼材の破断が確認されたことから，改良型スカラップやスカラップを設けないノンスカラップ工法も採用されるようになってきている。

図7・16に，従来型スカラップと改良型スカラップを図示する。

(5) 孔あけ加工

ボルト接合あるいは鉄筋や設備配管用の貫通孔のため，孔をあける。

孔あけ加工法では，以下がよく用いられる。

① ドリル加工
② せん断加工
③ ガス加工

ボルト孔や鉄筋用貫通孔は，原則ドリル加工（図7・17）とすることが定められており，板厚13 mm以下の場合は，せん断加工を用いることができる。

ドリルによる孔あけ加工は，適用範囲が広く，精度も高い。さらに，NC加工法にも適している。ガス加工は設備配管などで，孔径が大きい場合に用いられている。

(6) 摩擦面の処理

2枚以上の鋼板を高力ボルト（図7・64）で締め付け，それによって鋼板間に摩擦を発生させて一体化させ，応力を伝える。これを，**摩擦接合**という。鋼板間にすべりが発生せず，応力伝達が確実に行われるように，鋼板表面（摩擦面）の処理を工場で行う。

高力ボルトを締め付けた力（ボルトの軸方向の張力）は，鋼板間の摩擦力となって発揮される。この時の鋼板表面の摩擦係数を**すべり係数**と呼び，通常は0.45以上を確保する。すべり係数を0.45以上確保できる摩擦面の処理方法には，鋼板表面の**黒皮**（酸化皮膜であって，ミルスケールともいう）をディスクグラインダーなどによって除去し，屋外に自然放置して赤さびを発生させてその状態を維持する方法，およ

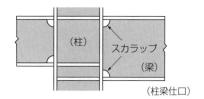

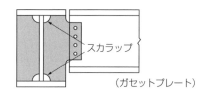

図7・15 スカラップの位置

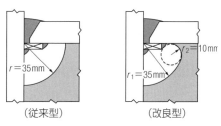

図7・16 スカラップ

図7・17 ドリル加工による孔あけ

び研磨材を高速で鋼材表面に衝突させるブラスト処理によって黒皮を取り除く方法，発せい促進剤（薬剤処理）による方法の3種類がある。ブラスト処理で主に用いられる方法は，鉄粒などの研磨材によるショットブラストである。なお，この場合，赤さびは発生しなくてよい。

ショットブラスト処理による摩擦面の状態を，処理前と対比して図7・18に示す。

（処理前）　　（ショットブラスト後）

図7・18　ショットブラスト

7・2・7　組立て

(1) 組立て方法

加工された個々の材料を組合せ，設計図に示された実際の形にする作業が組立てである。

製作工場での組立ては，主に，柱と梁仕口部，トラス梁などである。

組立て方法には，総組立てと部分組立ての2通りがある。総組立ては，建方する部材の大きさに全体を組み上げてから，まとめて本溶接する。一方，部分組立ては，小ブロックごとに本溶接してそれぞれのひずみ矯正を行った後，部材の大きさに組み上げて本溶接する。

現在，部分組立ての方法が多く採用される。これは，溶接作業を無理な姿勢ですることがなく，また自動溶接にも対応しやすいからであって，組立て精度も高い。

(2) 組立て作業

1～数階分の柱材に梁仕口を取付け，一つの大きな柱部材に組立てる作業が最もよく行われる。柱・梁の仕口部の形式から，柱貫通タイプと梁貫通タイプがある。

施工管理のポイント

(1) **けがき時の留意事項**
① けがき作業をする場所は，直射日光や外気温の影響を受けず，十分な明るさの室内とする。
② 作業台は，水平で剛性の高いものとする。
③ 曲げ加工する部材には，亀裂発生の発端となるので，ポンチやたがねを用いない。

(2) **切断・切削加工での留意事項**
① 機械切断法のうち，シヤーカッターのようにせん断による方法は，切断部にかえり（ばりともいう）が生じ，切断面が粗くなる。重要な部材の切断には不向きである。
② 鋼材の材質や断面形状，要求される切断精度と切断形状などを検討し，最適な能力を持つ機械を選定する。

(3) **開先加工での留意事項**
① 開先加工の精度は，溶接継手の強度と品質に直接大きな影響を与える。
② 溶接継手の種類・形状，溶接の順序と方法などを検討し，加工の手順と方法を決める。
③ 開先の形状・寸法・角度を，専用の検査器具（ゲージと呼ぶ）を用いてチェックする。

(4) **孔あけ加工**
① 柱・梁などに用いる形鋼などの部材への孔あけ加工は，組立前に行っておく。
② 孔あけのけがきは，組立・溶接による部材の収縮量を予測して加味しておく。
③ 溶接による収縮量の予測が困難な場合は，溶接後にけがきを確認し，孔あけをする。
④ 孔あけ後，かえりを取り除く。

(5) **摩擦面の処理**
① ブラスト処理の場合は，ブラスト前に孔あけ加工をする。
② 鋼材のまくれやひずみがある場合は，グラインダーにより取り除き，平らに仕上げる。
③ 摩擦面には塗装をしない。

柱貫通タイプは柱部材に梁仕口部を溶接する形であり，また梁貫通タイプは梁部材に柱部材を溶接する形である。どちらの形式とするかは，設計図に示されている。

(3) **組立て溶接**

組立て溶接は，本溶接が完了するまでの間，組立てられた部材の形状を保ち，移動・回転などにも耐える役割を果たす。

柱梁の組立て溶接の様子を図7・19に示す。

図7・19 組立て溶接

施工管理のポイント

① 完全溶込み溶接（p.116参照）の溶接継手箇所を詳しく確認する。

　　確認項目は，以下である。
　　・開先形状
　　・裏当て金，エンドタブ（図7・36参照）の取付け位置
　　・ルート間隔
　　・肌すきの有無

② 組立て作業は，適切な**定盤**＊（じょうばん）や**治具**＊＊（じぐ）を準備し，加工した部材相互の位置・角度を正確に保持できるように計画する。組立て治具の例を，図7・20に示す。

③ 大組立て後のねじれや形状変形の修正はほとんど不可能なので，各小ブロック作製段階でのひずみ修正には細心の注意を払う。

④ 組立て溶接（仮付け溶接）は，通常，最終的に本溶接の一部となるので，本溶接と同等の品質で行う。

図7・20 組立て治具

⑤ 組立て溶接の場合の溶接姿勢は，下向きだけではなく，横向き・立向き・上向きなどの全姿勢の溶接となることが多く，本溶接よりも厳しい施工条件となる。したがって，組立て溶接を行う作業者は溶接技能の有資格者であって，かつ溶接材料などの管理も厳格に行う。

＊　定盤：表面を平滑に仕上げた鉄製の平面盤
＊＊治具：加工・組立てる部材の位置関係を正しく保つため，あるいは作業姿勢に合わせて，部材の位置を保つための用道具・機器・台

7・2・8 溶　　接
(1) 溶接法の種類
　接合部の溶接方法は，図7・21～24に示す。
① 被覆アーク溶接（アーク手溶接）
② ガスシールドアーク溶接
③ サブマージアーク溶接
④ エレクトロスラグ溶接

などである。アーク溶接は，溶接棒と母材を2つの電極とし，電極間に発生する約5,000℃のアーク熱によって溶接棒と母材を溶融・融合させた溶接金属により接合する方法である。

　溶接法の選択では，鋼材の種類・機械的性質・溶接性，継手の形式・品質，溶接姿勢，作業環境，作業能率などを総合的に考慮する。

(a) 被覆アーク溶接（アーク手溶接）（図7・21）
　　被覆アーク溶接棒によるアーク溶接である。安価で手軽に溶接できるが能率が悪い。

(b) ガスシールドアーク溶接（図7・22）
　　電極ワイヤの周囲からシールドガスを流し，溶接金属を大気から保護して行うアーク溶接である。能率が良く経済的であることから，最も多く用いられている。

(c) サブマージアーク溶接（図7・23）
　　溶接位置の母材上にあらかじめフラックスを堆積しておき，その中にワイヤを入れてアークを発生させ溶接する方法である。
　　自動溶接法として使われ，高い技術力と経験が必要となる。

(d) エレクトロスラグ溶接（図7・24）
　　スラグ浴に通電ノズルを通し，ワイヤ，スラグ，溶接金属を流れる電流の抵抗発熱を利用してワイヤと母材を溶融させ，溶接金属をつくる溶接方法である。ボックス柱の内ダイアフラムの溶接に，よく用いられる。

(2) 溶接技術者・溶接技能者
　溶接技術者は，溶接施工全体を計画し，管理

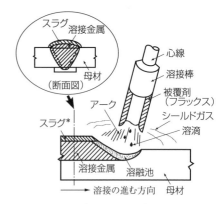

図7・21　被覆アーク溶接（アーク手溶接）

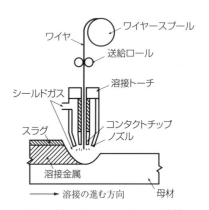

図7・22　ガスシールドアーク溶接

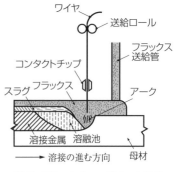

図7・23　サブマージアーク溶接

＊スラグ：溶融金属から放出される非金属物質で，溶接金属の急冷を防ぐ

する。JASS 6*では，JIS Z 3460 に基づく（一社）日本溶接協会の資格を保有していることが規定されている。同等の技量（WES 1 級）があると工事監理者が認める場合には資格を有していなくてもよいとされている。

なお，設計図書には AW 検定*の資格が明記されていることが多い。

溶接技能者は，実際に溶接施工を担当する専門作業者であって，JIS の溶接技術検定試験の資格を持っていなければならない。技術検定のランクは，溶接作業を行う姿勢（下向・立向・横向・上向），および溶接する鋼材の板厚（薄板・中板・厚板）と形状（板・管）の組み合わせによって細かく分類されている。なお，溶接作業の基本姿勢は下向溶接である。

(3) 溶接作業

溶接施工は，本溶接，組立て溶接ともに，溶接技術試験に合格した有資格者が行う。

溶接作業は，部材の位置を調整して，できるだけ施工しやすく良質な溶接が得られるように，原則的に下向きの姿勢で行う。このため，回転治具（図 7・25），ポジショナー（図 7・26）などの作業治具を用いてできるだけ下向作業となるよう工夫する。クレーンなどを用いて，こまめに製品の向きを変えることも大切である。

一般的な溶接手順は，以下である。

1) 溶接面の清掃
2) 溶接箇所の形状の確認（開先の加工状態，ルート間隔，母材のずれなど）
3) 組立溶接部の不具合の修正
4) 溶接姿勢の確認と準備
5) 本溶接（溶接部の入熱・パス間温度の管理）
6) **溶接ビード**（溶接金属の層）表面のスラ

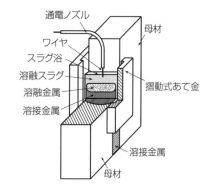

図 7・24　エレクトロスラグ溶接

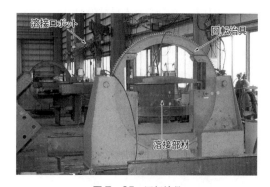

図 7・25　回転治具

図 7・26　ポジショナー

*JASS 6：日本建築学会編「建築工事標準仕様書・同解説　6 鉄骨工事」2018 年
*AW 検定：建築鉄骨溶接技量検定の略称で，統一した仕様による技量付加試験を行い，合格した者に資格を付与する。資格は工場溶接と工事現場溶接がある。

グや溶接部から生じた**スパッター***などの除去と清掃

7) 自主検査

(4) **溶接継手の種類**

溶接による接合部を溶接継手といい，溶接部分を溶接継目という。

溶接継目部の形状によって，完全溶込み溶接と隅肉溶接に分類される。

(a) 完全溶込み溶接

完全溶込み溶接継手は，突合せ継手，角継手，T継手の3種がある（図7・27）。

いずれも，接合される母材の切口に開先加工を施してその部分に溶接金属を溶着させ，母材を完全な連続状態とする。したがって，溶接継目部では，正確な**開先角度**と**ルート間隔**を保持することが大切である。溶接部の名称を図7・28に示す。

継目部では，引張・圧縮，せん断，曲げの全応力を伝達できる。

(b) 隅肉溶接

隅肉溶接は接合される母材に特別の加工を施さず，三角形状に溶接金属を溶着させるものである。継手は，部材の形状によってT継手，重ね継手，十字継手の3種に大別される（図7・29）。

継目部では，溶接線に沿って働くせん断力のみが伝達できる。

隅肉溶接の強度は，隅肉断面に内接する三角形の大きさと形状によって決定されるので，溶接に当たってはこれらの寸法を確保することが大切である。溶接部の名称を図7・30に示す。

隅肉溶接の開始端や終了端では溶接が確実に行えないため，端部は**回し溶接**を行う（図7・31）。

突合せ継手　　角継手　　T継手

図7・27　完全溶込み溶接継手の種類

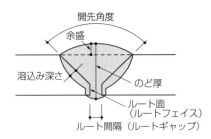

図7・28　溶接部の名称（完全溶込み溶接）

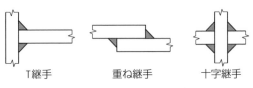

T継手　　重ね継手　　十字継手

図7・29　隅肉溶接の継手

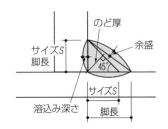

図7・30　溶接部の名称（隅肉溶接）

図7・31　隅肉溶接の回し溶接

***スパッター**：溶融金属から放出される溶接ちりで，溶接部や周りの母材表面に付着し固まったもの。

(5) 溶接検査

溶接部の検査は，目視などによる外観検査や**超音波探傷検査**（**UT検査** Ultrasonic testing とも呼ぶ，図7・32）などの非破壊検査によって行う。

目視および計器を用いた測定によって確認できる有害な欠陥には，次のようなものがある。

① ビード*表面と積層状況の不整（図7・35）
② 割れ
③ ピット（気泡）
④ オーバーラップ
⑤ アンダーカット
⑥ 余盛の過大
⑦ 溶接長の不足
⑧ 隅肉の脚長・のど厚の不足
⑨ クレーターの著しいへこみ

超音波探傷検査によって確認できる有害な欠陥には，次のようなものがある。

① 割れ
② 融合不良
③ 溶込み不良
④ スラグ巻込み
⑤ ブローホール
⑥ ウォームホール

有害な欠陥は，欠陥部分を除去して再溶接する。なお，突合せ溶接の場合，余盛は必要であるが，大きすぎると応力集中を招くので，なるべく小さくする。オーバーラップや過大な余盛はグラインダーで適正な高さに削る。

比較的発生頻度の高い代表的な欠陥を，図7・33，図7・34に示す。

最近は，製作工場での全溶接部を対象とした自主検査の重要度が増し，その信頼性も高まっている。社内の検査部門や社外の検査会社が担当することが多い。

図7・32 超音波探傷検査

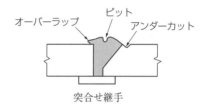

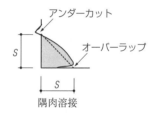

図7・33 代表的な溶接欠陥（表面欠陥）

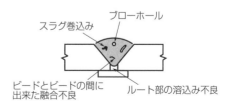

図7・34 代表的な溶接欠陥（内部欠陥）

＊ビード：溶接による接合部分の表面で凸状に盛り上がっている部分。

溶接部の検査は,「製品検査」においても,発注者,設計者,工事監理者および施工者が立ち会って行われる。目視検査,ゲージなどの計器を用いた検査および第三者検査機関による超音波探傷検査ともに,製作工場の自主検査結果の確認と重要な箇所を選んだ抜き取り検査が主である。

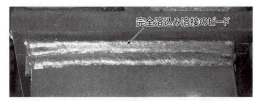

表面

積層状況(端部)

図7・35 ビードの状態

施工管理のポイント

(1) 溶接作業
① 寒冷時は溶接部の冷却速度が速く,割れを生じやすい。気温5℃以下では,接合部から100 mmの範囲の母材部分を加熱する。気温が-5℃以下の時は溶接を中止する。
② 強風時は溶接作業部を遮蔽する。ガスシールドアーク溶接の場合,風速が2 m/sec以上の場合は溶接を行わない。ただし,適切な防風処置を講じた場合は施工が可能となる。
③ 雨天や湿度の高い場合は,屋内であっても,母材表面に水分がないことを確かめる。
④ 溶接棒は十分乾燥したものを使用する。
⑤ 溶接の開始端,終了端は完全な溶接が得にくいので,エンドタブを設ける(図7・36)。エンドタブは母材に取付けず,裏当て金に取付ける。最近はセラミック製の代替エンドタブの採用が増えている。
⑥ 溶接順序は,部材の組立てが容易に行える順序とする。
⑦ 突合せ溶接による横収縮量は大きいので,できるだけ突合せ溶接を先に行い,隅肉溶接を後から行う。
⑧ 余盛は,過度になると応力集中のもととなるので最小限とする。

(2) 溶接継手
① 完全溶込み溶接,隅肉溶接が一般的である。
② 継手の種類,溶接の仕様などは設計図書に指定されている。

(3) 溶接検査
① 超音波探傷検査は,検査の原理上,隅肉溶接の検査は出来ない。
② 検査対象は,製作工場,施工現場ともに,全数検査が原則であり,方法は,目視と超音波探傷検査である。
③ 目視による外観検査で欠陥が見つかった場合,内部欠陥も生じている可能性が高い。

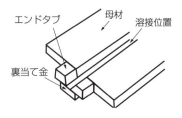

図7・36 エンドタブ

7・2・9 製品検査

製品検査とは最終製品を対象として行われる検査で,工場が行う社内検査と施工者などが行う受入検査がある。

① 寸法精度検査(図7・37)

長さ,高さ,角度などの製品寸法を測定し,所定の寸法精度であることを確認する。

② 取合い部検査

工事現場での高力ボルト接合部,溶接接合部について行う。

構造耐力上重要であり,また現場施工に与える影響が大きな部分である。

③ 外観検査

部材表面と溶接部について行う。

部材表面の外観については,ロール成形時に生じる割れやきず,工場製作時に生じる打ちきずなどがある。

④ 鋼種の確認

ミルシート(鋼材検査証明書)と現品とを照合し,確認する。

⑤ 溶接部の非破壊検査

必要な抜き取り箇所を対象に,超音波探傷検査(図7・32)を行う。

⑥ 付属金物類検査

仮設・設備・鉄筋・内外装などの各工事関連で必要な金物類が,打ち合わせ通りに,かつ確実に取付けられていることを確認する。

⑦ 現場施工上で必要な検査

工事現場施工を想定した事前検討を行う。検討項目は,
・高力ボルトの締付け
・スプライスプレートの取付け
・柱用エレクションピース(図7・55参照)の取付け
・ベースプレートに描かれた通り心(心墨(しんずみ)という)の表示

などである。

⑧ 塗装検査

塗装面の素地調整状況,塗装膜の状態と厚さを目視あるいは測定によって確認する。

なお塗装は原則として製品検査において合格した後に行う。

図7・37 柱の寸法精度検査

施工管理のポイント

① 寸法精度検査（表7・6）

一品ごとの精度が良好であっても，相対誤差や累積誤差が大きい場合には，現場での建方が出来なくなる場合がある。慎重に総合的な確認を行う。

② 取合い部検査・高力ボルト接合部（接合部材およびスプライスプレート）の検査項目
- 孔の寸法精度（心ずれ，はしあき・へりあき寸法，孔間隔のずれ）
- 孔周辺のまくれ，ばり
- 摩擦面の処理状態

③ 外観検査

ロール成形時に生じる欠陥やきずは，製品検査時の発見では時期的に遅く，修正出来ない。鋼材購入時，あるいはけがきの時点で検査し，措置を講じておく。

溶接部の不良は，構造耐力に与える影響が大きい。詳細に検査し，不良箇所の手直し方法を慎重に検討し，決定する。

④ 鋼種の確認

ミルシートによる確認の他，計測機器を用いた非破壊式の確認法（図7・38）もある。

⑤ 溶接部の非破壊検査

非破壊検査方法として，一般的に，超音波探傷検査（UT検査）が用いられる。

⑥ 付属金物類検査

付属物の取付け溶接は，ショートビードや欠陥を含む場合が多い。本体部の溶接と同様に，品質の確保に努める。

⑦ 現場施工上で必要な検査

柱脚部などで，コンクリートに埋込まれる部分については，鉄筋や型枠用セパレータの配置との関連もチェックする。

⑧ 塗装検査

塗装後には①〜⑦の検査が出来ないため，通常は①〜⑦の検査後，工場出荷前に塗装を行う。したがって，製品検査時点では，
- 現場接合用の摩擦面は塗り残す
- 現場溶接部分は塗り残す
- コンクリートへの打込み部は塗り残す
- 耐火被覆施工部分への塗装の有無（詳細は，7・3・5参照）

などの打合せ，あるいは確認程度となることが多い。

表7・6 主要寸法の確認項目（JASS 6）

部　位	管理許容値
柱，仕口部，梁の長さ	±3mm
階高	±3mm
柱，仕口部，梁のせい	±2mm
柱の曲がり，ねじれ	5mm かつ 長さの1/1500 以下
梁の曲がり	5mm 以下かつ 長さの1/1000 以下
仕口部の角度	3mm かつ 長さの1/300 以下
ベースプレートの折れ曲がり	2mm 以下
H形鋼の直角度 ウェブの心ずれ	2mm 以下

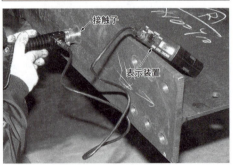

図7・38 鋼材種別の非破壊検査

7・2・10　発送・輸送

現場施工の建方工程に合わせて，工事現場への発送準備に入る。

(1) 製品符号

各製品には，現場での建方時に分かりやすくするため，製品符号（図7・39）を表示する。

符号で示す情報は，製品の建方位置（通り名，階表示など），取付け方向，他の部材との取合い符号などである。

表示文字は，工事現場で見やすくかつ間違いを避けるため，文字テンプレートなどを用いて製品の見やすい位置に直接ペイント書きする。

(2) 輸送計画・発送

輸送は，製作工場から工事現場までの経路を詳細に調査し，通行制限・規制，道路事情などを考慮して計画する。

輸送方法は，トラックまたはトレーラーによって工事現場へ直送されるのが一般的である。

製作工場での積込み，輸送中の振動，工事現場での荷卸しなどを考慮し，製品の荷姿，梱包方法と養生方法を検討する。必要に応じて，補強材や補助材を用いる。

発送は，現場建方の順に行うのが通例であり，施工現場の荷受け事情にも配慮する。

図7・39　製品符号

施工管理のポイント

(1) 発送準備の留意事項
　① 製品符号の表示は，輸送や仮置き時に製品を横積みするので，読み取りやすい位置を選ぶ。
　② 取合い符号は方位を用いることが多く，この場合，「北」あるいは「東」のように一方向のみを表示する。（「南北」，「東西」は用いない）
　③ 輸送中や現場での荷卸し・仮置き時の変形・打ちきずなどの防止のため，適切な養生をする。仮設材，まくら木，当て木などを用いる。
　④ 揚重機による荷卸し，吊り上げに備えて，製品への重心位置の表示，吊り金具の取付けなどを行う。また，特に重い製品については，製品に重量を明記する。

(2) 輸送の留意事項
　① 製品の輸送に用いるトラックやトレーラーは，交通規制の対象となっている場合が多い。事前に，以下の通行許可を得ておく。
　　・特殊車両の通行許可申請：道路管理者
　　・規制外積載の許可申請：警察署長
　② 道路管理者は，以下である。
　　・国土交通省各地方整備局各道路管理担当工事事務所
　　・北海道開発局各開発建設部
　　・各都道府県および指定市の道路管理担当課および各土木事務所

7・3 工事現場施工

7・3・1 搬入・受入検査

トラックやトレーラーによって輸送された鉄骨製品を，工事現場へ搬入し荷卸しする。

荷卸しの際，受入検査を行う。受入検査の内容は，原則として製作工場で行う製品検査と同様であり，主に，製品輸送中の不具合の発生の有無を確認する。

具体的には，以下である。
① ねじれ，曲がり，変形の有無
② 取付け角度の変化
③ 局部的なきずの有無
④ さび止め塗装の良否

搬入された鉄骨製品は受台などの上に置いて一次保管するが，その時，無理な力が生じないよう，またねじれや曲げなどの損傷を与えないように注意する。部材のねじれや曲がりを発見した場合は，建方前に修正する。

建物形状が複雑な部分や，立体的な取合いのある部分については，仮組を行って，不具合のないことを確認しておく。

7・3・2 建方

(1) 鉄骨建方の方式

建方の方式には，以下の(a)～(f)などがあるが，一般的に採用されるのは，**積上げ方式**と**建逃げ方式**である。

(a) 積上げ方式（図7・40①(a)）

1～数階ごとに上層へと積み上げて，架構を組む方式である。高層の場合，**タワークレーン**などの定置式クレーンを用いて行う。

後続工事（床，下地，外装，窓枠など）を並行して進めることができ，工期の短縮が可能である。高層建物に適している。

(b) 建逃げ方式（図7・40①(b)）

建物全体をいくつかのブロックに縦割りを行う。まず，端のブロックの骨組を1階から

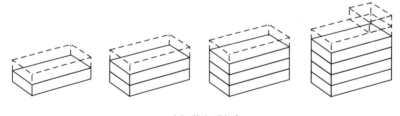

(a) 積上げ方式

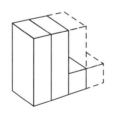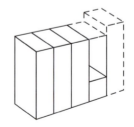

(b) 建逃げ方式

図7・40①　鉄骨の建方方式

最上階まで建方し，続いて次のブロックへと移り，順次，同様の作業を行う。

敷地に余裕がない場合などに採用される工法であって，各ブロックの建方時における鉄骨の自立を検討する必要がある。

建方には，**トラッククレーン**，**クローラークレーン**などの移動式クレーンを用いる。

(c) 輪切り建て方式（図7・40②(c)）

低層建物の建逃げ方式で，1〜2スパンごとに軸組を完成させる方式である。建方には，移動式クレーンを用いる。

(d) 仮支柱支持方式（図7・40②(d)）

体育館やホールなど大スパンの鉄骨建方で，鉄骨部材が重かったり長さが長く搬入・取付けができない場合に，仮の柱を建て，これに一時的に支持させて組立てていく方式である。

分割して建方できるので大きな建方機械を必要としないが，仮支柱の転倒防止や組立て解体手順などに注意が必要である。

(e) 横引き方式（図7・40②(e)）

大スパンの屋根や立体トラスなどの場合で，一定の場所で1スパン分の鉄骨を組立ててジャッキなどの装置を用いて横方向に移動させ，次いで次のスパンの鉄骨を組立てて移動させる。これを繰り返して行う方式である。

(f) 吊上げ・押上げ方式（リフトアップ方式・プッシュアップ方式）（図7・40②(f)）

大空間の建物などで，あらかじめ地上で組立てた構造物を，ジャッキなどの装置を用いて鉛直方向に吊り上げ，あるいは押し上げて所定の位置にセットする方式である。

建方用機械は，組立てが地上面でできるため最小限の機械で可能である。

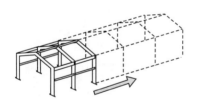

(c) 輪切り建て方式

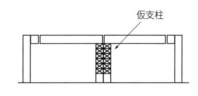

(d) 仮支柱支持方式

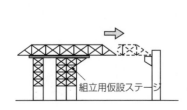

(e) 横引き方式

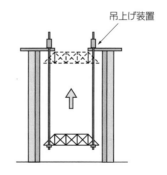

(f) 吊上げ・(押上げ)方式

図7・40②　鉄骨の建方方式

図7・41　鉄骨建方

図7・42　補強ワイヤ（とら綱・トラワイヤ）

(2) 建方機械

　鉄骨建方で用いる揚重機は，主に，定置式クレーンあるいは移動式クレーンである。

　建方する鉄骨の大きさ，重量，形および取付け位置などを確認し，揚重機の性能および台数を決定する。

　図7・41は，クローラークレーンとホイールクレーンによる鉄骨建方の状況である。

(3) 建方中における鉄骨骨組の安全

　鉄骨骨組が受ける荷重の状態は，工事中に刻々と変化する。アンカーボルトを含めた各部の接合が完了するまで，骨組は非常に不安定な状態にあり，

　① 建入れ直しによる引張力

　② 仮設資材や機材による偏荷重や集中荷重

　③ 強風，積雪などの気象変化による荷重

などの力を受ける。

　施工時の応力は，自重や地震，風などの荷重によるものの他，建方方式や建方手順によるものがあるので仮設ブレース，補強ワイヤ（とら綱，トラワイヤとも呼ぶ。図7・42）などを用いて必要な補強をする。

図7・43　柱昇降タラップ

図7・44　鉄骨階段を仮設に利用

第7章 鉄骨工事 131

図7・45 水平親綱

図7・46 親綱緊張機・親綱取付け用フック

(4) 足場

鉄骨工事での足場は，安全通路としての**通路足場**と，溶接や高力ボルトの締付けなどの作業をする**作業足場**の2種である。

(a) 通路足場

垂直移動用と水平移動用とがある。

垂直移動用は上下階の移動が主であって，柱に取付けた昇降タラップ（図7・43）あるいは仮設昇降階段が多く用いられる。昇降タラップを使用するときは，安全ブロック付き垂直親綱（図7・54）を併用する。

工事建物に鉄骨造の階段がある場合は，養生し，安全設備を設置した上で仮設用として利用する。図7・44に例示する。

水平移動用は，鉄骨の梁を利用する。柱と柱の間に**水平親綱**（図7・45，7・46）を張り渡し，必ず**墜落制止用器具**のフックを掛けて移動する。

(b) 作業足場

高力ボルト接合や溶接接合の作業用として，必要な箇所だけに設置する場合もある。作業スペースの周囲を安全手すりで囲った形式で，安全性，作業性に優れている。箱形足場と呼ばれる。特に，溶接作業用の場合には防風用シートを張る必要があり，仮設機材メーカーから提供されるユニット足場（図7・48）を用いる例が多い。

梁に吊りチェーンを掛けて梁下に吊り桁

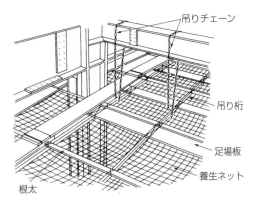

図7・47 吊棚足場[2]

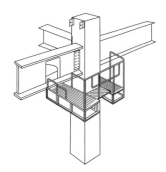

（柱取付けタイプ）

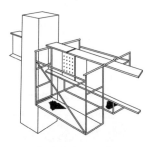

（梁取付けタイプ）

図7・48 ユニット足場（箱形足場）の例

（角パイプや単管）を吊り下げ，足場板を吊り桁の間に渡した吊棚足場（図7・47）が用いられることもある。この場合，養生ネットも，吊り桁を利用して張る。

(5) アンカーボルト・ベースモルタル

建方に先立って，アンカーボルトの位置と高さを再点検し，さらに，付着した汚れを清掃し，不具合があれば調整する。

次いで，ベースプレートを支持するため，ベースモルタルを施工する。ベースモルタルの施工法には以下の方法がある（図7・49）。

(a) 後詰め中心塗り工法（図7・49(a)）

鉄骨の荷重を支えて鉄骨を所定の高さに保持するよう，ベースプレート下中央部に厚さ30〜50 mmの均しモルタル（モルタル金ごて中心塗り，通称：**まんじゅう**）を施工し，建方後に中心部モルタルの周辺に側面からモルタルを充填して（後詰めグラウト），ベースプレート下面と基礎コンクリートを密着一体化させる方法である。

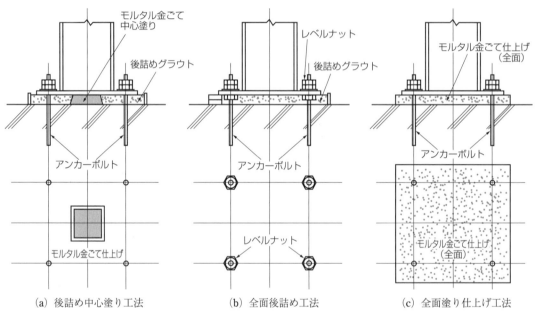

(a) 後詰め中心塗り工法　　(b) 全面後詰め工法　　(c) 全面塗り仕上げ工法

図7・49 ベースモルタルの施工法

（ベースモルタル）

（柱建方完了）

図7・50 ベースモルタル（全面塗り仕上げ工法）

(b) 全面後詰め工法（図7・49(b)）

アンカーボルトにセットしたレベル調整用ナット（レベルナット）を上下することによってベースプレート高さを設定し，建方後にベースプレート下面全面にモルタルを充填して（後詰めグラウト），基礎コンクリートを密着一体化させる方法である。

(c) 全面塗り仕上げ工法（図7・49(c)）

ベースプレート下のモルタルを平滑に施工し，その上に直接柱を建方する方法である。高い精度が要求されるが，建方時の安定が良く安全性が高い。ただし，建方後にベースプレートとモルタルにすき間が生じる可能性があるので，再度グラウトを行うことがある。図7・50に施工状況を示す。

(6) **建方前の準備**

建方は，建方計画・建方要領に従って進めるが，建方を始める前には，以下の確認と点検を行う。

① 建方順序の確認
② 各自の担当作業の確認
③ 作業員に必要な資格，免許証の携帯の確認
④ 合図の方法の確認
⑤ 用いる機材・工具・吊治具などの点検
⑥ 作業地盤の補強・安定度の点検

(7) **建方・建入れ直し**

建方作業は，図7・51に示す順序で進行する。

ここでは，柱の建方からアンカーボルトの締付けまでを説明し，部材接合のうち，高力ボルト接合については7・3・3で，現場溶接接合については7・3・4で説明する。

(a) 柱の建方

1) 吊上げ前に，図7・52，図7・53に示すように，建方時に必要な**建入れ直し用ワイヤ，安全ブロック**（図7・54），**介錯ロープ**（吊上げ時の部材の回転を止める，部材

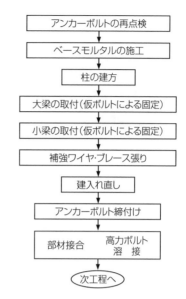

図7・51 建方作業の順序

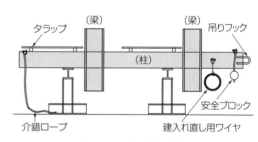

図7・52 柱建方用機材

図7・53 柱の建方

図7・54 安全ブロック

図7・56 エレクションピースに固定した柱建方治具

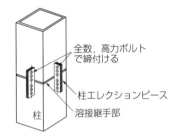

図7・55 柱エレクションピースと仮ボルト

図7・57 梁の建方前の準備

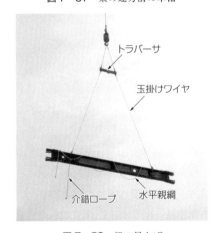

図7・58 梁の吊上げ

を所定位置に引き寄せるなどの場合に用いる）などの柱建方用機材を取付けておく。
　最近は，柱のエレクションピースに柱固定と建入れ直しができる治具を取付けて，建入れ直し用ワイヤを使用しないことが多い（図7・56）。

2) 第1節目の柱材は，アンカーボルトや鉄筋を傷めないよう，所定位置に吊り下ろし，基礎コンクリート上の地墨とベースプレートのけがき線を合わせ，セットする。

3) アンカーボルトの全数を，レンチで均等に仮締めする。

4) 第2節目以降の柱は，第1節目の梁・小梁などの取付け，高力ボルト本締め後に建方を行う。

5) 柱接合（溶接接合）のエレクションピースには，仮ボルト（高力ボルト）を全数取付ける（図7・55）。

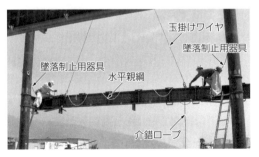

図7・59 柱付きブラケット上での梁の取付け

(b) 梁の建方
1) 柱の水平親綱用フックや昇降タラップなどに，墜落制止用器具のフックを掛ける。
2) 梁部材には，建方前に，スプライスプレート，仮ボルト，水平親綱などを取付けておき，一緒に吊り上げる（図7・57）。
3) 梁材は，吊り上げると風などによって回転しやすい状態となるが，取付け時は，柱付きブラケット上で作業となるため，吊り材の回転は危険を伴う。よって，吊り材の回転を防止するため，介錯ロープを取付ける。
4) 梁材を柱との接合部に保持してボルト孔を合わせて位置決めをし，所要の仮ボルトを締め付けて取付ける（図7・59）。
5) あらかじめ仮止めされた水平親綱を，柱間に張り渡す（図7・45）。
6) 梁材の玉掛けワイヤを外す。
(c) 小梁の建方（図7・60）
1) 大梁間の水平親綱に墜落制止用器具のフックを掛け，小梁取付け位置に移動する。
2) 小梁を所定の位置に取付け，所要の仮ボルトを締め付ける。
3) 大梁上から，小梁の玉掛けワイヤを外す。
(d) 仮ボルト
　高力ボルト継手の箇所では，いったん，仮ボルトを用いて部材を取付ける。
　建入れ直し後，高力ボルトに差し替えて本締めをする。
(e) 補強ワイヤ・補強ブレースの取付け
　建方中の鉄骨骨組は，仮ボルトのみで接合されている。
　建方作業の衝撃や強風・突風・地震などの予想しない外力に対する安全確保のため，各作業の終了時に所定の補強ワイヤ（図7・42）あるいは補強ブレースを取り付ける。
　さらに，上下間や外周部への資機材の飛散

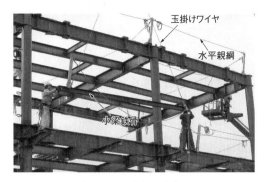

図7・60　小梁の建込み

図7・61　養生ネット（水平・垂直）

図7・62　建入れ検査の状況

や落下を防止するため，水平・垂直の養生ネットを張る（図7・61）。

(f) 建入れ直し

柱の倒れ・出入りなど建方時の誤差を修正し，建方精度を確保するため建入れ直しを行う。建方が全て終わってからでは必要な修正が十分に出来ないことが多く，できるだけ小ブロックごとに区切って行う。精度の許容値は，鉄骨精度検査基準＊によることが一般的である。

建方精度の計測はトランシット（図7・62）やトータルステーションを用いる。

建入れ直し後，直ちに，接合面が十分密着するよう仮ボルトを締め付ける。次いで，アンカーボルトを所定のトルクで締付け，部材の現場接合を行う。なお，溶接継手におけるエレクションピースでは，仮ボルトを抜いて全数高力ボルトに入れ替え，所定の軸力とトルクで締め付ける。継手の溶接が終了したら，エレクションピースを除去する。

施工管理のポイント

(1) 建方の留意点
① 鉄骨の建方は，毎日，状況が変化する。臨機応変に対応できるよう，進行状況を詳細に把握しておく。
② 鉄骨部材を，建方に先立って地上で組上げる（**地組**という）場合は，寸法精度を保持するため，適切な架台や治具を使用する。
③ 地組では，無理な変形や予期しない応力を生じさせないよう，十分に注意する。

(2) 建方中の安全対策
① 建方中の最大の問題は，風圧力による応力である。風圧力は，下記の項目を考慮して計算し，対策を検討する。
・建設地
・施工時期（季節）
・周囲の環境（障害物の有無，樹木の高さと密度，建物の高さと密集度など）
・受圧面の形状（受圧部分の壁面としての形，仮設シートやネットのある場合はその表面形状と充実率）
によって変化する。
② 必要なチェック項目は，以下である。
・鉄骨部材（主に，柱・梁）は，床部分が完成するまで，自重を支持できるか。また，風圧力に対して安全か。
・アンカーボルトの径・本数は適切か。
・仮ボルトの本数・配置は適切か。
・仮設の補強部材は，適切か。

(3) 足場
① 足場の第一条件は，安全で作業性が良いこと。
② 足場取付け用の金物の溶接は，安全性を確保する上で重要である。念入りな検査が必要となる。
③ 鉄骨梁を利用した水平移動には，必ず水平親綱を張り，墜落制止用器具のフックを掛ける。

(4) アンカーボルト・ベースモルタル
① アンカーボルトはアンカーセットの段階で所定の位置に設置されるが，コンクリート打設，養生の過程で，設置位置にずれが生じることがある。そこで，建方前に，位置・高さを再点検する。
② 型枠解体・埋戻し・土間コンクリート打設などの作業中に，アンカーボルトに汚れが付着したり，ナットに不具合が生じることがある。点検の上，調整する。
③ 鉄骨柱脚をコンクリートに埋め込む場合，柱脚に沿って立ち上げる鉄筋は，鉄骨柱を建て入れる際に原則として折り曲げてはならない。やむを得ず折り曲げる場合であっても，30度以下とする（図7・63）。

＊鉄骨精度検査基準：JASS 6 の付則で規定されている鉄骨の製作ならびに施工に際しての寸法精度の許容差を定めたもの。

第7章 鉄骨工事　137

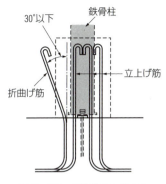

図7・63 柱脚鉄筋の納まり

④ ベースモルタルの強度と精度（高さ，水平度）は，建方精度に直接影響を及ぼす。
⑤ 後詰めモルタルは，ベースプレート下の全面を確実に充填するように施工する。そのため，ベースプレートの周囲に型枠を取付け，一方向から空隙部の空気を追い出すように注入する方法を採ることが多い。
⑥ 後詰めモルタルには，通常，信頼性が高くまた材料管理が容易な，プレミックスタイプの無収縮モルタルを用いる。

(5) 仮ボルト
① 高力ボルト継手箇所に用いる仮ボルトの本数は，ボルトの一群に対してそのボルト数の1/3程度，かつ2本以上をウェブ，フランジそれぞれにバランス良く配置して締め付ける。
② 仮ボルトには中ボルトを用いてよいが，ボルト径は本締めボルトと同じとする。
③ 高力ボルトと溶接を併用する継手の仮ボルト本数は，ボルトの一群に対してそのボルト数の1/2程度とする。中ボルトなどを用いてよい。

(6) 建方精度・建入れ直し
① 建方精度に関する倒れの管理許容値は，管理許容値とする。（鉄骨精度検査基準）
　・柱の倒れが柱の長さの1/1000以下
　　かつ10 mm以下
　・建物の倒れが高さの1/4000＋7 mm
　　かつ30 mm以下
② 本体工事に筋かいがある場合，その筋かいを建入れ直しに用いてはならない。

7・3・3　高力ボルト接合
(1) 高力ボルト接合の基本
　高力ボルト接合は，高強度のボルトで接合部を締付け，ボルトの張力によって接合部に働く応力を伝達する接合法である。したがって，接合部の性能は，
① 信頼性のある高力ボルトの使用
② 適正な接合面の確保
③ ばらつきのない張力の導入
によって決まる。
　建築基準法によって，軒高9 mあるいはスパン13 mを超える規模の建物のボルト接合部は，高力ボルト接合とすることと規定されている。
　高力ボルトのセットは，ボルト・ナット・座

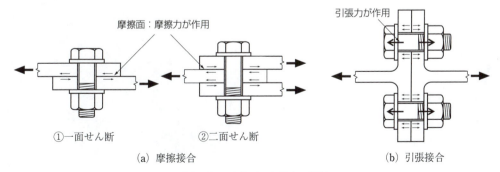

図7・64 高力ボルト接合の種類

金で構成される。セットの品質は，ナットを回転させるトルクとボルト張力との関係（この関係を**トルク係数値**という）で決定される。

(2) 高力ボルト接合の種類（図7・64）

高力ボルト接合には，ボルト軸に直交する方向に働く力を伝達する高力ボルト摩擦接合（単に，**摩擦接合**ともいう）と，ボルト軸に平行方向に働く力を伝達する高力ボルト引張接合（単に，**引張接合**ともいう）がある。

摩擦接合が最も一般的に用いられる。1枚の板同士を接合する，摩擦面が1つの一面せん断形式と，1枚の板を2枚の板で挟んで接合する，摩擦面が2つの二面せん断形式とがある。

(3) 高力ボルトの種類（図7・65）

高力ボルトには，

① 高力六角ボルト（JIS B 1186）
② トルシア形高力ボルト
③ 溶融亜鉛メッキ高力ボルト

がある。このうち，トルシア形高力ボルトが主に用いられるが，JIS規格外であるので個別の国土交通大臣の認定が必要である。

トルシア形高力ボルトは，ナットを専用の締付け機（図7・66）を用いて締付け，ボルトに所定の軸力が導入されるとピンテールが自動的に破断する機構になっている。締付け完了の確認と施工管理が容易である。

高力ボルトは，ボルトの機械的性質による等級で，F8T，F10Tなどがある。トルシア形の場合の表示は，S8T，S10Tなどである。建築では，F10T（S10T）の使用が原則である。なお，溶融亜鉛メッキ高力ボルトはF8Tのみであるが製品規格はなく，JIS規格外の製品である。したがって，トルシア形高力ボルトと同様に，個別に国土交通大臣の認定を受けた製品を用いることとなる。

高力ボルトのセットの表面には，ボルト，座金には防錆のための防錆油が，またナットにはトルク係数値の安定を目的とした潤滑処理が，それぞれ施されている。

(4) 準備作業

接合部への高力ボルトの取付け・締付けの前作業として，以下を行う。

(a) 高力ボルトの受入れ

高力ボルトは，ボルト・ナット・座金がセットの状態で段ボール箱に梱包し，納入される。段ボール箱には，

① 規格番号または規格名称

（「JIS B 1186」，「構造用トルシア形高力ボルト・六角ボルト・平座金のセット」など）

図7・65 高力ボルトの種類

図7・66 トルシア形高力ボルトの専用締付け機

② セットの機械的性質による等級
（「F10T」，「S10T」など）
③ トルク係数値によるセットの種類
（「A」または「B」（JIS B 1186による））
④ ねじの呼び×ボルトの長さ
⑤ 数量
⑥ 製造者名（登録商標）
⑦ 製造ロット番号
⑧ 検査年月
が表示されている。

ボルトメーカーの試験成績表によって，搬入された高力ボルトの材料確認を行う。

(b) 締付け機の性能確認

トルシア形高力ボルトの場合，使用する専用締付け機（図7・66）を用いて試験締付けを行い，所定の軸力が導入されることを確認する。これを，導入張力の確認試験，あるいは軸力導入試験と呼ぶ（図7・67）。

高力六角ボルトの場合は，トルクコントロール法またはナット回転法を用いる。前者は，締付け試験を行って導入張力の確認を行い，所定のボルト張力となるトルクが得られるように締付け機を調整する方法である。このような締付け機の調整をキャリブレーションと呼び，使用するボルトの径ごと，ロットごとに行う。

工事現場で，一般的に，ボルトの締付けやトルク検査に用いるトルクレンチを，図7・68に例示する。

(5) 接合部の組立て

接合部の組立て時に，以下を確認する。
① 製作工場での摩擦面処理の後，浮きさびの発生，汚れの付着などが無く，摩擦面の状態が適切である。
② 継手部の重ねた鋼板の間に1mm以上のすき間（はだすき）が無く，重ね合わせた鋼板が密着している。
③ ボルト孔の位置が相互に一致している。

(6) 高力ボルトの取付けと締付け

(a) ボルトの取付け

ボルトのねじ山を傷めないようにボルト孔に挿入し，ナット・座金の向きと位置を正しくセットする。

(b) 高力ボルトの締付け

高力ボルトの締付け順序は，1つのボルト

図7・67 導入張力の確認試験

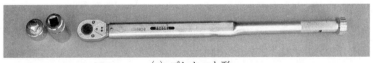

(a) プレセット形

(b) ダイヤル形

図7・68 トルクレンチ

群ごとに、継手の中央部から板端部に向かって行う。これは、他のボルトの締付けの影響を少なくし、全てのボルトに均等な張力を与え、高力ボルトを有効に働かせるためである。

図7・69に、ボルトの締付け順序を例示する。ボルトの締付けは、1次締め、マーキング、本締めの3段階で行う（図7・70）。

1) 1次締めは、標準ボルト張力の70%程度で締め付ける。
2) 1次締め後、ボルト、ナット、座金、鋼材にわたるマーキングをする。
3) 本締めを、標準張力で行う。

(c) 本締め後の検査

全数の締付け完了を、マーキングのずれにより、共回り（空回り）、軸回りが無いこと、ナットが適正に回転したことを確認する（図7・70）。トルシア形高力ボルトの場合は、ボルトのピンテールの破断を確認し、次いで、マーキングのずれにより確認する。

ナット面から突き出たねじ山の長さ（余長）が規定に適しているか確認する。

(d) 検査後の処置

1次締めおよびマーキングが正しく行われていることが確認でき、締忘れが認められたボルトおよび高力六角ボルト（JISタイプ）で、締付け不足のものはそのまま締め付ける。不合格となるボルトは、以下のようなものである。

① マーキングのないボルト
② 余長が、過大または過小のボルト
③ 締めすぎのボルト
④ トルシア形高力ボルトで、ナットの回転量が過大あるいは過小のボルト
⑤ 共回りが生じたボルト、あるいは軸回りが発生したトルシア形高力ボルト

検査で不合格となったものについては、新しいボルトと取り換える。

建方完了後、高力ボルト接合のため工場製作時点で塗り残した部分にさび止め塗装を施す。また、建方作業中の塗膜の損傷部についても補修する。これら、必要な部分に補修塗装をすることを、**タッチアップ**という。

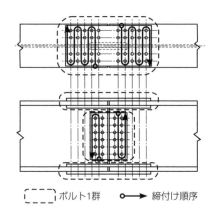

[____] ボルト1群　〇→ 締付け順序

ボルト1群ごとに、継手の中央部より板端部に向かって締め付ける。

図7・69　ボルトの締付け順序

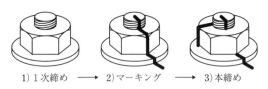

1）1次締め　→　2）マーキング　→　3）本締め

図7・70　ボルトの締付け手順

ナット回転量過小　　　ナット回転量過大

ボルト・ナットの共回り　　ボルトの軸回り

図7・71　マーキングによる確認

施工管理のポイント

(1) 受入れ・保管の留意事項
　① 未開梱であることを確認する。
　② 段ボール箱が開梱されている，損傷があるなど，外観に異常のある場合，ボルトの品質に異常が生じていることが予想される。
　③ ボルトに打痕がある，さびが発生している，塵埃が付着しているなどの場合は，新品と交換するか，導入張力の確認試験を行って品質に問題のないことを確認する。
　④ 保管は，床への直置きを避ける。
　　現場での保管は，湿気やほこりを避けるよう適切な置台を準備し，シート掛けなどを行う（図7・72）。

木製パレット上に積み，シートを掛けて保管

図7・72　現場での高力ボルトの保管

　⑤ 保管場所からの取り出しは，当日の使用量の必要最小数量とする。

(2) 接合部の組立のチェックポイント
　① 接合面の状態
　② はだすきの有無
　③ ボルト孔のずれの有無
　(a) 接合面の状態の確認
　① 製作工場での摩擦面処理後の，浮きさびの発生，油・泥・塗料・ほこり・溶接のスパッター（溶接時に飛び散る溶接ちりで，溶接部や母材表面に付着し固まったもの）などの付着の無いことを確認する。
　② 不具合を発見した場合は，ディスクサンダーなどを用いて除去する。
　(b) はだすきへの対処
　① 継手部の重ね合わせた鋼板の間に1mm以上のすき間（はだすき）が生じる箇所には，**フィラープレートを使用する**。
　② フィラープレートの厚さ・大きさは，現寸工程で検討しておく。
　③ フィラープレートの表面は，両面とも，摩擦面処理が必要である。
　(c) ボルト孔の食い違いへの対処
　① ボルト孔の食い違いが生じた場合，2mm以下であればリーマ（ドリル孔を滑らかに仕上げる工具）掛けによってボルト孔を修正してよい。
　② 2mmを超える場合は，スプライスプレートを取り換える。

(3) 高力ボルトの取付け・締付けの留意事項
　① 締付け機の装着方向を考え，ボルトの差し込み方向を決める。
　② 1次締めは，部材相互を密着させてから締め付ける。密着度が不十分な場合は，仮ボルトの本数を増す，仮ボルトを増し締めするなどの処置をする。
　③ トルシア形高力ボルトで，ピンテールが破断していてもボルト・ナットの共回りやボルトの軸回りが生じている場合，所定のボルト張力は導入されていない。
　④ 降雨時には締付け作業をしない。
　⑤ 高力ボルトと溶接接合の併用の場合，高力ボルトの締付けを先行し，ついで溶接を行う。ただし，部材厚が大きい場合は，ボルト締めの拘束によって熱変形で溶接部が割れるおそれがあるので，溶接作業には注意を要する。

7・3・4 現場溶接

現場溶接は，工場での溶接作業に比べて品質管理が難しい。特に，風，雨および気温などの自然条件の影響が大きく，また溶接姿勢も下向き以外となる場合が多い。したがって，より適切な計画の検討・立案が必要となる。

(1) 現場溶接の手順

基本的には，工場での溶接作業と変わらないが，品質を確保するため，綿密な計画が必要となる。

作業手順は，以下の通りである。

1) 天候の確認

湿気の多い時，気温・湿度が急激に変化する時などは，溶接欠陥が発生しやすいので溶接作業を中止する。また，風が強い場合は，適切な防風対策を講じる（図7・73参照）。

2) 予熱

溶接接合する板厚が大きい場合や母材の温度が低い場合などでは，溶接部に割れが生じやすい。対策として，電気ヒーターまたはガスバーナーを用いて，予め母材を均一に加熱する。

3) 溶接部の事前チェック

チェック項目は，以下の通りである。
① 仕口のずれ，継手の食い違いの有無
② ルート間隔，ルート面，開先角度
③ 溶接面の汚れの有無
④ 溶接面の乾燥度

4) 溶接施工（図7・73）

溶接方法および溶接姿勢に応じて適切な電流・電圧を管理し，溶接速度を一定に保つ。

柱の接合部では横向き溶接となる場合が多く，前層の溶接ビード（溶融金属）が垂れて盛り上がり，溶込み不良を生じやすい。

5) 溶接後の検査

全数検査を実施する。

検査内容は，基本的に製作工場における溶接検査と同様であって，目視による外観検査および超音波探傷検査である。

6) 検査後の処理

表面欠陥および内部欠陥については，欠陥部分を**アークエアーガウジング**（炭素棒を用いて溶接作業と同様に電流を通し，欠陥箇所の溶着金属をはつり取る方法）やグラインダーを用いて除去し，補修溶接を行う。

図7・73 柱接合部の現場溶接

施工管理のポイント

① 作業環境の良否が溶接品質を左右する。
  ・雨天，降雪，相対湿度が90％を超える場合など湿気の多い時，気温・湿度が急激に変化する時などは，溶接欠陥が発生しやすい。
  ・風が強い場合は，ブローホールなどの溶接欠陥が発生しやすい。
② 溶接面のチェック
  ・ルート間隔，ルート面，開先角度を確認する。不具合のある場合は，ディスクサンダー，グラインダーなどを用いて補正する。
  ・スラグ，ごみ，錆，油などを除去する。
  ・ワイヤブラシでとれないミルスケール（鋼板表面の酸化皮膜）の薄層は，除去しなくてもよい。
  ・溶接面は十分に乾燥させておく。
  溶接面に水分が付着している場合は，溶接欠陥の発生原因となる。また，高い溶接電流による感電事故の危険もある。

7・3・5 耐火被覆

鉄骨骨組は耐火構造ではないため，耐火被覆を行って耐火構造にする。必要な耐火性能は，建築基準法施行令に，建物の用途，規模，階，部位および建設地域別に定められている。

(1) 耐火被覆工法の種類

主な耐火被覆工法は，以下の通りである。

1) コンクリートの打込み

鉄骨の周囲に型枠を組立て，コンクリートを打ち込む。

2) 左官工法

下地に鉄網を張り，普通モルタルや軽量モルタルなどを塗る。

セラミック系の硬質耐火被覆材を，鉄骨表面に直接塗る工法もある（図7・74）。

3) 吹付け工法

耐火被覆材料を，鉄骨に直接吹き付ける工法である。吹付け材料としては，ロックウール（岩綿）が最も広く用いられる（図7・75）。

4) 巻付け工法

セラミックファイバー・シートにロックウールや吸熱シートを積層した耐火被覆材料を，溶接した固定ピンあるいは耐熱性接着剤によって鉄骨に直接取付ける。

5) 成形板張り工法

ケイ酸カルシウム板，ALC*板，プレキャストコンクリート板などの成形板を鉄骨寸法に合わせて切断加工し，取付け金物および耐熱性接着剤などを併用して張付ける。

(2) 耐火被覆の施工

1) 耐火被覆とさび止め塗料との適合性

耐火被覆の吹付け材料や成形板の接着剤には，さび止め塗料との化学反応によって耐火被覆の剥離を引き起こす場合がある。また，火災での加熱によってさび止め塗料が熱劣化を生じ，短時間で耐火被覆材の剥落を招くこともある。

これらのことより，耐火被覆内部での鋼材の腐食に問題がないと判断できる場合には，耐火被覆材の下地にはさび止め塗料を塗布しない方がよい。しかし，さび止め塗料の中には，耐火被覆吹付け材の鋼材への付着力が増大するものもあるので，さび止め塗装材と耐火被覆材との関係については，十分な検討が必要である。

2) 施工と検査

耐火被覆材料は，それぞれ保管・調合・取扱いなどの方法が定められているので，その使用要領に従って施工する。

施工後，吹付け工法では被覆材の吹付け厚を検査し，不足箇所は増吹きをして補正する。成形板張付け工法では成形板の目違いやすき間を測定し，定められた許容値の範囲内であることを確認する。不具合のある場合は，張り替える。

図7・74 硬質耐火被覆材の左官工法

図7・75 ロックウールの吹付け

*ALC：Autoclaved Lightweight aerated Concrete の略

第7章　章末問題

次の各問について，記述が正しい場合は○，誤っている場合には×をつけ，誤っている場合には正しい記述を示しなさい。

（工場製作）

【問 1】　SN490 B や SN490 C は，炭素当量等の上限を規定して溶接性を改善した鋼材である。(R4-11)

【問 2】　TMCP 鋼は，熱加工制御により製造された，溶接性は劣るが高じん性の鋼材である。(H30-11)

【問 3】　耐火鋼（FR 鋼）は，モリブデン等を添加して耐火性を高めた鋼材である。(H30-11)

【問 4】　高力ボルト接合の摩擦面は，ショットブラストにて処理し，表面あらさは 30 μmRz 以上を確保した。(H29-30)

【問 5】　高力ボルト用の孔あけ加工は，板厚が 13 mm の場合，せん断孔あけとすることができる。(H27-30)

【問 6】　冷間成形角形鋼管の角部は，大きな冷間塑性加工を受けているので，その部分への組立て溶接を避けた。(H29-30)

【問 7】　（鉄骨の溶接について）完全溶込み溶接の突合せ継手における余盛りの高さが 3 mm であったため，グラインダー仕上げを行わなかった。(R1-30)

【問 8】　（鉄骨の溶接について）溶接作業場所の気温が －5℃ を下回っていたので，溶接部より 100 mm の範囲の母材部分を加熱して作業を行った。(H29-31)

【問 9】　（鉄骨構造において）梁の材質を SN400A から SN490 B に変えても，部材断面と荷重条件が同一ならば，構造計算上，梁のたわみは同一である。(R4-6)

【問 10】　（鉄骨構造において）構造耐力上主要な部分である圧縮材については，細長比の下限値が定められている。(R2-6)

【問 11】　（鉄骨構造において）角形鋼管柱の内ダイアフラムは，せいの異なる梁を 1 本の柱に取り付ける場合等に用いられる。(R1-6)

【問 12】　（鉄骨構造において）H 形鋼梁は，荷重や外力に対し，せん断力とフランジが負担するものとして扱う。(R1-6)

（工事現場施工）

【問 13】　（鉄骨工事において）工事現場で使用する鋼製巻尺は，JIS の 1 級品とし，巻尺に表記された張力で鉄骨製作工場の基準巻尺とテープ合わせを行う。(H27-30)

【問 14】　（鉄骨工事について）現場溶接において，風速が 5 m/s であったため，ガスシールドアーク半自動溶接の防風処置を行わなかった。(R1-30)

【問 15】　（鉄骨工事について）溶接と高力ボルトを併用する継手で，溶接を先に行う場合は両方の許容耐力を加算してよい。(H28-6)

【問 16】 （高力ボルト接合について）締付け後の高力ボルトの余長は，ねじ1山から6山までの範囲であることを確認した。(R4-27)

【問 17】 （高力ボルト接合について）高力ボルトの接合部で肌すきが1mmを超えたため，フィラープレートを入れた。(R4-27)

【問 18】 （高力ボルト接合について）ナット回転法による締付け完了後の検査は，1次締付け後の本締めによるナット回転量が120°±45°の範囲にあるものを合格とした。(R4-27)

【問 19】 （鉄骨建方において）建方精度の測定に当たっては，日照による温度の影響を考慮した。(R3-28)

【問 20】 （鉄骨工事において）梁のフランジを溶接接合，ウェブを高力ボルト接合とする工事現場での混用接合は，原則として高力ボルトを先に締め付け，その後溶接を行った。(R3-28)

【問 21】 （鉄骨工事において）柱の溶接継手のエレクションピースに使用する仮ボルトは，普通ボルトを使用し，全数締め付けた。(R3-28)

【問 22】 （大空間鉄骨架構の建方について）リフトアップ工法は，地組みした所定の大きさのブロックをクレーン等で吊り上げて架構を構築する工法である。(R4-28)

【問 23】 （大空間鉄骨架構の建方について）スライド工法は，作業構台上で所定の部分の屋根鉄骨を組み立てた後，そのユニットを所定位置まで順次滑動横引きしていき，最終的に架構全体を構築する工法である。(H30-31)

第Ⅲ編 仕上・設備工事

第8章 屋根・防水工事

8・1 屋根工事 —————————— 148
8・2 防水工事 —————————— 150
8・3 シーリング工事 ——————— 152
章末問題 ———————————— 155

8・1 屋根工事

屋根は，雨を防ぐことが主な役割である。屋根葺工事の施工は内装工事に先だって行うが，天候の影響を受けやすいので工程計画が大切である。

屋根葺き材は，日射，強風，豪雨，積雪などの過酷な環境の中で，耐久性能が求められる。野地板と呼ばれる下地材に取付けるものと，野地板を必要としないものがある。野地板に取付ける場合，多くは野地板と下葺き材の防水シートなどによって雨水の浸入を防ぐ機構となっている。

屋根葺き材相互の重なり部分からの漏水を防ぐため，必要な重ね幅を確保し，屋根にはある程度の勾配をもたせる。

8・1・1 瓦葺き

粘土瓦，プレスセメント瓦などがよく使われ，粘土瓦には和風粘土瓦（日本瓦）と洋形粘土瓦がある。洋形粘土瓦は釉薬瓦が多く，S形瓦，J形桟瓦，下形桟瓦がある。

葺き方は，瓦を瓦桟に引掛けて軒から上へと葺き，数段ごとにステンレス釘とステンレス線で瓦桟に緊結する方法が一般的である（図8・1）。なお，軒先，けらば（切妻屋根の端），棟などの風当たりの強い部分は，全て緊結する。

8・1・2 金属板葺き

以下の3種の工法が代表的であり，葺き材料には，溶融亜鉛メッキ鋼板，ステンレス鋼板，アルミニウム合金，銅板などが用いられる。

(1) 平葺（一文字葺き）（図8・2）

鋼板の葺き板を加工してはぜ掛けとし，吊り子で野地板に留め付ける工法である。葺き板だけでは雨水の浸入は避けられないため，下葺きが重要である。銅板を用いる高級な仕様もある。

(2) 瓦棒葺き（図8・3）

長尺金属板葺きの代表的工法である。

下葺きに，アスファルトルーフィングを敷き，溝形に成形加工した厚さ0.4 mm程度の薄板（みぞ板）を吊り子で野地板などの下地に固定し，キャップを被せてはぜを締めて屋根を葺く工法である。心木の有無により，2種の工法がある。

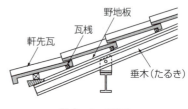

図8・1 瓦葺き

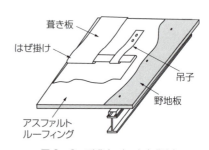

図8・2 平葺き（一文字葺き）

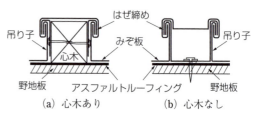

図8・3 瓦棒葺きの断面

(3) 折板葺き

　鋼板を折板状に成型し，母屋に直接架け渡して屋根を構成する工法である。強度・剛性が高く，大規模な鉄骨造の屋根に用いられる。また，風，雪などの外力に対する耐力も大きい。折板は工場で成型する場合と現場にロール成型機を設置しロール材を成型する場合がある。

　葺き方は，鉄骨梁の上に山形に加工したフラットバー（**タイトフレーム**）を溶接して取付け，これに折板を固定ボルトで留め付ける。

　折板の幅方向の接続方法は，次の2種である。
① 折板の山部分を重ねてボルトで留める。
（図8・4）
② 折板を緊定金具を用いてタイトフレームに留め，山部分どうしをはぜで締め付ける。

8・1・3 樋

　一般的に，屋上や屋根に降った雨水はルーフドレンに集まり樋で受けて地上部の雨水所へ集められる（図8・6，図8・7）。

　樋には軒どいと竪どいがある。

　樋の仕様は設計図書にあるが，その大きさ（径）と箇所は当地域の最大降水量から計算により決められている。

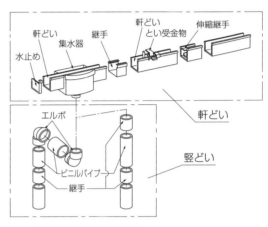

図8・5　軒樋および竪樋
（建築工事監理指針　令和4年版より）

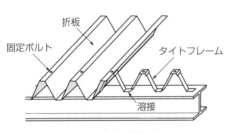

図8・4　折板葺き

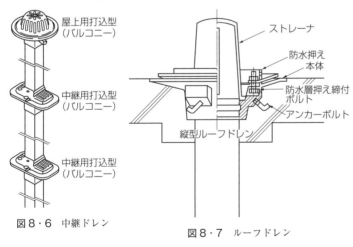

図8・6　中継ドレン　　図8・7　ルーフドレン

図8・8　竪樋

8・2 防水工事

8・2・1 防水工事の種類

屋根,床および壁の表面に,不透水性の被膜を作り,雨水などの侵入を防ぐ工事である。この不透水性の被膜を**防水層**と呼び,また防水層に用いる材料を**防水材料**と呼ぶ。

屋根防水の施工は天候に左右されることが多く,また内装工事の工程にも大きく影響する。

防水工法は,防水材料によって,以下に大別できる。

① アスファルト防水
② 改質アスファルトシート防水
③ 合成高分子系ルーフィングシート防水
④ 塗膜防水
⑤ ケイ酸系塗布防水
⑥ ステンレスシート防水

防水不良による水漏れは,どこから水が廻ってきているかを突き止めることが難しく,さらに補修も困難であるので,施工には万全を期すことが求められる。したがって,防水工事が完了した段階で**水張り試験**を実施し,漏水のないことを確認する。

8・2・2 アスファルト防水工事

溶融したアスファルトを,下地の上にアスファルトルーフィングを挟んで流し込むことを数回繰り返して積層し,防水層とする。ルーフィングは,動植物の天然繊維あるいは合成繊維にアスファルトを含浸させ,表裏面に鉱物質の粉末を付着させたシートで,防水材であると同時に補強材ともなる。

アスファルト防水は,屋根をはじめ,地下室の床・外壁,浴室・便所の床などに用いられる。

図8・9,図8・10に,アスファルト防水の標準的な構成,および絶縁工法の断面を示す。

① **密着工法**は,下地にルーフィング全面を密着させるもので,標準的な工法である。
② **絶縁工法**は,下地の伸縮などによる防水層の破断を防止するため,最下層のルーフィングを穴あきとし,接着部を一部分とした工法である。絶縁工法においては,防水層の下地から水蒸気を排出するために脱気装置を 50 m²〜100 m² に 1 箇所程度設ける。

防水層の上あるいは下に断熱材を設ける仕様もある。これを,**断熱防水工法**という。

アスファルト防水層の上には,絶縁シートを敷いて保護コンクリート(押えコンクリートともいう)を施す場合と,アスファルト防水層の最上層に耐候性の高いルーフィング(砂付ルーフィングなど)を用いて,防水層を露出とする場合がある。

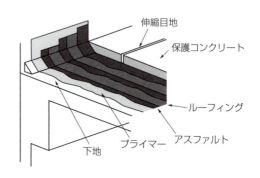

図8・9 アスファルト防水の構成

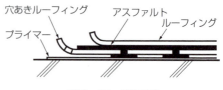

図8・10 絶縁工法

*①〜⑤公共建築工事標準仕様書による。⑥JASS 8による。

図8・11 ルーフィングの張付け

図8・12 アスファルト溶融釜

下地の水勾配は1/100以上が必要である。

図8・11に，ルーフィング張付け作業の様子を，図8・12に，アスファルト溶融釜を示す。

8・2・3 シート防水工事

合成高分子材料を主成分とした防水用シートを，接着剤で下地に張り付けて防水層とする工法である。比較的広い屋根面の防水に適している。平面形状が複雑な場合や，突出物が多い場合などには適さない。なお，水勾配は1/75以上が必要である。

シートには，合成ゴム系と合成樹脂（プラスチック）系がある。いずれも弾力があるため，下地の挙動に追随しやすいが，積層ではないので，確実な施工が必要である。一方，常温で施工することができ，省力化が可能である。

また，ゴムや樹脂を混入して耐熱性・耐候性を改善したアスファルト（改質アスファルトという）と不織布の心材で成型したシートを，トーチで加熱して下地に張り付ける工法があり，**改質アスファルトシートトーチ工法**と呼ばれる。アスファルト防水より工事が簡単で，一般のシート防水より信頼性が高いため，比較的多く採用されている。

8・2・4 塗膜防水工事

合成高分子材料の液体を下地に直接塗布し，ゴム状に硬化させ，継目のない防水層を形成する工法である。防水材料には，以下がある。

① ウレタンゴム系
② アクリルゴム系
③ ゴムアスファルト系
④ FRP系塗膜防水

施工は，刷毛や吹付け機を用いて均一に塗る。冷間施工のため作業性が良く，細かい部分や複雑な形状の部分にも施工出来る利点があるが，防水層が薄く，耐久性に劣る。塗り厚さの管理と，材料使用量の確認が必要である。

8・2・5 ケイ酸系塗布防水工事

コンクリート表面にケイ酸質系塗布防水材を塗布することにより，その生成物でコンクリートの毛細管空隙を充填し，防水性能を付与する工法である。地下構造物で使用される。

8・2・6 ステンレスシート防水工事

厚さ0.4mm程度の薄厚のステンレス鋼板を，溝型に成形加工した成形材をつなぎ合わせて防水層とする工法である。

継目は，成形材の端の折上げ部分を自走式シーム溶接機で，連続溶接する。

不整形な屋根やひさしなどで，特に耐久性を重視する場合に適用される。

8・3 シーリング工事

8・3・1 シーリング工事とは

防水を目的として，部材の接合部や目地，あるいは部品の取付け部の周囲などに，防水性能を有するシーリング材を充填する工事である。

シーリング工事の対象は，建物の挙動や経年変化などによって一体性を保てない箇所であって，次のように建物全体に広く存在する。

① 外部建具枠と壁の取合い箇所
② プレキャスト・コンクリート板（PC板），ALC板の取合い目地
③ 樋や設備配管類の外壁貫通部
④ コンクリートの収縮亀裂の発生防止のための伸縮目地やひび割れ誘発目地
⑤ コンクリートの打継目地
⑥ 構造スリット

8・3・2 シーリング材

シーリング材は，被着体との接着性，および被着体の伸縮・変形・微少な移動などに対する追随性が良いこと，非汚染性が高いことなども重要である。また，長期間にわたって弾力性を持続することが求められる。

主なシーリング材は，以下である。（（ ）は記号）

① シリコーン系（SR）
② 変成シリコーン系（MS）
③ ポリサルファイド系（PS）
④ アクリルウレタン系（UA）
⑤ ポリウレタン系（PU）

あらかじめ工場などで調合されている1成分系と，施工直前に基材と硬化材を調合し練り混ぜて使用する2成分系がある。

シーリングの目的と性能に適した材料・仕様・工法を決定することが大切である。

8・3・3 シーリング工事の施工

シーリング工事の対象目地は，その性能によって，次の2種に分けられる。

(a) ワーキングジョイント

温度変化，地震による変位，風圧によるたわみ，振動などによる変形に対応できる。

(b) ノンワーキングジョイント

コンクリートの打継目地などのように，部材の動きがなく部材接合部の防水を目的とする。

ワーキングジョイントへのシーリングは，変位によってシーリング材に割れやはがれが生じないよう，目地底にバックアップ材やボンドブレーカーを設けて2面接着とする。ノンワーキングジョイントは，部材の動きがなく，目地底からの漏水をなくすため3面接着とするのが一般的である（図8・13）。

施工は，次の1)～5) の手順で行う。

1) 充填箇所接着面の清掃
2) バックアップ材あるいはボンドブレーカーの装填（2面接着の場合）
3) マスキングテープの貼付け
4) プライマー塗布
5) シーリング材の充填

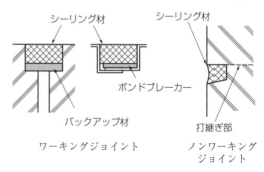

図8・13 シーリングの性能の種類

6) マスキングテープの除去・養生

充填には，コーキング・ガンを用いる。目地周辺の汚れを防止するため，マスキングテープを貼る。マスキングテープは仕上後ただちに除去する。

図8・14に，シーリング工事の施工状況を示す。

シーリング材の充填は図8・15のように交差部あるいは角部から行う。

先打ちと後打ちシーリングの取合は図8・16のようになる。またシーリングの種類が異なる場合の打継ぎは表8・1のように，不可能な場合があるので，施工手順を検討する。

1) バックアップ材の装填

2) マスキングテープ貼り

3) シーリング材の充填

4) マスキングテープ除去

図8・14 シーリングの施工

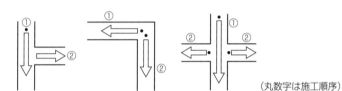

（丸数字は施工順序）

図8・15 シーリング材の充填

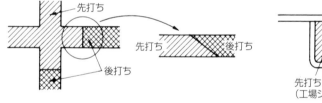

図8・16 シーリング材の打継ぎ

表8・1 異種シーリング材の打継ぎの目安（JASS8）

先打ち ＼ 後打ち	シリコーン系 SR-2 SR-1 (LM)	シリコーン系 SR-1 (HM) (MM)	変成シリコーン系	ポリサルファイド系	アクリルウレタン系	ポリウレタン系
シリコーン系 SR-2, SR-1(LM)	○	○	×	×	×	×
シリコーン系 SR-1(HM), (MM)	※	○	×	×	×	×
変成シリコーン系	※	※	※	※	※	※
ポリサルファイド系	○	※	○	○	○	○
アクリルウレタン系	○	※	○	○	○	○
ポリウレタン系	○	※	○	○	○	○

［凡例］○：打ち継ぐことができる。
　　　　×：打ち継ぐことができない。
　　　　※：シーリング材製造所に確認が必要である。

> **施工管理のポイント**

(1) 屋根工事の留意点
　① 屋根葺き材料の多くは強風時の留付け強度が重要となるので，確実な施工が必要である。
　② 下地と下葺きと屋根葺き材によって，防水性能が発揮される。

(2) アスファルト防水工事の留意点
　① 防水層の性能は，下地の良否によって決まる。
　　　水勾配，下地表面の突起物や脆弱部分の除去と補修，下地の乾燥具合などをチェックする。
　② パラペット，ドレインまわり，出隅・入隅部分などは，防水の弱点となりやすい。
　　　ルーフィングを増張りして補強する。
　　　下地は，45度で面取りしておく。
　③ 保護コンクリートには，全厚にわたって，幅20mm程度の伸縮目地を間隔3m内外で設ける。パラペットや塔屋の際などでは，立上がり隅からほぼ600mm程度の適当な箇所に設ける。
　④ アスファルトの溶融温度は，高温すぎると変質・引火する。軟化点温度+170℃（240〜270℃）を，上限とする。
　　　溶融窯は施工場所の近くに置く。
　⑤ 防水層と下地の密着をよくするため，下地は十分乾燥させる。
　　　乾燥状態を確認し，アスファルトプライマーを塗る。
　　　アスファルトプライマーは，アスファルトを溶剤で溶かしたもので，下地とアスファルトの付着をよくするために用いる。

(3) シート防水工事，塗膜防水工事の留意点
　① アスファルト防水に比べて防水性能が劣るため，大規模な屋根には適さない。
　② シート継目部の重ね幅，塗布材料の使用量が，防水性能を決定する重要管理項目である。

(4) シーリング工事の留意点
　① シーリングの目的は，目地や部品取付け部の防水である。
　② シーリング箇所の点検項目
　　・目地の断面形状（幅と厚みの確認）
　　・シーリング材の被着体との適合性
　　・接着面の清掃・乾燥
　　・バックアップ材，ボンドブレーカーの装填
　　・マスキングテープの貼付
　③ シーリングの施工後，ほこりの付着，損傷などが予測される場合は，ビニールシートなどで養生する。

第 8 章　章末問題

次の各問について，記述が正しい場合は○，誤っている場合には×をつけ，誤っている場合は正しい記述を示しなさい。

(屋根工事)

【問 1】 （日本産業規格（JIS）に規定される金属製折板屋根構成材に関して）折板の耐力による区分には，1種から5種の5種類があり，1種が最も耐力が大きい。(H28-14)

【問 2】 （日本産業規格（JIS）に規定される金属製折板屋根構成材に関して）折板の加工にはロール成形機を用い，折曲げ部分には適当な丸みを付ける。(H28-14)

【問 3】 （心木なし瓦棒葺について），通し吊子の鉄骨母屋への取付けは，平座金を付けたドリルねじで，下葺材，野地板を貫通させ母屋に固定した。(R4-34)

【問 4】 （心木なし瓦棒葺において）水上部分と壁との取合い部に設ける雨押えは，壁際立上がりを 150 mm とした。(H30-37)

【問 5】 （金属製折板葺き屋根工事において）タイトフレームの割付けは，両端部の納まりが同一となるように建物の桁行き方向の中心から行い，墨出しを通りよく行った。(R3-33)

【問 6】 （金属製折板葺屋根工事において）横葺の葺板の継手位置は，縦に一直線状とならないよう千鳥に配置した。(H29-37)

(防水工事)

【問 7】 （アスファルト防水材料に関して）防水工事用アスファルトは，フラースぜい化点の温度が低いものほど低温特性のよいアスファルトである。(R3-14)

【問 8】 （アスファルト防水材料に関して）砂付ストレッチルーフィング 800 の数値 800 は，製品の抗張積の呼びを表している。(R3-14)

【問 9】 （アスファルト防水材料に関して）アスファルトルーフィング 1500 の数値 1500 は，製品の単位面積当たりのアスファルト含浸量を表している。(R3-14)

【問 10】 （屋根保護アスファルト防水工事について）出隅及び入隅は，平場部のルーフィング類の張付けに先立ち，幅 150 mm のストレッチルーフィングを増張りした。(R3-58)

【問 11】 （アスファルト防水の密着工法について）平場部のアスファルトルーフィング類の重ね幅は，縦横とも 100 mm 程度とする。(H29-34)

【問 12】 （合成高分子系ルーフィングシート防水について）加硫ゴム系シート防水の接着工法において，平場部の接合部のシートの重ね幅は 100 mm 以上とし，立上り部と平場部との重ね幅は 150 mm 以上とした。(R4-31)

【問 13】 （塗膜防水について）絶縁工法において，防水層の下地からの水蒸気を排出するための脱気装置は，200 m^2 に 1 箇所の割合で設置した。(R3-31)

【問 14】 （ウレタン系塗膜防水について）密着工法において，平場部に張り付ける補強布は，防水材を塗りながら張り付けた。(H29-35)

（シーリング工事）

【問 15】 2成分形シーリング材は，基剤と着色剤の2成分を施工直前に練り混ぜて使用するシーリング材である。(R4-14)

【問 16】 シリコーン系シーリング材は，表面にほこりが付着しないため，目地周辺に撥水汚染が生じにくい。(R2-14)

【問 17】 2成分形ポリウレタン系シーリング材は，耐熱性，耐候性に優れ，金属パネルや金属笠木などの目地に用いられる。(H30-14)

【問 18】 外壁ALCパネル張りに取り付けるアルミニウム製建具の周囲の目地シーリングは，3面接着とした。(R4-32)

【問 19】 先打ちしたポリサルファイド系シーリング材の硬化後に，変成シリコーン系シーリング材を打ち継いだ。(R2-35)

第9章

仕上工事

9・1　仕上工事の考え方 ────── 158

9・2　左官工事 ────── 160

9・3　タイル・石工事 ────── 163

9・4　建具・ガラス工事 ────── 169

9・5　金属工事 ────── 173

9・6　内装工事 ────── 174

9・7　塗装工事 ────── 180

9・8　ユニット工事 ────── 182

9・9　断熱工事 ────── 183

9・10　外壁工事 ────── 185

章末問題 ────── 188

9・1 仕上工事の考え方

仕上工事には，外部仕上げ（外装ともいう）と内部仕上げ（内装ともいう）がある。

仕上工事は，建物の美観・質を左右するものであって，構造躯体の保護・使用目的・建物空間の質の確保などのため，最適の材料を選び，精度高く施工することが重要である。

仕上げの美しさは，仕上材そのものの美しさだけでなく，下地の精度の良否によっても大きく影響を受ける。そのため，躯体工事に比べて，より厳しい精度管理が求められる。

仕上材は，日々新しいものが開発・生産・提供されているため，これらの情報や資料の収集を常に心がけておく。さらに，選定に当たっては，必ず見本品を入手し，必要に応じて試験施工を行って出来映えを確認する。

仕上工事には，躯体工事の段階で準備工事が必要となる場合が多いため，各工事の施工図や設備図との関連を，あらかじめ十分にチェックし，手戻りやミスのないようにしておく。

9・1・1 外部仕上工事

外部仕上げは，多くの人目に触れ，建物全体のイメージを決定づける。つまり，外部仕上げ工事の良否が，建物全体の出来映えの良否につながると考えてよい。

外部仕上げの役割としては防水の機能も重要であって，常に厳しい外部環境にさらされるため，劣化などによる漏水，汚れや退色，剥離などが生じないよう，十分な施工管理を行う。

外部仕上工事の施工は，天候の影響を受けやすい。また，屋外の足場上での作業（図9・1）となることが多いため，品質の確保が難しい。

図9・1 外部足場でのタイル工事

9・1・2 内部仕上工事

外部仕上げと同様に，出来映えが大切であることは言うまでもないが，内部仕上げについては，それぞれの室の使用性・居住性をよく理解し，材料の選定，施工法と施工時期の決定などに当たることが大切である。

工程計画では，躯体工事が終わり，防水・外部建具工事などが進み，外部からの風雨の影響を防止できる段階になって着手する手順となる。

内部仕上工事は，使用材料，施工の職種ともに多岐にわたる。したがって，全体工程の中で，施工現場での職人数が最も多くなる期間である。

同一の室・場所で，複数の職種の工事が並行して進められることが多く，それぞれの工事の作業工程，使用機械，取合い部の納まりなどについて，事前に十分な検討と打合せが必要である。特に，天井や壁に隠蔽される設備機器（配線，配管，ダクトなど）については手戻りの要因となりやすく，注意が必要である。

また，内部仕上工事は繰返し工事が多く，材料や施工手順・方法の選定の良否が，工程・品質に大きく影響する。

9・1・3 仕上工事の手順

仕上工事は，躯体工事が終わってから着手する。しかし，建物規模が中高層以上の場合は，ある程度上階の躯体工事の進捗により，下層階も順に仕上工事に入る。

RC 造，SRC 造における仕上工事の概略手順を，図9・2に示す。

1) 仕上げ墨出し

　壁に通り心と高さの基準墨を出し，外部・内部仕上げの墨を出す。通常，通り芯位置や床・天井高さ位置には建具や仕上げ材などが取付けられるため，それぞれ 1 m 離れた位置に基準墨の墨出しをする。この墨を逃げ墨という（返り墨ともいう）。図 9・3 は通り心の逃げ墨，図 9・5 は高さの逃げ墨（陸墨（ろくずみ）ともいう）の例である。

2) 外部（外壁部）建具（枠）の取付け

この後，工程は，外部仕上げと内部仕上げに分かれる。

3) 間仕切壁・天井の下地施工
4) 設備の配管・配線工事

これらは並行作業で，互いに必要な作業を先行させながら協力して進める。

5) 内部建具枠の取付け
6) 仕上げ材の施工
7) 設備機器の取付け
8) 取合い部分の最終調整とその他雑工事

図 9・4 に，集合住宅の場合の，内部仕上工事の詳細工程表を例示する。

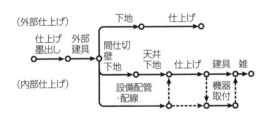

図9・2　仕上工事の概略手順

図9・3　仕上工事の逃げ墨

図9・4　内部仕上工事の詳細工程（集合住宅の例）

9・2 左官工事

左官工事は，コンクリート，コンクリート・ブロック，木毛セメント板，鋼製金網，ALC板など様々な下地の上に，下地に適したモルタルなどのペースト状の材料を，こて（鏝）で塗りつける作業である。

それ自体で仕上げとする場合もあるが，多くは，クロス張りや塗装など最終仕上げ用の下地調整が目的である。

左官工事は，床，壁，天井の全てが対象となる。それぞれの部位・用途・要求性能に合わせて，剥離やひび割れが発生しないよう，材料と工法を選定する。

仕上げの左官工事の種類には，
① モルタル塗り
② 床コンクリート直均し仕上げ
③ セルフレベリング材塗り
④ 仕上塗材仕上げ
⑤ マスチック塗材塗り
⑥ せっこうプラスター塗り
⑦ ドロマイトプラスター塗り
⑧ しっくい塗り
⑨ こまい壁塗り

などがある。

9・2・1 仕上下地の左官工事

(1) **モルタル塗り**

コンクリート，鋼製金網（ラスと呼ばれる）などの下地に，モルタルを塗る作業である。鋼製金網モルタル塗りは，S造の壁・天井，耐火被覆，あるいは木造の外壁などに用いられる。

コンクリート下地の場合，通常モルタル塗りは下塗り，中塗り，上塗りの3工程に分かれ，総塗厚を20 mm以下とする。一方で，既調合された薄塗り材を用いて塗り厚さを薄くする工法とすることが多い。この方法を**モルタル薄塗り工法**という。これは，乾燥が早く，またひび割れの発生も少ないことから，工期短縮，品質向上にも有効である。

モルタル薄塗り工法には，以下の2種がある。

① 型枠の**目違い**（型枠材の継目に生ずるわずかな段差のこと），**不陸**（一様に平坦でなく，わずかなふくれやでこぼこのある状態のこと），気泡などを補修する。

  対象とする箇所に，全面あるいは部分的に1〜3 mm厚で塗る。これを，**しごき**という（図9・5）。

  セメント系下地調整塗材を用いる。

② 一様で平滑な面をつくるため，全面的に，3〜10 mm厚で塗る。

  薄塗用モルタル材を用いる。

こて仕上げには，金ごて，木ごて，刷毛引き（表面に刷毛目を入れること）仕上げがある。金ごて仕上げは塗装，紙，布張りの下地用であり，木ごて仕上げは，吹き付け仕上げやセメントモルタルタイル張りタイルの下地用である。

図9・5 モルタル薄塗り工法（しごき）

なお，防水剤を混入したモルタルを塗る場合は，「防水モルタル塗り」と呼ぶ。これは，防水工法の範疇には入らない。

(2) セルフレベリング

コンクリート床面に流動性の高い上塗り材を流し込み，平滑な床下地をつくる。材料はセメント系と石こう系の2種類がある。

9・2・2 仕上げの左官工事

(1) 仕上げ塗材仕上げ

主に壁面や天井に使われる仕上材でセメント，合成樹脂，顔料，骨材などで構成され，吹付，ローラー塗り，コテ塗りなどで立体的な模様に仕上げる工法である。薄付け仕上，厚付け仕上，複層仕上，軽量骨材仕上などがある。

(2) しっくい塗り

消石灰とのりを主体にし，補強材として**すさ**（繊維質の補強材で，刻んだ麻または紙を海草の煮汁に混ぜて用いる）を混ぜる。施工日数と手間がかかるため，使用頻度は低い。

(3) こまい壁

屋根や壁の下地に組みわたす竹や木のことを，**小舞**（こまい）という。この小舞の両面に，補強材としてわらを混入した練粘土を塗りつけた壁である。

我が国伝統の左官工法であるが，特別な場合を除いて近年ではほとんど用いられない。

9・2・3 仕上塗材仕上げ

汚れ防止，耐候性などを含めた美観の確保と維持を主な目的とし，外壁および内部の天井・壁の仕上げに用いられる。

(1) 材料の種類

吹付けに用いられる材料の種類は多く，また吹付け方法も多様である。材料は，セメント系と合成樹脂系のものが主に用いられ，表面の仕上げ形状を含めて，以下の3種に大別される。

(a) 薄付け吹付け材

砂壁状吹付け材ともいう。

一般に，リシン吹付け仕上げと呼ばれる。

(b) 複層模様吹付け材

一般に，吹付けタイル仕上げと呼ばれる。

コンクリート系下地面に，下吹き→主材（パターン）吹き→仕上吹きの順で仕上げる。

(c) 厚付け吹付け材

一般に，スタッコ仕上げと呼ばれる。

(2) 施工

仕上がりの精度・品質，および付着力は，下地の良否で決定される。特に，下地のきずや不陸はそのまま仕上げ表面に現れる。吹付け作業に先立って，豆板，型枠の目違いやセパレータの孔などを補修する。

図9・6 ローラーブラシ

図9・7 吹付け塗り

吹付け工事にあたっては，吹付け材が周囲に飛散するため，あらかじめ確実に養生する。

吹付け工事後，仕上がり程度を目視でチェックする。特に，外部仕上げの場合は，その後に足場を解体する手順となり，事後の補修は多大な手間を必要とするため，慎重にチェックする。

目視によるチェック項目は，以下である。

① 吹付け材の固まり（だんご）がない
② 模様（パターン）にむらがない
③ 打継ぎ部が表面に現れていない
④ 光沢が十分で，むらがない
⑤ ひび割れ，タレがない

図9・28は，吹付け工事の状況である。

なお，凹凸のある塗材の仕上げは分類上左官工事となるが，塗装専門工事業者が施工することが多い。

図9・8　吹付け工事

施工管理のポイント

(1) モルタル塗りの留意点
　① 剥落防止のため，下塗りほど，セメント量の多い富調合のものを用いる。
　② 下塗り，中塗り，上塗りと3回に分ける。
　　中塗りは，下塗り後，14日以上放置してひび割れを十分発生させた後，下塗り面を十分水湿しした後で行う。
　　上塗りは，中塗りの翌日に，貧調合のモルタルでこてむらが無いように行う。
　③ 1回の塗り厚さの標準は，7mm以下とする。
　④ 天井部分は，剥落防止のため塗り厚さは薄くし，12mm以下とする。
　⑤ 気温が低い場合，モルタルの強度が得られない。室温は5℃以上に保ち，2℃以下では作業を中止する。
　⑥ モルタルは乾燥するとひび割れしやすいため，風や直射日光で乾燥するのは良くない。モルタル表面が乾燥気味の場合は，水湿しを行う。
　⑦ 塗装や紙・布張りは，左官仕上げを十分乾燥させた後で行う。

(2) 吹付け工事の留意点
　① 下地面に汚れや付着物があると，仕上塗材の接着を妨げるので，除去する。
　② 亜鉛メッキ面の付着した油層は，ワイヤブラシで除去するか，エッチングプライマーを塗布する。
　③ 下地面にくぼみや目違いがある場合，パテを塗りつけて平らにする。これを，**パテかい**という。
　④ 下地は，十分に乾燥させておく。
　⑤ 溶剤系の塗材は，可燃性で有毒であるため置き場所に注意し，火気厳禁である。作業中は十分に換気する。
　⑥ 直射日光・雨などによる乾燥不良を防ぎ，塗材の飛散を防止するため，シート掛けなどで養生する。
　⑦ 低温時（5℃以下）は塗材が硬化しないので，保温などをする。
　⑧ 吹付材料と吹付方法によって仕上がりが大きく変化するため，必ず試し吹きを行って，発注者・設計者の承諾を得る。

(3) 仕上げ以外の吹付け工事について
　① ロックウールの吹付けでは，下地への吸い込みを止めるため，シーラーを塗り，乾かないうちに吹き付ける。
　② 鉄面に合成樹脂調合ペイントを塗る場合の下地塗料は，さび止め塗料を用いてよい。

9・3 タイル・石工事

　タイル張り，石張り仕上げは高級感のある仕上げであって，外部仕上げ，内部仕上げの両方に採用される。

　いずれの場合も，種類，色，肌触りなど種類が多く，発注者や設計者の考え方に合致したものを選定することが重要である。

　選定にあたっては，タイルについては見本焼きを，石については現品を確認する。さらに，必要に応じて，見本張りあるいは試験施工を行って選定する。

　取付けは，一枚ずつモルタル，接着剤あるいは金物で，躯体に張付けるのが基本であるが，タイル張りの場合，複数のタイルと紙に貼ったユニット工法が多い。タイルあるいは石を型枠にセットし，コンクリートを打設して一体化させる工法もある。また，プレキャストコンクリート板（PC板）に打込み，このPC板を取付ける工法もある。これらは，タイル打込み工法，石打込み工法などと呼ばれる。

　接着・固定不良による剥離や，躯体の変形やひび割れに伴う割れ・剥離は重大な事故となるため，充分な検討と確実な施工が求められる。

9・3・1 タイル工事

(1) タイルの種類

　タイルの種類は，成形方法，吸水率の違いにより6種がある（表9・1）。さらに，うわぐすり（釉薬）の有無によって，施ゆう（釉）タイルと無ゆう（釉）タイルに分けられる。床用には，無ゆうタイルを用いる。

　タイルの寸法による種類のうち，主なものを表9・2に示す。

(2) 割付け

　設計図をもとに，タイルの割付図を作成する。

　タイルの種類によって，タイル1枚当たりの割付寸法が異なる。また，同じタイルであっても，床・壁，外部・内部などの部位に合わせた張付工法を選ぶ必要があり，この張付工法の違いによっても割付寸法が異なる。したがって，割付けに際しては，タイルの種類とその張付工法を合わせて検討し，その双方を決定しておく。

　割付では，タイルに合った目地幅と目地深さを決定する。その際，以下の事柄に留意する。

表9・1　タイルの種類（参考：JIS A 5209）

種　類	吸水率		
成形方法	Ⅰ類	Ⅱ類	Ⅲ類
押出し成形（A）	AⅠ	AⅡ	AⅢ
プレス成形（B）	BⅠ	BⅡ	BⅢ
	3％以下	10％以下	50％以下

表9・2　タイルの形状および大きさと標準目地幅

タイルの形状および大きさ（mm）	標準目地幅
小口平（108×60），二丁掛（227×60）	6～10
三丁掛（227×90），四丁掛（227×120）	8～12
100角（95×95），150角（145×145），200角（195×195），300角（295×295），600角（595×595）	5～8
50角（45×45），50二丁（95×45）	5

① 開口部まわりの納まり
② 出隅，入隅の納まり
③ 柱型，梁型の位置と納まり
④ 下地の伸縮目地位置とタイルの伸縮目地位置を合わせる
⑤ 機器の位置と目地の位置を合わせる

役物（やくもの。コーナー部分などに用いるL字型タイルなど）が必要な箇所は，現寸図を描く。特注品は，工程の早い段階で発注する。

(3) **張付け**

割付図をもとに目地割り（墨出し）し，計画通りの割付けを確認して張付作業にはいる。

代表的な張付工法を，図9・9に，またコンクリートにタイルを打込む型枠先付け工法を，図9・10に示す。

工法名	密着張り（ヴィブラート工法）		改良圧着張り	
概要図 特徴	（概要図：張付けモルタル、下地モルタル、タイル、タイル張り用振動機、5〜8mm）	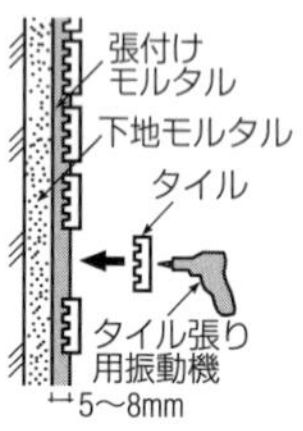 ・下地に張付けモルタルを塗り，タイル張り用振動機を用いて，タイルを埋込む ・上から下へ張る	（概要図：t2〜3mm、3〜4mm、タイル、張付けモルタル、下地モルタル、4〜6mm）	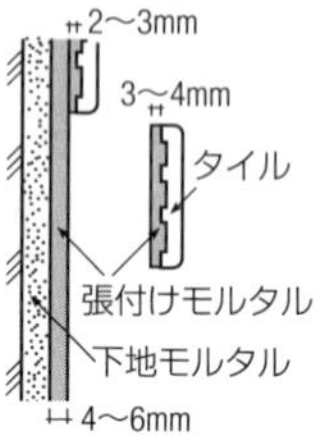 ・下地に張付けモルタルを塗り，タイル裏面にも張付けモルタルをぬって張り付ける ・下地，タイルの両方にモルタルを塗るので接着力のばらつきが少ない ・1回の張付けモルタルの塗付面積は2m²/人以内とする
適用	(種類) 外装タイル　(部位) 外壁・内壁・床		(種類) 外装タイル　(部位) 外壁・内壁	
工法名	改良積上げ張り		マスク張り	
概要図 特徴	（概要図：5〜10mm、タイル、張付けモルタル、下地モルタル、3〜7mm）	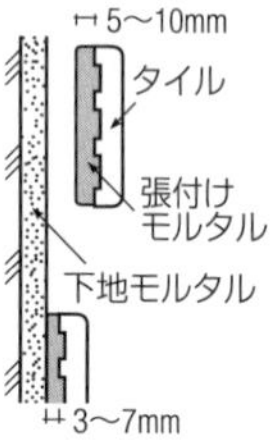 ・1枚ずつ張り付ける ・タイルの裏面に張付けモルタルを塗り，下から順に張る ・モルタルを塗ったタイルは，ただちに張る ・仕上がり精度がよい ・下部のタイルが汚れやすい ・1日あたりの張りつけ高さの制限あり	（概要図：t1〜2mm、4mm、タイル、張付けモルタル、下地モルタル、マスク）	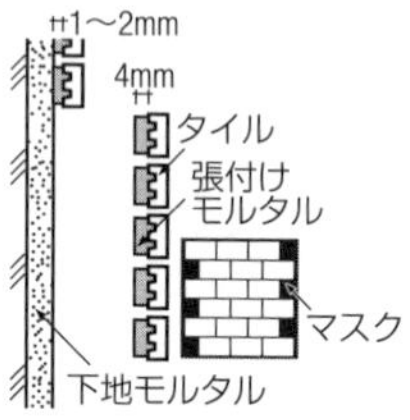 ・ユニットタイル裏面にモルタル塗布用のマスク板をかぶせて張付けモルタルを塗り，マスク板をはがしてタイルを叩き押さえして張る ・ユニットごとに張り付け
適用	(種類) 外装・内装タイル　(部位) 外壁・内壁		(種類) 内装タイル，モザイクタイル　(部位) 外・内壁	
工法名	モザイクタイル張り		有機系接着剤によるタイル張り	
概要図 特徴	（概要図：t1〜2mm、張付けモルタル、下地モルタル、モザイクタイル、3〜5mm）	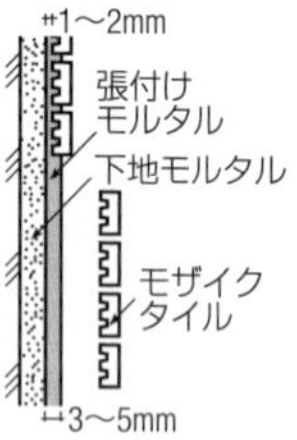 ・下地に張付けモルタルを塗り，モルタルが軟らかいうちにタイルを叩き押さえして張る ・ユニットごとに張り付ける ・1回の張付モルタルの塗布面積は3m²/人以内とする。	（概要図：下地モルタル、下地ボード、タイル、有機質接着剤）	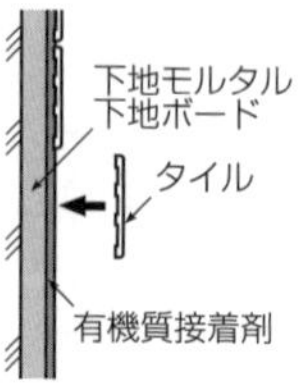 ・有機質接着剤を下地に塗り，タイルまたはユニットを叩き押さえして張る ・ユニットごとに張り付ける
適用	(種類) モザイクタイル　(部位) 外壁・内壁		(種類) 外・内装タイル，モザイクタイル　(部位) 外・内壁	

図9・9　タイルの主な張付工法

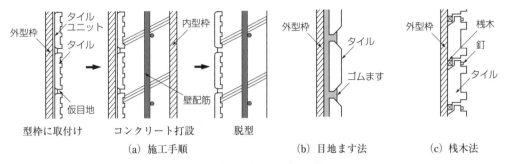

図9・10 タイルの打込み工法

(4) 検査・試験

タイルの剥落は，大事故につながることがあり，また補修も労力と時間を要する。したがって，タイルが確実に張り付いているかを検査する。時期は張付けモルタルが硬化し，接着強度が発揮された後とする。

検査方法は，以下の2種である。

(a) 打診による確認

診断用テストハンマーでタイル全面を軽打する。音により，タイルの損傷，浮き，剥離，張付モルタルのすきなどを判断する。

(b) 引張接着試験

抜取りで検査するタイルと同一形状の鋼製アタッチメントをタイルに接着し，硬化後躯体表面までカッターで縁切りして，試験機によって引張り，引張接着強度を測定する。

全ての検査対象について，引張接着強度が $0.4\,\mathrm{N/mm^2}$ 以上，先付け工法では $0.6\,\mathrm{N/mm^2}$ 以上であることを確認する。

図9・11は，外装タイルの張付け状況，図9・12は有機系接着剤によるタイル張付け状況である。

図9・11 外装タイルの張付け

図9・12 有機系接着剤によるタイル張り

> **施工管理のポイント**
>
> ① タイルの種類は，成形方法と吸水率の有無により区別される。
> ② タイルの種類にあった張付工法を選択する。
> ③ 現場に搬入されたタイルの色調・寸法・ひずみをチェックし，選別して使用する。
> ④ 下地は平坦に仕上げて清掃し，張り付け前に水湿しもしくは吸水調整材の塗布を行う。
> ⑤ 水糸を引き通す，あるいはレーザー墨出し器を用いて基準位置を決め，タイル割付図に従って，目違いのないように張付ける。
> ⑥ タイルを現場で切断する場合は，タイルカッターを用いて切断し，切口をグラインダーで滑らかにする。
> ⑦ タイル裏面に雨水が浸入するとエフロレッセンス（efflorescence—白華—）を生じやすいので，張付けモルタルはしっかりと詰める。エフロレッセンスによってタイル表面が白く汚れることがある。
> ⑧ 張付け後，目地部の張付けモルタルを硬化前に取り除き，目地モルタルを詰めて清掃する。
> ⑨ 有機系接着剤によるタイル後張り工法は，下地側の全面に接着剤を塗布した後，タイルを張り付け圧着する。
> ⑩ 一度に塗る面積は $2m^2$ 以下とし，接着剤の**オープンタイム**に留意して，タイルを圧着する。
> ⑪ タイルは，製造状況によって色・形が微妙に変化する。同じタイルを入手することは困難なので，予備品を準備し保管しておく。

9・3・2 石工事

建築工事で一般に行われる石工事は，石材を床・壁・天井などに仕上げ材として張付ける張り石工事である。本項では，この張り石工事について説明する。

(1) **石材の種類**（表9・3）

建築工事で使われる石材は，以下である。

① 花こう岩（御影石）
② 大理石
③ 砂岩
④ 石灰岩

他に，天然石の砕石（種石）を，セメント・顔料と混練して成型したテラゾーといった人造石（擬石と呼ぶ）があり，天然石と同様に用いる。

石は，それぞれ産地，採り出す環境・条件，保管状態などにより，見かけは大きく異なる。現在使われる石材のほとんどは，外国産である。

原石から，機械鋸で必要厚さに切り出し，加工する。通常の厚さは3〜5cmであるが，切断技術が進歩し，薄いものが主流になりつつある。

設計図書には，石の種類しか示されていない場合が多い。また，材料，張付け方法の選定によって仕上がりは大きく異なる。材料の調達に時間がかかる場合もあるので，早い時期に発注者・設計者の承認を得ておく。

(2) **表面仕上げの種類**

粗面仕上げと磨き仕上げがある。

(a) 粗面仕上げ

ジェットバーナー，ウォータージェット，ブラストなどの機械仕上げが主流である。

在来工法として，びしゃん，小叩きなどの手仕上げ工法があるが，現在はあまり使われない。

(b) 磨き仕上げ

磨き程度に，粗磨き，水磨き，本磨きの段階がある。

(3) **取付け工法**

乾式工法と湿式工法がある。図9・13に図示する。

(a) 湿式工法

石を躯体に金物で取付け，石と躯体のすき間にモルタルを充填する。石材と躯体とが一

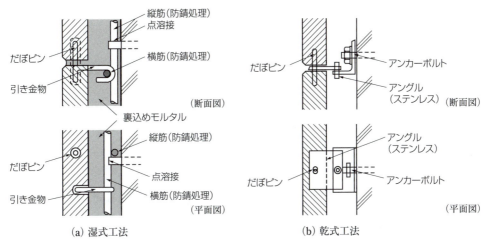

(a) 湿式工法　　　　　　　(b) 乾式工法

図9・13　張り石工法

体となっているため，建物の変形に対する追随性が悪い。

石材にある程度の厚さが必要なため，採用が減りつつある。

(b) 乾式工法

石を取付け金物（ファスナー）とボルトで支持し，取付ける。石材自体の強度が，仕上げ部分の強度となる。ファスナーと石材との取付け部分の石材の強度が，特に重要である。

(c) プレキャストコンクリート先付工法

プレキャストコンクリート板（PC板）に仕上げ石材を打込み，カーテンウォールや構造部材として建込む工法である。

高層建築の外壁に多用され，地震，強風などによる建物の変形に追随できる取付け方法を採用する必要があり，ファスナーによって躯体に取付ける。

施工管理のポイント

① 取付け工法を決定した後，石材に加工するだぼ孔の位置・大きさ，躯体へのアンカー方法を計画する。

② 薄い材料の取付けは，接着剤張りが主流である。

表9・3 石材の種類

区分	岩種	石材名	特性	用途
火成岩	花崗岩	稲田石・北木みかげ・万成石・あじ石・本みかげ	圧縮強さ・耐久性大，吸水性小，耐火性小，質かたく，大材が得やすい，磨くと光沢が出る	構造用，装飾用
	石英せん緑岩	折壁みかげ（黒みかげ）	大材は得にくい	装飾用
	はんれい岩		色調不鮮明，質きわめてかたい	黒大理石の代用
	安山岩	鉄平石・小松石	耐久性・耐火性大，吸水性小，色調不鮮明，光沢は得られない	間知石・割り石
	石英粗面岩	杭火石・天城軽石	硬質，加工性小	防熱・防音材・軽量コンクリート骨材
水成岩	凝灰岩	大谷石・竜山石	軟質軽量，加工性・耐火性・吸水性大，風化しやすい	木造基礎・石がき・倉庫建築・室内装飾
	砂岩	日の出石・多胡石・立棒石	耐火性・吸水性・摩耗性大，光沢なし	基礎・石がき
	粘板岩	雄勝スレート	へき解性，吸水性小，質ち密，色調黒	スレート屋根材
	石灰岩		耐水性に劣り，柔かく曲げ強度が低い	コンクリート骨材・セメント原料・石灰原料
変成岩	大理石	寒水石・あられ大理石・オニックス・トラバーチン・さらさ	質ち密，吸水性小，耐火性小，光沢あり，酸・雨水に弱い	室内装飾用
	蛇紋岩	蛇紋石・鳩糞石・凍石	大材は得にくい	化粧用

9・4 建具・ガラス工事

9・4・1 建具工事

建具の種類として，木製建具，アルミニウム製建具，樹脂製建具，鋼製建具，鋼製軽量建具，ステンレス製建具，鋼製重量シャッターなどがある。

(1) 木製建具工事

木製建具には，フラッシュ戸，ガラス戸，かまち戸，格子戸，ふすま，障子などがある。

敷居・鴨居あるいは木枠が躯体，あるいは壁下地に取付けられた段階で専門業者が内法寸法を実測し，その寸法に合わせて建具を作製する。

建具に用いる木材は心去り材とし，含水率が質量比15%以下の十分乾燥したものを用いる。

(2) 金属製建具工事

(a) アルミニウム製建具工事

一般に，アルミサッシと呼ばれる。加工性が良いため，複雑な断面形や機構への適応性が高く，また多様な意匠への対応度も高い。

サッシメーカーは多くの種類の製品を準備しており，寸法，性能，強度，取付け方法，デザインなども豊富である。

建具は，アルミニウム合金を，押出し成形した基本部材（**アルミ型材**と呼ぶ）を組み合わせて製作する。

組立て方法は，工場溶接，ビス止め，か̇し̇め̇などがある。

部材表面には，防食のため酸化被膜を施す。また，建具に付属する金物類に対しても，防食処理をする。

アルミサッシの選定で検討すべき事項を，以下に挙げる。それぞれ等級が定められており（JIS A 4706, 4702），要求される性能に合致したものを選択する。

① 耐風圧性

建物の建つ地理的環境，建物の高さなどによって風圧が異なり，それに対応するため，単位面積当たりどれくらいの風圧に耐えられるかを基準にS1～S7までの等級に分かれる。

② 気密性

冷暖房の負荷に大きく影響する。単位面積当たりにサッシのすき間から出入りする空気量により，A1～A4の等級に分かれる。

③ 水密性

①と同様，取付け箇所の立地条件等による。水がサッシから漏れない風圧と水圧により，W1～W5の等級に分かれる。

④ 遮音性

居住性を表す物差しの一つである。一定基準以上の遮音性を持つサッシ（**防音サッシ**）がある。室外で発生する音をどれくらい遮断するかにより，T1～T4の等級に分かれる。

⑤ 断熱性

一定基準以上の断熱性を持つサッシ（**断熱サッシ**）がある。地球環境保護の観点から，②気密性とともに重要視されている。熱貫流抵抗により，H1～H5の等級に分かれる。

⑥ 耐震性

サッシの面内変形性能によるもので，地震時の変形でサッシやガラスが落下しない性能で試験はJIS A 1532による。

(b) 鋼製（スチール）建具工事

鋼製建具は，面積が大きく，耐風・耐荷重強度が必要な場合などに採用されることが多

図9・14 ドア・シャッターの種類

図9・15 建具の取付け

い。

主な適用部位はドアとシャッターで，防犯，防耐火が重視される箇所に用いられる。

ドアには，フラッシュ戸とかまち戸がある（図9・14）。スチールドアの選定に当たって検討すべき性能に関する事項は，アルミサッシの場合と同様である。

シャッターには，スラット式とパイプ式がある（図9・14）。シャッターは，防犯や防耐火の他，防煙，耐風，遮音，防爆などのためにも用いられる。

防耐火を必要とする場合は，フラッシュ戸，スラット式シャッターを用いる。

(3) 建具の取付け

取付けは，基準墨にしたがって位置決めをし，微調整の後に固定する手順となる。

躯体への取付け方法には，以下の種類がある。

① 木製くさびなどで所定の位置に仮止めし，位置調整後，躯体に取り付けた金物（躯体付けアンカー）と建具の固定金物を溶接し固定する。その後，モルタルやロックウールを詰める（図9・15）。

工場組立ての建具の場合に適しており，最も多く用いられる。

② 取付け位置調整用のファスナーを用い，建ち・水平・出入り関係を調整してボルト締めで仮止めし，固定金物に溶接して本固定する。カーテンウォール工事に適している。

③ 型枠に建具枠を正確に固定し，コンクリート打設時に同時に打込む。**先付け工法**という。コンクリートの打込み圧や流動圧による変形・損傷を防ぐため，建具枠の補強が必要である。

9・4・2 ガラス工事

ガラスは、建築物の外観や室内空間を多様に演出する建築材料であり、現代建築は、鉄・コンクリート・ガラスによって発展したともいわれる。

ガラスは、それ自体の強度が十分であっても、取付けの状態や周囲の部品との取合い状況によって、局部変形、湾曲、映像の歪み、熱割れ*などが生ずる。強度・厚さ、取付け方法などを十分検討することが大切である。

(1) ガラスの種類

建築で、一般的に用いられるガラスの種類は、以下である。

(a) フロート板ガラス（JIS R 3202）

溶解したガラス（1,600℃）を溶融した金属（錫）の上に浮かべて製板するフロート法で製造される普通の透明で平滑な板ガラスである。

最も一般的に用いられる。

(b) 型板ガラス（JIS R 3203）

2本の水冷ローラーの間に直接溶解したガラスを通して製板するロールアウト法によって製造する。下部のローラーで型模様を付ける。表面に型模様がある。

(c) 網入りガラス（JIS R 3204）

金属製網を板ガラスに封入してある。

主に、防火ガラス、排煙垂れ壁に用いる。ガラスの飛散防止効果があり、防火性能を有する。なお、線入り板ガラスは防火設備として使用できない。

(d) 合わせガラス（JIS R 3205）

2枚以上のガラスの間に、接着力の強い特殊樹脂フィルムを挟み、高温高圧で接着したもの。

耐貫通性に優れ、破損時に、破片が飛散しない。

(e) 強化ガラス（JIS R 3206）

フロートガラスや熱線吸収ガラスを加熱し、急冷させて製造したガラスの耐風圧強度を3倍に高めてある。

破損時、破片が細粒状になるが、粒が離れず塊となって脱落することがあるので、落下すると危険な部位は合わせガラス仕様を施す。

(f) 熱線吸収板ガラス（JIS R 3208）

ガラス原材料に日射吸収特性に優れた金属を加え着色したガラスで、可視光線、太陽の輻射熱を吸収する。冷房負荷の軽減に役立つ。

(g) 複層ガラス（JIS R 3209）

2枚の板ガラスを一定の間隔に保ち、周辺を接着・密封して、内部の空気を乾燥状態に保ったもので、断熱性が高い。中空層側のガラス面に特殊金属をコーティングして断熱性と日射遮蔽（しゃへい）性を高めた**Low-E複層ガラス**が多く使われている。

(h) 熱線反射板ガラス（JIS R 3221）

ガラス片面に金属の反射薄膜を付けたもので、可視光線、太陽の輻射熱を反射する。

冷房負荷の軽減に役立つ。

(i) 倍強度ガラス（JIS R 3222）

ガラスを強化ガラスと同様の加熱処理を行い、耐風圧強度を、2倍に高めてある。

(j) ガラスブロック（JIS A 5212）

中空箱形のガラスで、内部の空気は結露を避けるため、減圧・乾燥状態である。

壁や床に、採光やデザインを目的として用いられる。遮音性に優れている。

***熱割れ**：ガラスが日射を受けると、吸熱して高温となり膨張する。一方、枠にのみ込まれている部分は温度が上がらず、膨張しない。このため、中央部の熱膨張を周辺部が拘束することとなり、周辺部に引張力が働く。この引張力によってガラスが破壊する現象である。

(2) 取付け

木製建具では，木製枠に1cm角程度の押縁でガラスを挟んで止め付ける押縁止めが一般的である（図9・16）。

金属製建具では，セッティングブロックを敷き込み，**ガスケット**あるいは**シーリング**で挟み，金属製枠に直接ふれないように固定する。

ガスケットには，それ自体にガラス保持機能と水密機能を持たせた，構造ガスケットがある。

図9・17に，金属製建具への一般的な取付け方法を，図9・18に，構造ガスケットの詳細を示す。

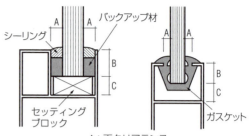

A：面クリアランス
B：かかり代
C：エッジクリアランス

シーリング式　　ガスケット式

図9・17　金属製建具へのガラスの取付け

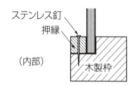

図9・16　木製建具へのガラスの取付け

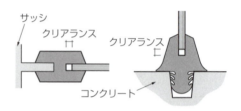

図9・18　構造ガスケット

施工管理のポイント

(1) 建具工事の留意点

木製建具，金属製建具ともに，製作にはある程度の日数を必要とするため，工事の初期段階で業者を決定して発注する。

設計図書をもとに専門業者が製作図を作成し，発注者・設計者（監理者）・元請担当者の検査・承認後，製作にかかる。

工場での組立て検査も行う。

(a) 木製建具工事
① 設計図書での寸法は，仕上がり寸法である。
② 保管は，ふすま・障子は立てかけておく。他は，平積みする。

(b) 金属製建具工事
① アルミサッシはアルカリに弱いので，コンクリートと接触する箇所には，工場でアクリル系塗料による腐食塗装を施す。
② 躯体に取付け用のアンカーが必要なので，サッシの検討・計画は，躯体工事の計画時に，並行して進めておく。
③ コンクリートとサッシのすき間は，固練りモルタルあるいは防水モルタルを充填した上でシーリングする。
④ 先付け工法では，精度の確保が最大の課題となる。複雑な形状の建具には不向きである。

(2) ガラス工事の留意点

① ガラスの切断面の欠陥は，強度を低下させる。特に，網入りガラスは，切断面の金属製網の防錆処理が重要である。
② 倍強度ガラス，強化ガラス，合わせガラス，複層ガラスは，工場加工のみである。
③ 枠とのかかり代（しろ）は，ガラス厚の1.5倍程度を確保する。
④ 金属製枠に取付ける場合は，みぞ幅部とみぞ底部に適切な余裕を確保する。みぞ幅部の余裕を面クリアランス，また，みぞ底部の余裕をエッジクリアランスという。

9・5 金属工事

9・5・1 金属工事の種類
主な金属工事は，次のようなものである。
① 手すりなどの特注品を取付ける製作金物工事
② 既製品であるルーフドレン，カーテンレール，階段のノン・スリップなどを取付ける既製金物工事
③ ラス下地の取付け，アンカーボルトの埋込みなどの雑金物工事
④ 天井・壁の軽量鉄骨下地を取付ける工事（9・6内装工事参照）

金属工事では，耐食性・耐久性・耐候性などが重要な性能であり，これらを満足する材質を選ぶ必要がある。製作金物および既製金物は，材質・デザイン・肌触りなどについて，発注者・設計者の承認を得る。製作金物については製作図を作成し，同様に，承認を得る。

9・5・2 金属工事の材料
(1) 形状による分類
① 板材
単板，表面処理板，ラミネート板，組合せ板，など
② 形材
通常市販されている圧延製品，押出製品，引板製品，など

(2) 材質による分類
① 鋼
主に金属工事に使われる鉄は下記となる。形鋼（JIS G 3101, 3350），鋼板（JIS G3101, 3141），鋼管（JIS G3444），鉄筋（JIS G3112），溶融亜鉛めっき鋼板（JIS G3302）
② ステンレス
鉄とクロムとニッケルの合金で，耐食性に優れている。
配合によりJISの呼称として，SUS＋数百で分類される。(SUS301, SUS304…SUS430, …SUS410) 表面は鏡面仕上げとヘアライン仕上がある。
③ アルミニウム
比重が2.7で鉄に比べ約1/3軽い金属（ヤング係数も鉄の約1/3）で，表面は銀白色の酸化被膜で保護されている。表面を電解着色により被膜を設けることが多い。
④ その他
銅や青銅は意匠材として，屋根材等に使われる。

> **施工管理のポイント**
> ① 異種金属による電蝕（電気化学的腐食）に注意する。
> ② 現場搬入後の加工・調整は不可。現場実測の上，工場で調整・手直しをする。
> ③ 長尺のものは日射による伸縮を考慮し，納まりやエキスパンションを検討する。
> ④ 取付け後は，確実に養生する。

9・6 内装工事

9・6・1 内装工事のあらまし

内装工事は，建築空間を取り囲む床・壁・天井の仕上を中心に行う工事であり，それぞれの部位に対して要求される性能に適した材料・工法を選定することが重要である。

内装仕上げ全般に求められる性能として，留意すべきことは，

① 使用者への安全配慮（健康への安全性を含む）
② 防火への安全性
③ 耐震への安全性

の3つがあげられる。

健康安全性への配慮としては，建築資材から放散される揮発性物質に関わる問題，いわゆるシックハウス症候群に関する問題である。

シックハウス症候群の原因物質の一つであるホルムアルデヒドの発散については，建築基準法施行令で，内装材料の使用制限と機械換気についての技術基準が定められている。

防火安全性への配慮としては，火災が発生した場合，避難する通路などの防火性能を向上させたり，煙による危険性を低減させたりすることである。主要な部位には，建築基準法および消防法などで，内装制限や材料の防火上の規定が定められているので，施工にあたっては十分留意する必要がある。

耐震安全性については，地震時の内装仕上げ（天井などの非構造部材）の落下など，災害時の危険性を低減することに留意しなければならない。建築基準法施行令や，学校施設に対しては文部科学省の指導で，耐震補強の仕様が定められている。

また，新築の場合は，耐震化を検討して設計すればよいが，既存天井の場合は，現況を調査し，安全性の検討から行わなければいけない。天井の落下防止対策としては，天井の撤去，天井の補強による耐震化，再設置，落下防止ネットなどの設置が考えられる。

施工は，平面詳細図をもとに墨出しを行い，仕上工事を進める。内装工事では取り扱う材料が多種・多様であり，職種も多い。特に，床・壁・天井各工事相互の調整や設備工事との取合いが多く，作業順序，着手のタイミングを詳細に計画しておくことが大切である。

建物の使用段階での要求の変化に対しては，設備機器の改修などで対応することが多い。また，改修までに建物を維持管理していくにあたり，設備機器の状態を点検しなければならない。設備機器が簡易に点検できるように，天井点検口やシャフトにおける壁点検口またはピットの床点検口の設置位置，開口の有効寸法，機能などの検討が必要である。

以降の各項では，一般的な内装工事について解説する。

9・6・2 壁・天井の下地

(1) 下地の種類

コンクリート系躯体の壁・天井を仕上げる場合の下地は，仕上材や断熱仕様によって決定され，以下の種類がある。

① しごきあるいは薄塗りによるコンクリート直（じか）下地（9・2・1参照）
② せっこうボード（略号：PB）張り，その他ボード張り
③ 合板張り

(2) 壁下地

鉄骨造やコンクリート系躯体の壁の無い場合は，軽量鉄骨（LGS*）あるいは木で間仕切壁の軸組を作り，格子状の下地を組立て，仕上げ用の下地としてプラスターボードや合板をビス止めあるいは釘止めする。軽量鉄骨下地が主流であるが，集合住宅では木造軸組を採用することもある。木造軸組と軽鉄下地の施工状況を図9・19，図9・20に示す。

(3) 天井下地

天井の場合は，格子状の下地を，吊りボルトあるいは吊り木で所定の高さに吊り下げる。

これらの工事を**下地工事**といい，特に，設備工事との取合いが多く，互いの調整が重要である。

9・6・3 壁・天井のボード張り

(1) ボードの種類

① せっこうボード

せっこうを心材として両面をボードよう原紙で被覆し，板状に成形したもの。シージングせっこうボード，強化せっこうボード，化粧せっこうボードなどがある。

② けい酸カルシウム板

石灰質原料，ケイ酸質原料，繊維および混和材料を主な原料としたもの。耐火性，耐水性に優れている。

③ その他　フレキシブル板，木毛セメント板，インシュレーションボードなど。

(2) ボード張り

ボードは下地に小ねじ（ビス）で固定する。小ねじは，木ねじやタッピンねじといった種類があり，決められた間隔で取付ける。

ボードの上にさらにボードを張る場合は接着剤を主とし，小ねじやタッカーによるステープルを併用する。

図9・19　木造軸組の施工状況

図9・20　軽量鉄骨下地の施工状況

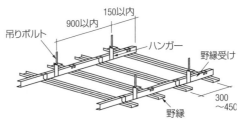

図9・21　天井の下地

---

*LGS：Light Gauge Steel の略。

(3) ボード・ジョイント部の処理

プラスターボードのジョイント部が，仕上げ表面に現れて仕上げの品質を損なうことのないよう，仕上材に合わせて処理する。

クロス張りでは，ジョイント部やビス頭にパテを塗付け，表面を均す（図9・22）。これを，**パテ処理**という。塗装仕上げでは，ジョイント部に寒冷紗（薄い布テープ）を張り，表面をパテでしごく。

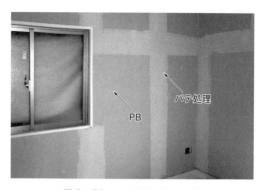

図9・22　パテ処理（PB下地）

9・6・4　壁・天井の仕上げ（壁紙とクロス）

材料・工法の種類は多いが，クロス張り，塗装，タイル張り（壁のみ）が主流である。

クロスには，ビニールクロスと布がある。

ビニールクロスは，色・柄，厚さ，手触りなどが豊富で，メーカーでは常に新製品を出しているので，クロスの選定に当たっては，最新の見本を取り寄せる。法的に内装制限を受けている部位では，適合品であることを確認する。防火材料に認定された壁紙の防火機能は，下地材と施工方法との組合せによって決められているので合わせて確認する。シックハウス症候群（p.169参照）に関する問題については，接着剤の選定も重要なチェックポイントである。

図9・23は，壁のクロス張り作業である。

図9・23　壁のクロス張り

9・6・5　システム天井

下地を専用の構成材と化粧野縁で組み，これに仕上材（岩綿吸音板，グラスウールボードなど）を上から載せる方法が基本である。また，大地震時における仕上材の落下を防ぐため，止め付ける工法も採用されている。

照明器具，空調の吹出し口と吸込み口，その他，放送設備，煙・火災の感知器などの天井取付け器具を含めてグリッドを構成し，天井全体を合理的に一体処理とする工法である（図9・24）。

図9・24　システム天井

天井の平面形が複雑でなく，ある程度の規模の場合に採用される。事務所建築などで，内部間仕切壁の位置変更や模様替えなどへの対応がよい。

9・6・6 特定天井

特定天井とは，脱落によって，重大な危害を生じるおそれのある天井で，居室，廊下その他人が日常立ち入る場所に設けられ，床面から天井面までの高さが6m以上の部分が，一続きに200m²以上ある吊り天井で，天井の質量が2kg/m²を超えるものが対象となる。

特定天井に該当する場合は，耐震性能を有することを検証する等の対策が求められる。

9・6・7 床仕上

壁・天井の材料や施工のための足場・機器・工具，あるいは設備工事の資材などが室内に残っている間は，床の仕上工事は出来ない。

床の下地についても同様の理由から，壁・天井の仕上げなどより後の作業とすることが多い。

(1) 下地

床仕上げ材の下地としてコンクリート面に直に張る場合と二重床を組んだ面に張る場合がある。

① コンクリート直（じか）押さえ

コンクリート打設後硬化前に，左官職がこてで平坦に仕上げる工法である。

モルタル塗りで懸念される下地の浮きや剥がれがなく，床面を一様に均すことが出来るので比較的採用例が多い。工場・倉庫の床などでは，押さえ作業時にコンクリート表面に耐摩耗材を混入し，そのまま仕上げとすることもある。

また，床精度を要求される場合は，セルフレベリング材をコンクリート面に流し込み，平滑性を向上させる。

② 木造床組

図9・25 フリーアクセスフロア

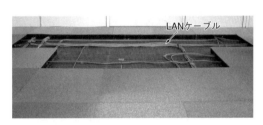

図9・26 OAフロア

コンクリート系床の上に，木質の大引きと根太を組み合わせて二重床の下地を作る。木造建築から発展した工法であって，最も一般的な工法であった。しかし，主に以下の理由により，特別な場合を除いて用いられない。
・ある程度，高度な技術を必要とする。
・工期がかかる。
・床鳴りの問題が発生しがちである。

③ フリーアクセスフロア（図9・25）

情報化社会の発展に伴い，機器の配置替え，通信手法の変更などに対して，簡単に対応出来るように工夫された既製品の二重床である。

二重床の内部（**床ふところ**という）は，配線・配管スペースとする他，空調用にも活用される。床ふところの高さは3cm～60cmの種類があり，高さが低く一般の事務室などの用途に限ったものを，特にOAフロア（図9・25）と呼ぶ。

フリーアクセスフロアでは，コンクリート系床の上に固定した金属製の束（つか）の上に枠

組みをし，床パネルをはめ込む構造である。床ふところの大きな場合には，二重床部分の耐震性と耐荷重性能を確認する。

床ふところが低いOAフロアの場合は，足部とふところ部を一体とした成形板が主流である。

(2) 床仕上材

床仕上材のうち，主なものを以下に挙げる。

① ビニール床シート

ロール状になったビニール製の床材で，ジョイント部分が溶接できるため止水性，防じん性が高い。

シートの接合方法には，以下がある。

(a) 溶接工法

接合部をV字形あるいはU字形に溝切りし，タイルと同質の溶接棒を加熱溶融し，溝に押しつけて圧着溶接する方法である。最もよく使われる。

(b) 接着剤

接合部を重ねて張付け，重ね切りし，継目に接着剤を注入する方法である。水回りには使用出来ない。

② ビニール床タイル

ビニール製のタイル状になった床材で，Pタイルとも呼ばれている。

③ カーペット

部屋の大きさに合わせた1枚ものの形状やロール状になったカーペットと，タイル状になったタイルカーペットに分かれる。

前者は主にグリッパー工法で固定し，後者は接着剤で固定する。

④ フローリング

単層フローリングと複合フローリングに分かれる。

単層フローリングは，1枚の木材で構成されたもの（無垢材）で高価となるが，天然材を使用し耐久性にも優れる。

複合フローリングは，単板に合板を積層し，貼り合わせたもの。

固定方法としては釘止め，接着剤あるいは併用工法（釘止め＋接着剤）となる。

施工管理のポイント

(1) 壁・天井仕上げの留意点
① 強化石膏ボードは，心材にガラス繊維を混入して補強したものである。
　火災によるひび割れ，落下が発生しにくい。
② 間仕切り壁の間柱，胴縁の間隔は，300～450 mm 程度とする。
③ 軽量鉄骨天井の下地の吊りボルトは，周囲は端から 150 mm 以内に配置し，間隔は縦横とも 900 mm 以内程度とする。
④ 天井ふところが 1500 mm 以上の場合，縦横 1800 mm 程度の間隔で吊りボルトの振れ止めを設置する。
⑤ 仕上材に穴あけなどの加工をする場合は，化粧面（表側）から行う。
⑥ 表面に塗装やプリントのない 1 類普通合板は，耐水性がかなり高いので，屋外や多少水の掛かる場所に用いることができる。

(2) 床仕上げの留意点
① フローリングの割付では，逃げ（寸法の調整）は出入り口を避け，壁際で体裁よく行う。
② 合成高分子系床シートは，張付けに先立って，巻き癖をとるため仮敷する。
③ 合成高分子系床シートは，下地表面のきずや砂粒などの小さな凹凸も仕上げ面に現れる。下地の入念な清掃が必要である。
④ 湿気や水の影響を受けやすい箇所では，接着剤はエポキシ樹脂系が適している。
⑤ 接着剤は，下地に塗布した後，所定のオープンタイムをとる。
⑥ 気温が著しく低い場合，下地面に結露を生じる場合などは，接着剤が硬化不良となるため，張付け作業は中止する。

9・7 塗装工事

9・7・1 塗装工事

外装工事での塗装は，汚れ防止，耐候性の確保などが主な目的である。

また，内装工事での塗装は，素材の特徴の強調あるいは保護，汚れ防止などを含めた美観の確保と維持が主な目的である。使用箇所によっては，耐水性，耐摩耗性塗料が必要となる場合もある。

(1) 塗料の種類

塗装の対象は，金属，木，コンクリート，モルタル，ボード類など多岐にわたり，下地に合わせた塗料の選択が，最も大切で難しい。また，塗装後の乾燥速度，塗膜表面の光沢や硬さ，重ね塗りの要・不要など，選択に当たっては，塗料の特性を十分に理解しておくことが大切である。下地の不陸やきずはそのまま仕上げとなって現れるため，穴埋め，パネかい及びパテしごきといった下地づくりを確実に行う。また鉄部は錆止め塗料を施す。

表9・4に，主な塗料の性能と適応下地を一覧で示す。

(2) 塗装方法

塗装方法には，以下がある。
① はけ塗り
② ローラーブラシ（図9・6）
③ 吹付け塗り（図9・7）

ローラー塗りが，最も多く使われている。スプレー塗りは，塗料が周囲へ飛散するため確実な養生が必要だが，複雑な形状や大面積の場合に有効な方法である。

塗装工事は，塗料の塗り厚さや乾燥度合い，作業時の温度・湿度などによって，仕上がりが大きく変化する。塗装工事終了後，色むら・光沢のむら・ひび割れ・はがれ・ふくれなどの無いことを確認する。

表9・4 JASS 18に規定される塗装の種類による性能・適応表

種類		上塗乾燥時間(半硬化時間)	性能										素地の種類						防火認定材料(基材同等)	備考
			付着性	耐衝撃性	耐摩耗性	耐水性	耐酸性	耐アルカリ性	耐候性(屋外暴露)	防食性	美装性	汎用性	金属			コンクリートモルタル面	木部面	プラスチック面		
													鉄面	アルミニウム面	亜鉛めっき面					
調合ペイント塗り	油性調合ペイント塗り	20	○	○	○	△	○	△	×	○	○	△	◎	−	○	−	◎	−	−	JIS K 5511, 5512, 5515
	合成樹脂調合ペイント塗り	16	○	○	○	△	○	△	×	○	○	◎	◎	−	○	−	◎	−	○	JIS K 5516
アルミニウムペイント塗り		16	○	○	△	○	×	×	△	○	○	△	◎	○	◎	−	○	−	○	JIS K 5492
フタル酸エナメル塗り		10	○	○	○	○	○	△	×	○	◎	○	◎	−	○	−	◎	−	○	JIS K 5572
ワニス塗り	スパーワニス塗り	20	○	○	○	○	△	×	○	○	○	○	−	−	−	−	◎	−	−	主として内部用
	フタル酸樹脂ワニス塗り	16	○	○	○	○	×	△	×	○	○	△	−	−	−	−	◎	−	−	同上
	アクリル樹脂ワニス塗り	3	○	○	○	○	△	△	×	○	○	△	−	△	−	○	○	−	−	同上
	アクリルラッカーつやなしクリヤ塗り	1	○	○	○	△	×	×	△	○	○	△	−	−	−	−	◎	−	−	同上
	2液形ポリウレタンクリヤラッカー塗り	16	○	○	○	○	△	△	△	○	○	△	−	△	△	○	◎	−	−	同上
	1液形ウレタンワニス塗り	16	○	○	○	○	△	△	×	○	○	△	−	−	−	−	◎	−	−	同上
	2液形ウレタンワニス塗り	16	◎	◎	◎	○	○	△	△	○	○	△	−	−	−	−	◎	△	−	同上
ステイン塗り		24	○	○	○	○	△	△	△	×	○	○	−	−	−	−	◎	−	−	−
ラッカー塗り	ラッカークリヤー塗り	1	○	○	○	△	△	△	×	○	○	△	−	−	−	−	◎	−	−	JIS K 5531 主として内部用
	ラッカーエナメル塗り	1	○	○	○	○	○	○	×	○	◎	○	◎	−	◎	−	◎	−	−	JIS K 5532
ビニル系エナメル塗り	塩化ビニルエナメル塗り	2	○	○	○	◎	○	○	○	○	◎	△	◎	−	◎	−	−	−	−	JIS K 5582
	アクリルエナメル塗り	2	○	○	○	○	○	○	◎	○	○	△	◎	−	◎	−	−	−	−	JIS K 5654
塩化ゴム系エナメル塗り		24	◎	○	○	○	○	○	◎	○	○	△	◎	−	◎	△	−	−	−	JIS K 5639
合成樹脂エマルションペイント塗り		2	○	○	△	△	△	○	△	×	○	○	−	−	−	◎	−	−	○	JIS K 5663
つや有り合成樹脂エマルションペイント塗り		3	○	○	○	○	○	○	○	△	○	△	−	−	−	◎	−	−	○	JIS K 5600
合成樹脂エマルション模様塗料塗り		3	○	○	△	△	△	○	×	◎	○	△	−	−	−	◎	−	−	○	JIS K 5668
多彩模様塗料塗り(主として内部用)		24	○	△	△	△	△	○	×	◎	○	△	−	−	−	◎	−	−	−	JIS K 5667
薄付け仕上げ塗材塗り	内装	3	○	△	△	△	○	×	×	○	◎	△	−	−	−	◎	−	−	○	JIS K 6909
	外装	3	○	△	△	△	○	○	◎	○	◎	△	−	−	−	◎	−	−	○	JIS K 6909
複層仕上塗材塗り		5	○	○	○	○	○	○	×	◎	○	○	−	−	−	◎	−	−	○	JIS K 6910
防水形合成樹脂エマルション系複層仕上塗材塗り		6	○	○	○	○	○	○	○	◎	○	○	−	−	−	◎	−	−	○	JIS K 6910
2液形ポリウレタンエナメル塗り		16	◎	◎	◎	○	○	○	○	○	◎	△	◎	○	◎	○	−	−	−	−
常温乾燥形ふっ素樹脂エナメル塗り		16	◎	◎	○	○	○	○	◎	○	○	×	◎	○	◎	−	−	−	−	−
エポキシ系エナメル塗り	エポキシエステルエナメル塗り	16	◎	◎	○	○	○	○	×	○	○	△	◎	−	◎	−	○	−	−	−
	2液形エポキシエナメル塗り	16	◎	◎	◎	◎	○	○	△	○	○	△	◎	○	◎	○	−	−	−	−
	2液形タールエポキシエナメル塗り	24	◎	◎	◎	◎	○	○	△	◎	×	△	◎	−	◎	−	−	−	−	主として内部用
	2液形厚膜エポキシ樹脂エナメル塗り	16	◎	◎	◎	◎	○	○	△	◎	○	△	◎	−	◎	−	−	−	−	−
シリコーン樹脂耐熱塗料塗り		24	○	○	○	○	○	○	△	×	○	○	◎	◎	−	−	−	−	−	−

性能:◎優, ○良, △可, ×不可　　素地の種類:◎最高, ○適, △素地調整必要, −不適

9・8 ユニット類工事

ユニット類工事とは，多種類の内塗材および建築設備を組み込んで完結した部位が形成された製品を取り付ける工事である。その種類として，
　① 室形ユニット（ユニットバス洗面所ユニットなど）
　② 面状ユニット（システム天井，間仕切ユニットなど）
　③ 線状ユニット（ケースウェイ）
　④ 取付家具ユニット
　⑤ 空間拡張ユニット（出窓）
などがある。

ユニットは，工場製作に時間がかかるので，出来るだけ早く施工図を作成し，発注者・設計者の承認を得ることが大切である。

ユニットの設置工事は，比較的大きな既製品を屋内で組立てるため，設置位置周辺の壁，床，天井まわりとの間には十分な余裕（施工図での逃げ）をとっておくことが大切である。また，寸法・仕様が画一化されているのでユニットバスが納まるように躯体や間仕切寸法をよく確認しておく。

特に，最近では，ユニットの製作工場で完成度を高めて，現場での作業量を減少させる傾向にあるため，現場に搬入されるユニットの外形が大型化し，重量も増加していることから，設置位置への搬入の時期・手順についても，他の内装工事に先立って行うように考慮することが大切である。

これらユニットと建物側の排気ダクト（管），排水管，給水・給湯管などの接続に不具合が生じないように，配管の位置や大きさを施工図で十分確認し，ユニットの設置に先立って施工しておかなければならない。これらの配管をユニット側の配管と確実に接続し，給排水の状況や作動状況を確認・検査する。

図9・27は，集合住宅におけるユニットバスの施工状況である。

搬入前（配管・配線工事）

搬入・設置

図9・27　ユニットバス

> **施工管理のポイント**
> ① 施工場所への搬入時期の計画が大切である。大きさ，重量，組立て手順，周囲の仕上げや関連工事との取合いなどを検討し，決定する。
> ② 設備工事，内装工事との取合いが多い。工程，施工手順の打合せが大切である。
> ③ 工場での半製品が主体なので，組立て時にきずや汚れを付けないよう，また組立て後の養生などに充分注意する。

9・9 断熱工事

省エネルギー化や結露防止などのため，断熱工事は不可欠となってきている。

(1) **工法**
① 断熱材打込み工法
断熱材を型枠に取り付けてコンクリートに打込む工法
② 断熱材現場発泡工法
現場で2原液を混合させ，吹付または注入して発泡・硬化させ，所定の厚さの断熱層を形成させる工法

(2) **材料**
断熱材には，空気層を多く含んだ熱伝導率の低い材料が用いられ，打込み工法では主に以下がある。
① 発泡プラスチック系（ポリスチレンフォームなど）
② 無機質繊維系（グラスウールなど）
③ 木質繊維系（インシュレーションボードなど）
④ 硬質ウレタンフォーム

建物の外部側に断熱層を設ける外断熱工法と，外壁や屋根の内側に断熱層を設ける内断熱工法がある。外断熱は雨仕舞いに難しさがあるため，RC造建物などの屋上の防水層の上または下に断熱層を設ける工法（断熱防水工法）を除いて採用例は少ない。

設計図書で指示されている箇所以外でも，外気に接する壁・天井（屋根），両面での温度差が大きな壁・床・天井などには，断熱処理が必要である。また，たとえば壁に対する床のように，断熱対象となる部位に接する部位，あるいは部位と直交する部位についても熱伝播があるため，ある程度の範囲に断熱処理を施す。

現場での発泡ウレタン（硬質ウレタンフォーム）吹付け工事は，施工時の室温や液温の規定があるため，それを順守する。

吹付けが周辺に飛散しないように養生し，配管，電線なども保護，養生する。吹付け中はもちろん，硬化後も火気厳禁であり，硬化後に溶接などの火花が飛ばないよう注意する。

施工後は，吹付け厚さが均一であって，所定の厚さが確保されていることを検査する。

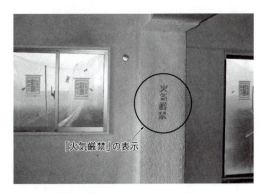

図9・28 ウレタンフォーム吹付け

図9・28は，ウレタンフォームの吹付け後の状況，また図9・29は，専用のピンを差し込んで行う吹付け厚の検査である。

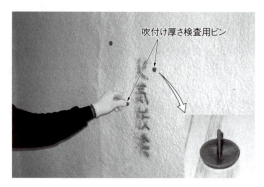

図9・29　吹付け厚の検査

> **施工管理のポイント**
> ① 断熱性能は，断熱材の厚さで決まる。現場吹付けの場合，吹付け厚の管理が重要である。
> ② 施工範囲は，設計図書に頼らず，施工段階での再チェックが不可欠である。

9・10 外壁工事

9・10・1 カーテンウォール工事

非構造部材で外壁を構成する構法を，**カーテンウォール**という。

用いられる材料と形式には，
① プレキャストコンクリート板（PCパネルという）を，躯体架構に取付ける形式（プレキャストコンクリートカーテンウォールという）
② 金属製枠にガラス，耐火材，断熱材などをはめ込み，躯体架構に取付ける形式（メタルカーテンウォールという）

設計図書にはPCパネルやカーテンウォールの仕様や基本的な納まりは記載されているが，専門業者がその性能を具現化するため場合によっては実寸の実験を行い，工作図を作成して承認を受けた図面に基づいて工場製作した成形製品を現場に搬入する。成形製品を躯体に取付けて，カーテンウォールが完成する。

PCパネルの場合，工場生産時に，仕上げの吹付けを行ったり，タイル・石などを一体成形で打込むことが多い。

メタルカーテンウォールの金属製枠には，主にアルミニウム合金，ステンレス鋼が用いられる。

取付け方法は，風や地震による建物の揺れや変形に，追従できる構法であることが求められる。これらに対応する構法として，
① スウェイ方式
② ロッキング方式
がある。図9・32に，例を図示する。

スウェイ方式は，パネルの上部・下部の支持構造のいずれかを固定とし，他方を可動機構（ローラー支持）とする取付け方法である。

ロッキング方式は，上下2カ所の取付けをピ

図9・30 PCカーテンウォールの実例

図9・31 メタルカーテンウォールの実例

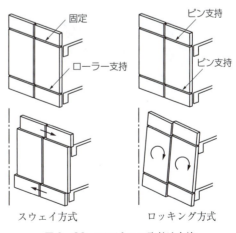

図9・32 PCパネルの取付け方法

ン支持とする方法である。

取付け用の部品を，**ファスナー**という。PCパネルのファスナーの例を，図9・33に示す。

カーテンウォールの取付けは，一般的に，外足場を設置せず，各階の室内側から取付ける工法が採用される。

取付け位置の調整のため，本締めまでの間，カーテンウォールを仮止め状態で放置する場合は，有害な変形や脱落の危険がないよう3カ所以上を仮止めして固定しておく。

施工に先立って，成形製品の重量や大きさを確認し，吊上げや取付けが円滑・安全に行えるよう，揚重方法などを仮設計画で十分検討しておくことが大切である。

ローラー支持

ピン支持

図9・33 PCパネルのファスナーの例

9・10・2 その他外壁工事

① ALCパネル（軽量気泡コンクリートパネル）

硬質原料およびケイ酸質原料を主原料とし，オートクレーブ養生した軽量気泡コンクリートに鉄筋などを埋め込んだパネル。

一般的に外壁用としては，厚み100〜200 mm，幅は2,400 mm以下となっているが，600 mmが多く使われる。外壁としては縦壁ロッキング工法と横壁アンカー工法がある。

② 押出成形セメント板（ECP）

セメント，ケイ酸質原料および繊維質原料を主原料として，中空を有する板状に押出成形しオートクレーブ養生したパネルである。

板厚は，35〜100 mm，幅は450〜1,200 mmとなっているが，外壁用としては，50〜60 mm，幅は600 mmが多く使われる。外壁としては縦張り工法と横張り工法がある。

施工管理のポイント

① 取付け側の構造が、カーテンウォールの取付けに適した強度、納まりになっていることを確認する。
　コンクリート構造の場合
　・コンクリートの発現強度
　・ファスナーの埋込み位置と状態
　鉄骨構造の場合
　・建方の完了（建入れ直し・本締めの完了）
　・原則としてスラブコンクリートの完了
　・ファスナーの取付け状態
② PCパネルの取付け方法は、建物の部位によって種々のディテールが用いられる。
　固定とピン支持、ローラー支持の組合せで構成されているので、設計図書との入念な照合が大切である。
③ メタルカーテンウォールでは、主に建物の外観を構成するのはガラスの場合が多い。
　ガラスに映し出される建物周辺の景色に歪みが出ないよう、取付け位置や角度のチェックがポイントとなる。これを**映像調整**という。
④ カーテンウォールの施工計画のポイントは、揚重と位置決めであると言われている。
　カーテンウォールの建込み計画上での主な検討項目は、以下である。
・成形部品の重量と形状
・搬入・ストックヤードから取付け箇所への揚重
・取付け方法と固定方法

第9章 章末問題

次の各問について，記述が正しい場合は○，誤っている場合には×をつけ，誤っている場合は正しい記述を示しなさい。

（左官工事）

【問 1】 （左官材料の）せっこうプラスターは，水硬性であり，主に多湿で通気不良の場所の仕上げで使用される。（R4-12）

【問 2】 （床用左官材料の）セルフレベリング材は，せっこう組成物やセメント組成物にドロマイトプラスターを添加した材料である。（H28-13）

【問 3】 （内壁コンクリート下地のセメントモルタル塗りについて）モルタルの塗厚は，下塗りから上塗りまでの合計で30 mmとした。（R3-35）

【問 4】 （内壁コンクリート下地のセメントモルタル塗りについて）下塗り用モルタルの調合は，容積比でセメント1：砂3とした。（R1-39）

【問 5】 （防水形複層塗材Eについて）主材の基層塗りは，1.2 kg/m^{2}を1回塗りで，下地を覆うように塗り付けた。（R2-39）

（タイル・石工事）

【問 6】 （壁タイル張り工事において）改良圧着張りの下地面への張付けモルタルは2度塗りとし，その合計の塗り厚を5 mmとした。（R4-33）

【問 7】 （壁タイル工事において）マスク張りの張付けモルタルは，ユニットタイル裏面に厚さ4 mmのマスク板をあて，金ごてで塗り付けた。（R2-36）

【問 8】 （壁タイル工事において）改良積上げ張りの張付けモルタルは，下地モルタル面に塗厚4 mm程度で塗り付けた。（R2-36）

【問 9】 （壁タイル工事において）マスク張りでは，張付けモルタルを塗り付けたタイルは，塗り付けてから20分を限度に張り付けた。（H30-36）

【問 10】 （石材について）花崗岩は，耐摩耗性，耐久性に優れるが，耐火性に劣る。（R3-12）

【問 11】 （石材について）石灰岩は，耐水性に優れるが，柔らかく，曲げ強度は低い。（R1-12）

【問 12】 （石材について）大理石は，ち密であり，磨くと光沢が出るが，耐酸性，耐火性に劣る。（R1-12）

【問 13】 （石材について）凝灰岩は，強度，耐久性に優れるが，光沢がなく，加工性に劣る。（H29-12）

【問 14】 （石材について）砂岩は，耐火性に優れるが，吸水率の大きなものは耐凍害性に劣る。（H29-12）

【問 15】 （壁の石工事について）乾式工法において，コンクリート躯体の表面の精度を±10 mmとし，石材の裏面から躯体の表面までの取付け代は，40 mmとした。（R1-36）

第 9 章　仕　上　工　事　189

（建具・ガラス工事）

【問 16】　（アルミニウム製建具に関して）連窓の取付けは，ピアノ線を張って基準とし，取付け精度を 2 mm 以内とした。(R4-36)

【問 17】　（アルミニウム製建具において）水切り及び膳板は，アルミニウム板を折曲げ加工するため，厚さを 1.2 mm とした。(R4-36)

【問 18】　（アルミニウム製建具において）建具枠に付くアンカーは，両端から逃げた位置にあるアンカーから，間隔を 500 mm 以下で取り付けた。(R4-36)

【問 19】　（アルミニウム製建具工事に関して）外部建具周囲の充填モルタルには，NaCl 換算 0.06 ％（質量比）まで除塩した海砂を使用した。(H28-40)

【問 20】　鋼製軽量建具に使用する戸の表面板は，厚さ 0.6 mm とした。(H29-40)

【問 21】　排煙窓の手動開放装置の操作部分を壁に取り付ける高さは，床面から 90 cm とした。(H29-40)

【問 22】　熱線吸収板ガラスは，板ガラスの表面に金属皮膜を形成したもので，冷房負荷の軽減の効果が高いガラスである。(R4-13)

【問 23】　Low-E 複層ガラスは，中空層側のガラス面に特殊金属をコーティングしたもので，日射制御機能と高い断熱性を兼ね備えたガラスである。(H30-13)

【問 24】　型板ガラスは，ロールアウト方式により，ロールに彫刻された型模様をガラス面に熱間転写して製造された，片面に型模様のある板ガラスである。(H30-13)

【問 25】　熱線反射ガラスは，日射熱の遮蔽を主目的とし，ガラスの両面に熱線反射性の薄膜を形成したガラスである。(H30-13)

（金属工事）

【問 26】　（鋼材について）ある特定の温度以上まで加熱した後，急冷する焼入れ処理により，鋼は硬くなり，強度が増加する。(R4-11)

【問 27】　ステンレス鋼の SUS430 は，SUS304 に比べ磁性が弱い。(R3-11)

【問 28】　銅の熱伝導率は，鋼に比べ著しく高い。(R1-11)

【問 29】　アルミニウムの線膨張係数は，鋼の約 4 倍である。(R1-11)

【問 30】　鉛は，酸その他の薬液に対する抵抗性や X 線遮断効果が大きく，耐アルカリ性にも優れている。(H29-11)

（内装工事）

【問 31】　（特定天井に該当しない軽量鉄骨天井下地工事に関して）屋内の天井のふところが 1,500 mm 以上ある吊りボルトは，縦横方向に間隔 3.6 m で補強用部材を配置して水平補強した。(R3-34)

【問 32】　（特定天井に関して）勾配屋根における吊り材は，勾配をもつ屋根面に対して垂直に設置した。(R1-38)

【問 33】　（軽量鉄骨壁下地に関して）スタッドは，上部ランナーの上端とスタッド天端との隙間

が15mmとなるように切断した。(R4-58)

【問34】（軽量鉄骨壁下地に関して）上下のランナーの間隔が3mの軽量鉄骨壁下地に取り付ける振れ止めの段数は，2段とした。(R2-38)

【問35】（軽量鉄骨壁下地に関して）スタッドの建込み間隔の精度は，±5mmとした。(H30-38)

【問36】強化せっこうボードは，両面のボード用原紙と芯材のせっこうに防水処理を施したものである。(R2-15)

【問37】ゴム床タイルは，天然ゴムや合成ゴムを主原料とした床タイルで，独自の歩行感を有し，耐油性に優れている。(H28-15)

【問38】防湿層のない土間コンクリートへの床シートの張付けには，ゴム系溶剤形の接着剤を使用した。(R3-37)

【問39】（合成樹脂塗床に関して）エポキシ樹脂系コーティング工法のベースコートは，コーティング材を木ごてで塗り付けた。(R4-37)

【問40】軽量鉄骨壁下地にボードを直接張り付ける際，ボード周辺部を固定するドリリングタッピンねじの位置は，ボードの端部から5mm程度内側とした。(R2-43)

【問41】軽量鉄骨壁下地にボードを直接張り付ける場合，ドリリングタッピンねじの留付け間隔は，中間部300mm程度，周辺部200mm程度とする。(H30-43)

（塗装工事）

【問42】（塗装工事において）合成樹脂エマルションペイントは，モルタル面に適しているが，金属面には適していない。(R1-15)

【問43】（塗装工事について）合成樹脂調合ペイントは，木部に適しているが，モルタル面には適していない。(R1-15)

【問44】（塗装工事について）つや有り合成樹脂エマルションペイント塗りにおいて，塗装場所の気温が5℃以下となるおそれがあったため，施工を中止した。(R4-59)

【問45】（塗装工事について）亜鉛めっき鋼面の常温乾燥形ふっ素樹脂エナメル塗りにおいて，下塗りに変性エポキシ樹脂プライマーを使用した。(R3-36)

【問46】屋外の木質系素地面の木材保護塗料塗りにおいて，原液を水で希釈し，よく撹拌して使用した。(R3-36)

【問47】（コンクリート素地面の塗装工事に関して）2液形ポリウレタンエナメル塗りにおいて，気温が20℃であったため，下塗り及び中塗りの工程間隔時間を3時間とした。(R1-41)

（断熱工事）

【問48】（断熱工事において）硬質ウレタンフォーム吹付け工法において，ウレタンフォームは自己接着性に乏しいため，吹き付ける前にコンクリート面に接着剤を塗布した。(R3-38)

【問49】（断熱工事について）硬質ウレタンフォーム吹付け工法において，冷蔵倉庫で断熱層が特に厚かったため，1日の最大吹付け厚さを100mmとした。(R1-43)

【問 50】 硬質ウレタンフォーム吹付け工法において，断熱材の吹付け厚さが 50 mm の箇所は，下吹きをした後，1 回で吹き付けた。(H29-43)

【問 51】 壁体の含湿率が増加すると，その壁体の熱伝導率は小さくなる。(R4-2)

(外壁工事（カーテンウォール）)

【問 52】 （ALC パネル工事について）耐火性能が要求される伸縮目地には，モルタルを充填した。(R3-39)

【問 53】 （ALC パネル工事について）外壁パネルと間仕切壁パネルの取合い部は，パネル同士のすき間が生じないように突付けとした。(R1-44)

【問 54】 （外壁の押出成形セメント板（ECP）張りについて）縦張り工法のパネルは，層間変形に対してロッキングにより追従するため，縦目地を 15 mm，横目地を 10 mm とした。(R4-39)

【問 55】 （外壁の押出成形セメント板（ECP）張りについて）幅 600 mm のパネルへの欠込みは，欠込み幅を 300 mm 以下とした。(R4-39)

【問 56】 （外壁の押出成形セメント板張りについて）横張り工法のパネルは，積上げ枚数 5 枚ごとに構造体に固定した自重受け金物で受けた。(R2-44)

第10章

設備工事

10・1　設備工事 —————————— 194

10・2　電気設備工事 —————————— 195

10・3　給排水衛生設備工事 —————————— 197

10・4　空気調和設備工事 —————————— 199

10・5　昇降機設備工事 —————————— 201

章末問題 —————————— 202

10・1　設備工事

10・1・1　設備工事とは

設備工事では，建物に必要な，
① 電気，水，湯，ガスなどを供給する
② 室内の温湿度などを適切な状態に保つ
③ 汚れた水や空気を建物外に排出する
④ 人や物を運搬する
⑤ 災害や火災などの被害を最小限に抑える

などの機能をつくり上げる。

設備工事は仕上げの中に隠れる部分が多く，最終的には取付け機器類のみが表に出る。また，設備材料や設備機器の耐用年数は，建物の躯体や仕上げのそれに比べて格段に短い。そこで，施工時における作業の手順と施工後の機器類の養生，ならびに竣工後における設備の維持・管理・更新の方法について，充分な配慮が必要である。

また，天井内または天井面に上階の床などから吊り下げるものに関しては，支持方法を強化し，耐震化を行う。

エレベーター，エスカレーターなどの昇降機設備に関しても，地震時の安全性を高める必要がある。

10・1・2　設備工事の種類

設備工事の種類は，以下である。
① 電気設備工事
② 給排水衛生設備工事
③ 空気調和設備工事
④ 昇降機設備工事
⑤ 防災設備工事

建築物が大型化・多様化するにつれて防災面の重要度が高まり，⑤を独立して取り扱う傾向となっている。

設備工事の施工は，各専門工事会社が担当するが，防災設備については，①～④の専門工事会社がそれぞれの関連部分を担当する。

10・2　電気設備工事

10・2・1　電気設備工事とは

電気設備は、以下の2つに大別される。

① 強電（エネルギーとして使う）
- 受変電設備（図10・1）
- 発電設備
- 蓄電池設備
- コージェネレーション設備
- 太陽光発電設備
- 風力発電設備
- 燃料電池幹線設備
- 幹線設備
- 動力設備
- 電灯・コンセント設備　など

② 弱電（情報伝達信号として使う）
- 電話設備
- インターホン設備
- テレビ共聴設備
- 放送設備
- LAN設備
- 防災設備
- 防犯設備　など

建築基準法、消防法などの関連法規によって設置が義務づけられている設備も多く、設計図書をもとにした事前のチェックが大切である。

躯体工事において、配管や取付け金物用インサート（図10・2）の打込みが必要となる場合もあるので、注意を要する。

工事は、電気事業法の電気設備技術基準および民間自主規格の内線規程に準拠して行う。

電気室

キュービクル

図10・1　受変電設備

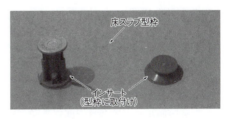

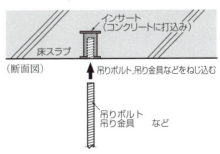

図10・2　インサート

10・2・2 電気設備工事の施工

電気設備工事は，以下に分けられる。

① 電気幹線の引込みと受変電
② 配管・配線
③ 機器・器具の据付け・取付け

(1) 電気幹線の引込みと受変電

建物の外部（各電力会社）から内部へ電気幹線を引込み，配電盤に接続する。配電盤から，動力幹線の動力盤と電灯分電盤に分割して配線する。

高圧受電をして変電・配電する場合などには，受変電設備（図10・1）を設置する。受変電設備には，以下の2種がある。

① 建物内に電気室を設け，専用設備を設置
② キュービクル式設備を設置（屋外設置可能）

幹線の引込みは，ケーブルを電柱から架空で建物に固定し，外壁を貫通して建物内に取込む。前面道路に電気の地下埋設幹線が敷設されている場合は，地中から引込む。

幹線は，建物の防火区画を貫通することが多い。貫通箇所から他区画への延焼防止のため，貫通部分は不燃材料で施工しなければならない。

(2) 配管・配線

配管・配線の工事には，次の2つがある。

① 必要な箇所に電気を供給する工事
② 通信システムを構築する工事

配管工事は，配管を躯体に打込む，あるいは躯体や下地に固定し，屋内外の配線経路を確保する工事である。

配線工事は，配管を用いないで配線する屋内配線工事である。配線の接続は，ジョイントボックス内で行い，空調・衛生配管・ダクトなどと接触しないように敷設する。

上下階にわたる配管や配線が多く径も太い場合などでは，専用の配線スペース（略号：EPS（図10・3））内にラックを組立て，配管・配線を行う。建物の使用開始後においても仕様変更・模様替えなどのための工事が必要となるため，メンテナンススペースなどを確保しておく。

(3) 機器・器具の据付け・取付け

機器の据付工事で大きなものは，受変電設備，動力盤などの盤類，さらに発電機の据付けなどである。

これらの機器を床置きする場合，直接床には置かず，防振・絶縁・耐震・防錆のため，機器用の基礎を鋼製あるいはコンクリート製で設けて，その上に機器の水平・垂直性を確保して設置する。

その他，電気設備工事で取付けられる機器・器具は，大きさ，形状，取付け位置などが多種・多様であり，ほとんどが壁・床・天井の仕上げ面に取付けられる。仕上げ面と機器の表面を一致させるため，内部に埋込む場合もある。

機器取付けのため，躯体に前もって埋設設置するアウトレットボックスは，位置・大きさが正しくゆがみがなく施工されていることを確認する。取付け後のやり直しは美観を損ね，かつ工程が遅れるもとになる。

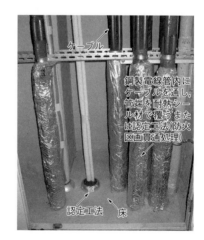

図10・3 EPSの内部

10・3　給排水衛生設備工事

10・3・1　給排水衛生設備工事とは
給排水衛生設備の主なものは，
① 給水・給湯設備
② 排水・通気設備
③ 衛生器具設備
④ ガス設備
⑤ 消火設備

などである。工事は，
① 配管の敷設
② 機器・器具の据付け・取付け

が中心となる。とりわけ，配管の敷設では，その用途，配管場所，管内圧の有無などによってそれぞれ留意点が異なる。

配管が躯体を貫通する箇所については，躯体工事時に貫通用のスリーブを設け，必要な貫通補強を施す（図10・4）。また，配管を躯体から吊り支えるための吊りボルトや取付け金物用インサートを，型枠に取付ける（図10・2）。

受水槽，高架水槽，給水ポンプなども設備工事に含まれる。受水槽，高架水槽の設置では，稼働後も常時，槽の周囲から目視による点検（**6面点検**）が出来ること，および，内部の清掃や部品の点検・交換などの維持・管理用として，周囲に十分なクリアランスを設けることが定められている。これらの設置基準，給水方式の技術基準などの詳細は各市町村で異なるので，事前の打合せが必要である。

地上階で使用し汚れた水や湯は，排水として下水道本管などに排出する。地下階の排水はいったん排水槽に溜め，排水ポンプを使って排出する。排水管には，悪臭を防ぐため，**トラップ**を設ける。

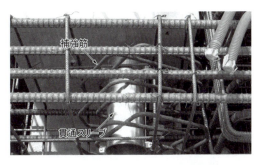

図10・4　梁貫通スリーブと補強

10・3・2　配管材料
一般に用いられる配管材料には，
① 配管用炭素鋼鋼管（通称：白ガス管）
　　　　　　　　　　　　　　　（略号：SGP）
② 塩化ビニルライニング鋼管（略号：VLP）
③ 銅管　　　　　　　　　　（略号：CP）
④ 硬質ポリ塩化ビニル管（略号：VP, VU）
⑤ ステンレス鋼管　　　　　（略号：SUSP）
⑥ 架橋ポリエチレン管　　　（略号：XPEP）
⑦ 遠心力鉄筋コンクリート管（略号：HP）

などがある。用途，必要な管径の組合せから適切な材料を選択する。

配管継手部の接合方法には，ねじ式，接着剤式，溶接，フランジ式，ろう付けなどがあり，配管の材質，管径などに合った接合方法を選ぶ。

10・3・3　施工
水平方向の配管は床下または床上に敷設し，床や天井の下地の間に納める（図10・5）。鉛直方向の配管（立管という）は，専用の配管スペース（**パイプシャフト**と呼ぶ。略号：PS（図10・6））に納める。いずれの敷設位置も，躯体や他の設備との納まりを十分に考慮し，メンテナンススペースを確保しておく。

配管類の納まりでは，排水管を優先する。水平方向の排水管（横走り排水管という）は，管径に見合った適切な水勾配を確保し，配管経路が最短となるよう計画する。排水管の一般的な勾配を，表10・1に示す。

配管工事が終わると，漏水や漏気の無いことを確認するため，試験・検査を行う。

通常行われる試験は，以下である。

(a) 水圧試験（図10・7）

　給水・給湯・揚水・消火管など，内圧のかかる配管の試験である。

(b) 満水試験

　受水槽・屎尿浄化槽など槽類の漏水チェックは，24時間放置が一般的である。

　排水管には満水試験，通水試験がある。

(c) 気密試験・耐圧試験

　ガス管など，内圧のかかる配管の試験

保温工事を行う配管，壁内，床下などに隠ぺいまたは埋設される配管については，それらの工事の前に実施する。

衛生器具の取付け，ポンプの据付けなどは工事の最終段階での施工となるため，仕上げ，試験・検査などの工程，他の職種との連携が大切である。

特殊な設備として，以下の消火設備を必要とする場合がある。

① スプリンクラー設備

② 泡・二酸化炭素・窒素などの消火設備

いずれも，建築用途や規模に応じて法律で設置が義務づけられる設備である。配管経路，機器の取付け，専用機械室，ボンベ置場，維持・管理手順など，特別な検討・打合せを必要とする。

表10・1　排水管の勾配

管　径（A）	最小勾配
65 以下	1/50
75，100	1/100
125	1/150
150 以上	1/200

図10・5　排水管の床上配管

図10・6　PSの内部

図10・7　水圧試験（加圧放置中）

10・4 空気調和設備工事

10・4・1 空気調和設備工事とは
「空気調和」を略して，空調という。
空調の大きな要素は，
① 温度
② 湿度
③ 気流（室内の空気の流れ）
④ 清浄度（浮遊粉じん，一酸化炭素，二酸化炭素など）

であり，空調とは，この4要素を，さまざまな空間に応じて快適さを保つように処理（調和）することである。

また，空調は，その対象とするものの違いによって，次の2つに大別される。
① 一般的なビルや住宅における，人々の健康を保護し，快適な空気環境を目的とした空調（**保健空調**）
② コンピュータなどの機械，工場などにおける物品の品質管理や品質保持，機器類の機能維持を目的とした空調（**産業空調**）

人を対象とした保健空調について，一定規模以上の事務所で守るべき建築物環境衛生管理基準が，法律（「建築物における衛生的環境の確保に関する法律」（通称：**ビル管理法**））によって表10・2のように定められている。

空気調和設備工事には，以下がある。
① 熱源機器設備
② 空調機器設備
③ ダクト設備
④ 換気設備
⑤ 排煙設備
⑥ 自動制御設備

表10・2 建築物環境衛生管理基準（ビル管理法）

項　　目	管理基準
浮遊粉じんの量	0.15 mg/m³ 以下
一酸化炭素の含有率	100万分の6以下 （＝6 ppm 以下） ※特例に関する規定は廃止
二酸化炭素の含有率	100万分の1000以下 （＝1000 ppm 以下）
温度	(1) 18℃ 以上 28℃ 以下 (2) 居室における温度を外気の温度より低くする場合は，その差を著しくしないこと。
相対湿度	40% 以上 70% 以下
気流	0.5 m/s 以下
ホルムアルデヒドの量	0.1 mg/m³ 以下 （＝0.08 ppm 以下）

10・4・2 ダクト工事
ダクトとは，気体を運ぶ配管のことで，以下の3種がある（図10・8，10・9）。
① 空調機で処理（調和）された空気を，必要箇所に送風機で送るための空調用ダクト
② 室内の臭気・熱気などを屋外に排出するための換気・排気ダクト
③ 火災時に屋内の煙を屋外に排出するため

図10・8 ダクト工事（集合住宅）

の排煙ダクト

ダクトの敷設は，空気調和設備工事の中で最も工数の多い作業である。通常，躯体から吊りボルトで支持する。

ダクトの形状は，内部の気流の抵抗を小さくする上で，丸形が最も望ましい。角形の場合は縦横比（アスペクト比）を小さくする。

ダクト材料は，亜鉛メッキ鉄板が一般的である。空調用ダクトなど，ダクト内外の温度差がある場合は，放熱防止や結露防止のためにグラスウールなどで保温工事を行う。防火区画の貫通箇所では穴埋めにロックウールを用い，**防火ダンパー**を取付ける。

図10・9　ダクト工事（事務所）

10・4・3　機器の据付け

機器には，冷媒や冷温水を熱源としてつくる熱源機器や冷凍機，冷温風を作って送る空調機（図10・10）と送風機，あるいは供給された熱源を熱交換して冷温風を送り出すファンコイルユニット（図10・11）などがある。

空調方式には個別方式と集中方式とがあり，方式によって，機器の大きさ・設置場所，ダクトや熱源移送管（冷媒管，冷温水管が一般的）の敷設経路，吹出し部の機器の種類・大きさ・重量などが変化する。いずれも躯体工事の初めから仕上げ工事の終わりまで，絶えず関連工事が発生することとなるため，施工計画を早く立てて準備することが大切である。

設置にあたっては，防振，耐震，防錆を考慮し，基礎に機器を設置する。天井に吊込む場合も同様である。特に，振動や騒音が建物に伝播しないよう注意する。

図10・10　空調機

天井吊り込み型

床置き型

図10・11　ファンコイルユニット

10・5　昇降機設備工事

　昇降機設備には，エレベーター，エスカレーター，ダムウェーターなどがある。

　エレベーターでは昇降路（シャフト）と機械室の寸法，またエスカレーターでは床開口の寸法と駆動機械の納まりが最も大きなチェックポイントである。いずれも，躯体工事に大きく影響するので，早期に施工図を完成させ承認を受ける。なお，エレベーターピット深さは最下停止階からの有効必要寸法で決定されるため，基礎工事にも影響がある。

　昇降機設備の設置位置では，建物には上下階を貫通した空間が存在することとなり，これが防火上の弱点とならないよう，設置基準が細かく定められている。設置申請図とメーカーの施工図とを照合し，相違のないよう施工する。

　出入り口の防火性能と構造，エレベーターホールの防火区画，レールやケーブルなどエレベーターシャフト内への取付け設備などが重要なチェックポイントである。なお，エレベーターシャフト内には，エレベーターに必要な設備配管，電気ケーブル，および国土交通大臣が認めた一定の技術基準に適合する配管設備以外のものを取付けてはならない（図10・12）。

　高層ビルなどでは，施工中に資材運搬や作業員の輸送に使用することもある。その場合は，全体工程の早い段階で設置工事を行うように計画し，事前に労働基準監督署に仮使用を届け出る。

図10・12　エレベーターシャフトの内部

施工管理のポイント

(1) 共通事項
  ① 設備工事は，それぞれの専門工事会社が担当して施工する。
  ② 建築工事とのすり合わせが多く，事前の施工計画と打合せが重要である。
  ③ 躯体工事から仕上げ工事に至る各部位工程で，関連工事がある。
  ④ 防火区画の貫通箇所では，原則として各々の工種および材料に応じた防火区画貫通処理工法にて施工しなければならない。

(2) 電気設備工事・給排水衛生設備工事
  ① 工事に当たって，申請・許可を必要とするものが多い。
  ② 中間検査・完成検査の2段階チェックが基本である。
  ③ 計画の不備に因る排水経路上のトラブルが多い。
  ④ 機器・器具の取付けにも細心の注意を払う。

(3) 空気調和設備工事
  ① ダクトの防火区画貫通箇所には，防火ダンパーを設ける。
  ② 機器・ダクトの点検用開口を，計画的に配置する。

第10章　章末問題

次の各問について，記述が正しい場合は○，誤っている場合には×をつけ，誤っている場合は正しい記述を示しなさい。

(電気設備工事)

【問 1】　大型の動力機器が多数使用される場合の配電方式には，単相2線式100Vが多く用いられる。(R3-17)

【問 2】　ビニル電線（IV）は，地中電線路に用いることができる。(R1-17)

【問 3】　電圧の種別で低圧とは，直流にあっては600V以下，交流にあっては750V以下のものをいう。(H29-17)

【問 4】　合成樹脂製可とう電線管（PF管）は，自己消火性がなく，屋内隠ぺい配管に用いてはならない。(H28-17)

【問 5】　危険物を貯蔵する倉庫は，危険物の貯蔵量や建築物の高さにかかわらず，避雷設備を設けなければならない。(R4-17)

【問 6】　高さが15mを超える建築物には，原則として，避雷設備を設けなければならない。(R2-17)

【問 7】　照度とは，受照面の単位面積当たりの入射光束をいい，単位は1x（ルクス）である。(H29-2)

(給排水衛生設備工事)

【問 8】　（給水設備の給水方式について）高置水槽方式は，一度受水槽に貯留した水をポンプで建物高所の高置水槽に揚水し，高置水槽からは重力によって各所に給水する方式である。(R3-18)

【問 9】　（給水設備の給水方式について）ポンプ直送方式は，水道本管から分岐した水道引込み管にポンプを直結し，各所に給水する方式である。(R3-18)

【問 10】　（給排水設備において）エアチャンバーは，給水管内に生ずるウォーターハンマーの水撃圧を吸収するためのものである。(H29-18)

【問 11】　通気管は，サイホン作用によるトラップの封水切れを防止するためのものである。(H29-18)

【問 12】　閉鎖型ヘッドを用いる湿式スプリンクラー消火設備は，火災による煙を感知したスプリンクラーヘッドが自動的に開き，散水して消火するものである。(R4-19)

【問 13】　屋内消火栓設備は，建物の内部に設置し，人がノズルを手に持ち，火点に向けてノズルより注水を行い，冷却作用により消火するものである。(R4-19)

【問 14】　不活性ガス消火設備は，二酸化炭素等の消火剤を放出することにより，酸素濃度の希釈作用や気化するときの熱吸収による冷却作用により消火するものである。(R4-19)

【問 15】　連結散水設備は，散水ヘッドを消火活動が困難な場所に設置し，地上階の連結送水口

を通じて消防車から送水して消火するものである。(R2-19)

【問 16】 泡消火設備は，泡状の消火剤による冷却効果，窒息効果により消火するもので，電気室に適している。(H30-19)

(空気調和設備工事)

【問 17】 (空気調和設備について) 単一ダクト方式における CAV 方式は，負荷変動に対して風量を変える方式である。(R4-18)

【問 18】 ファンコイルユニット方式における 2 管式は，冷水管及び温水管をそれぞれ設置し，各ユニットや系統ごとに選択，制御して冷暖房を行う方式である。(R2-18)

【問 19】 室内の効率的な換気は，給気口から排気口に至る換気経路を短くするほうがよい。(R4-1)

【問 20】 中央管理方式の空気調和設備を設ける場合，室内空気の一酸化炭素の濃度は，100 ppm 以下となるようにする。(R3-1)

【問 21】 中央管理方式の空気調和設備を設ける場合，室内空気の浮遊粉塵の量は，0.15 mg/m^3 以下となるようにする。(R3-1)

【問 22】 換気量が一定の場合，室容積が小さいほど換気回数は多くなる。(R2-1)

【問 23】 室内空気の二酸化炭素の濃度は，1.0% 以下となるようにする。(R1-1)

【問 24】 第 3 種機械換気方式は，自然給気と排気機による換気方式で，浴室や便所などに用いられる。(H30-1)

(昇降機設備工事)

【問 25】 乗用エレベーターには，1 人当たりの体重を 65 kg として計算した最大定員を明示した標識を掲示する。(R3-19)

【問 26】 エスカレーターの勾配が 8° を超え 30° 以下の踏段の定格速度は，毎分 50 m とする。(R3-19)

【問 27】 (昇降設備に関して) 火災時管制運転は，火災発生時にエレベーターを最寄階に停止させる機能である。(R1-19)

【問 28】 非常用エレベーターには，かごの戸を開いたままかごを昇降させることができる装置を設ける。(H29-19)

【問 29】 乗用エレベーターの昇降路の出入口の床先とかごの床先との水平距離は，4 cm 以下とする。(H29-19)

第11章

完成・引渡し・アフターケア

11・1　建物の完成・完成検査 ——— 206

11・2　引渡し・アフターケア ——— 207

11・1 建物の完成・完成検査

11・1・1 建物の完成・引渡しの概要

建物の施工が終われば，完成（竣工）検査を受けて発注者に引き渡される。

完成検査は，建築工事全体が終了し，仮設物を撤去し，建物のクリーニング・敷地全体の清掃を行った後に行われる。

完成検査には，以下がある。

① 施工者が行う社内検査
② 建築基準法や消防法などにもとづく官庁検査
③ 工事請負契約にもとづく設計者，監理者などが行う検査
④ 発注者が行う検査

各検査で改善を指摘された箇所は，すみやかに手直しを行い，報告を行った上で再度確認検査を受ける。

完成検査に合格し，発注者に建物を引渡して，工事は完了する。

11・1・2 完成検査を受ける

建物が完成した段階で，確認申請を提出した機関に完了検査申請書を提出し，**完成検査**を受ける。申請図通り，建物が造られたことを，施工図と実際の建物を目視で照合して検査済証を受領する。

電気やガス，水道，消防などの設備は，対応する官庁の関係者によって，試運転の上，正常に作動することを確認する。

表11・1に，竣工時に必要な申請書類の概要を示す。

完成検査は，官庁検査・監理者による検査・発注者による検査など多方面から行われるので，これらの日程を工期に含めるとともに，手直しとその確認の日数も予定に入れておく。

表11・1 竣工事に提出する主な申請書類

工事種別	主な申請・設置届	検査者	検査時のポイント
建築工事	・工事完了届	建築主事	・確認申請書通りの施工 ・設置届と施工との照合 ・中間検査での指摘事項の是正 ・清掃，クリーニングの完了
	・完了検査申請書	〃	
	・施工結果報告書	〃	
	・消防用設備等設置届	消防署	
	・防火対象物使用開始届	〃	
設備工事	電気設備（燃料電池発電設備，発電設備，変電設備，蓄電池設備）設置届書	消防署	・受変電設備（500 kW以上）は，電気主任技術者の立会が必要 ・設置届と施工との照合 ・中間検査での指摘事項の是正
昇降機設備	エレベーター完了検査申請書	建築主事	・確認書通りの施工 ・専門業者の立会
	エスカレーター完了検査申請書	〃	

11・2 引渡し・アフターケア

11・2・1 引渡し

完成検査に合格した段階で,「竣工届と引渡書」を発注者に提出し,施工者は発注者より受領書を受け,引渡しが行われる。

この時,日常,建物を使用するに当たっての注意事項,設備の使用方法などの説明を行い,保守点検の方法も説明する。主な引渡し書類を,表11・2に示す。

引渡し時点では気付かない不具合が,引渡し後,ある程度の間に発生することがある。

施工上の不適合に因るものは,当然,法的に正しく処理されなければならないが,多くは,発注者と施工者,場合によっては設計者・監理者を含めた関係者の相談によって改善・解決される。

11・2・2 施工記録

建築物の引渡し後,法的に定められた契約不適合責任の期間が存在する。この期間,施工者は発注者に対して責任を有する。

また,改修や増改築などの注文が出されることも多い。それらの要請や,保守点検などの要望に十分な対応ができる体制を常に心がけておく。このため,施工記録を保存・整理し,必要に応じて情報が提供できる態勢を作っておくことが大切である。

さらに,施工記録は,新しい施工技術や施工管理技術を,他の工事施工に活用し,発展させるための基礎データとなる役割がある。

施工記録は目的の違いにより,施工者が必要に応じて,監督官庁へ提出する工事記録と,施工に関係した業者が独自の手法で残す施工記録に分けられることがある。なお,完成後に目視確認出来ない箇所については,確実に写真で記録する。

近年,施工記録は電子データとして提出の上保管することが多くなっている。

表11・2 完成引渡し書類(主要なもの)

分類	名称	備考
図面関係	・竣工図* ・設備機器完成図 ・竣工写真 ・施工図 ・工事監理報告書	
諸官庁届出書類・許認可書類	・確認通知書(副本) ・検査済証 ・工事完了届(写) ・表11・1の申請書類(写) ・再資源化等報告書(建築リサイクル法○○物件)	建築物　昇降機 建築物　昇降機
維持・管理関係	・保証書 ・主な協力業者一覧表 ・緊急連絡先一覧表 ・設備(電気・給排水・空調・昇降機)試験 ・鍵・備品一覧表 ・建築・設備取扱説明書	

＊竣工図:施工中の変更を含めて,完成時の建物の状況を表した図面

表11・3 施工会社が保存すべき主な書類と保存期限

建設業法（第40条の3）で定められた保管書類	保存期限（法律上）
①完成図（建設工事の目的物の完成時の状況を表した図）	10年
②発注者との打合せ記録（請負契約の当事者が相互に交付したものに限る）	10年
③施工体系図	10年

発注者と交わした主な書類	保存期限（税務上）
①工事請負契約書	5年
②竣工届	5年
③竣工検査済証	5年
④引渡書・受領書	5年
⑤保証書	5年
⑥技術者配置届	5年

主な施工関係書類	保存期限
①施工計画書	10年
②各種検査記録・試験結果記録	10年
③施工図	10年
④工程表	10年

安全衛生上の主な書類	保存期限（法律上など）
①アスベスト関係保管書類	40年
②粉じん障害防止規則関係保管書類竣工届	5年
③災害防止協議会資料・議事録	5年
④作業打合せ記録	5年
⑤安全日報集計表	5年
⑥専門工事業者提出書類	5年
⑦新規入場者安全衛生教育実施表	5年
⑧危険予知活動記録簿	5年

環境関連の主な書類	保存期限（法律上など）
①産業廃棄物処理委託契約書（写し）	10年
②マニフェスト伝票	5年
③再生資源利用促進計画書（実施書）	5年
④土砂受領書（搬出した土砂の最終搬出先までの確認書面を含む）	5年
⑤解体工事における石綿等の事前調査記録	5年
⑥解体等工事の発注者への事前説明書	5年
⑦特定粉じん排出等作業結果報告書	5年
⑧（土壌汚染対策法）汚染土壌管理票	5年
⑨（水質汚濁防止法）特定施設の水質測定の記録	3年
⑩（フロン排出抑制法）フロン類設置機器事前確認書等の関連書類	3年

11・2・3 建物の運用段階

建設工事が終了し，無事建物の引渡しが済むと，ひとまず建築施工の役割は終了したことになる。その後は建物運用期間となるわけであるが，竣工までにある工事期間を有した建物は，材料の物理的な耐用年数，用途や機能の不足・陳腐化などの理由で，使用を停止し解体されることがある。建物ができあがってから何らかの理由で取り壊されるまでの期間を寿命とするならば，その時間は当然のように施工期間を遙かに上回る年数となる。

ここで注意しなければならないことは，使用期間（建物運用期間）中に様々な手入れが必要になることである。人間でいうところの「健康診断」のようなものである。

苦労して作り上げた建物も，竣工直後からその性能（価値ともいう）は低減する。様々な部分・部位でこの劣化現象は生じており，それがある一定の値を超えると人々は我慢できなくなり善後策を講じる。

例えば，床仕上げが汚れている場合，清掃の回数を増やすことにより汚れないようにする（現状維持），あるいは今より汚れにくい床仕上げ材にはり替えること（性能向上）が考えられる。両者の違いは，かかる費用の差もあるが，建物をどのように使っていくのか，つまり，あと何年使うつもりがあるのかということが大きく影響する。建物の寿命，いわゆるライフサイクルをどう考えるかに帰着する。

建物のライフサイクルにかかる総費用のことをライフサイクルコスト（LCC）と呼ぶ。ライフサイクルコストには，建物を建てるまでにかかるイニシャルコストである企画設計コスト，建設コストと，ランニングコストとして建物運用段階で生じる運用管理コスト，廃棄処分コストに分けられる。一般的には，建物建設よりも建物運用の方が遙かに年数がかかるが，多くの発注者はライフサイクルコスト＝イニシャルコストと思い込みやすい。その結果，目先のコストにとらわれるばかりに，運用中にかかるコストを十分に充当せず，最終的に建物の使用期間を短くしてしまうことが多い。

建物は作ってしまえばおしまいではなく，その後の運用段階での管理によって，将来的な寿命が決まる。このことを念頭に置いてトータルなマネジメントを行うことが，今後のストック型社会に求められる施工管理の一つの姿ともいえる。

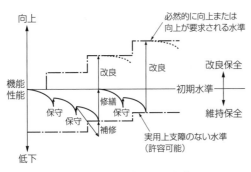

図 11・1 維持管理の考え方

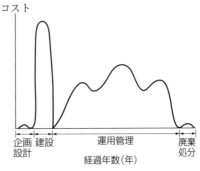

図 11・2 LCC 経年支出の概要

第1章　章末問題　解答・解説

【問1～4】○

【問5】×　発注者は，契約の履行報告につき，設計図書に定めがあるときは，その定めるところにより発注者に報告しなければならない。

【問6】×　監理者の業務ではなく，発注者が監理業務の担当者の氏名および担当業務を受注者に通知する

【問7～10】○

第2章　章末問題　解答

【問1～4】○

第3章　章末問題　解答・解説

【問1】×　試験や検査を厳しく行うよりも，工程（プロセス）の最適化を図るプロセス管理に重点を置いた方が優れた管理となる。

【問2】×　品質管理は，品質計画の目標のレベルに合わせ，目標が高いレベルであれば，緻密な管理を行う。

【問3】×　品質管理は，施工段階より計画段階で検討する方が，事前に問題点等が抽出される等の効果がある。

【問4】×　パレート図は項目別に層別して，出現度数の大きさの順に並べるとともに，累積和を示したものである。問題文は管理図となる。

【問5】○

【問6】○

【問7】○

【問8】○

【問9】×　度数率は，100万延べ実労働時間当たりの死傷者数を示す。

【問10】○

【問11】×　1件につき7,500日となる

【問12】①○　②×高さ5m以上　③×高さ5m以上　④×不要　⑤○

【問13】①○　②×　対象工事は1億円以上　③○　④○

【問14】×　75dBを超えてはいけない。

【問15】×　特定建設作業開始の7日前までに，市町村長に届け出なければならない。

【問16】○

【問17】×　安衛法88条3項に該当する工事の計画は14日前に届ける。

【問18】○

【問19】○

【問20】×　つり上げ荷重が3t以上のクレーンを使用する場合は，作業開始30日前に提出する。

【問21】 ×　高力ボルトは，工事現場受入れ時には包装を開封せず，乾燥した場所に等級別・サイズ別等に整理し，箱の積上げ高さを3~5段にして保管する。

【問22】 ×　砂付ストレッチルーフィングは，屋内の乾燥した場所に，砂の付いていないラップ部分（張付け時の重ね部分）を上にして縦置きとして保管する。

【問23】 ×　屋内の乾燥した平坦な場所に，横に倒して2~3段までの俵積みにして保管する。

【問24】 ○

第4章　章末問題　解答・解説

（共通仮設）

【問1】 ×　工事用の動力負荷は，工程表に基づいた電力量山積みの60%を実負荷とする計画とする。

【問2】 ○　現場内の幹線ケーブル埋設深さは，重量物が通過する道路下ではその深さを1.2 m以上，その他は0.6 m以上とし，埋設表示をする。

【問3】 ×　工事用電力は，一般に，契約電力が50 kW未満の場合は低圧受電，50 kW以上2000 kW未満の場合は高圧受電，2000 kW以上の場合は特別高圧受電となる。必要な工事用使用電力が60 kWの場合，高圧受電で契約する計画とする。

【問4】 ○　作業員用便所は原則，男女を区別し，男性用大便所の便房は60人以内ごとに1個以上を設置する。

【問5】 ○　仮設の照明設備では，普通作業の場合で常時就業させる場所の作業面の照度は，150ルクス以上として計画する。

【問6】 ○

【問7】 ○

【問8】 ×　溶接用キャプタイヤケーブルを屋外に設置する場合は，使用電力にかかわらず，2，3，4種のいずれかとする。

【問9】 ○

【問10】 ×　工事用使用電力量の算出において，照明器具の需要率および負荷率を加味した同時使用係数は，0.7~1.0として計画する。

【問11】 ○

【問12】 ○　前面道路に設置する仮囲いは，建地等を道路に埋め込まず，ベース（建地等を固定する基礎）をH形鋼とする等，道路面を傷めないようにする。

【問13】 ×　塗料や溶剤等の引火性材料は，極力，他の建築物や材料置場と離れた場所に，専用の置場を設け保管する。また，関係法令の規定に従い，所定の耐火構造又は防火構造とする。

【問14】 ○　「建築基準法施行令第136条の2の20（仮囲い）」では「木造の建築物で高さが13メートル若しくは軒の高さが9メートルを超えるもの又は木造以外の建築物で2以上の階数を有するものについて，建築，修繕，模様替又は除却のための工事（以下この章において「建築工事等」という。）を行う場合においては，工事期間中工事現場の

周囲にその地盤面（その地盤面が工事現場の周辺の地盤面より低い場合においては，工事現場の周辺の地盤面）からの高さが1.8メートル以上の板塀その他これに類する仮囲いを設けなければならない。」となっている。ただし仮囲いは，同等以上の効力を有する他の囲いがある場合又は工事現場の周辺もしくは工事の状況により危害防止上支障がない場合，必ずしも設置する必要はない。また所定の高さを有している既存の塀等を利用することもできる。

【問15】 × 防護棚は，外部足場の外側からのはね出し長さを水平距離で2m以上とし，水平面となす角度を20°以上とする。

【問16】 ○ 新築工事において，飛来落下物の防護，塗装や粉塵などの飛散防止のために足場の外側に設けた工事用シートは，日本産業規格（JIS）で定められた建築工事用シートの1類を使用する。建築工事用シートには1類と2類があり，1類の方が強度が高い。

【問17】 × コンクリート打設時のコンクリート等の飛散防止のために足場の外側に設ける工事用シートは，周辺に危害を及ぼすおそれのないよう，コンクリート打設時にコンクリートが外部にこぼれるおそれのない高さまで立ち上げる必要がある。工事用シートをコンクリート打設階のスラブ高さまで立ち上げるだけでは，コンクリートの飛散は防止できない。

(直接仮設工事)

【問18】 × 高さ8m以上の登り桟橋には，高さ7m以内ごとに踊場を設けるため，2箇所となる。

【問19】 ○

【問20】 × くさび緊結式足場は鋼管足場の区分上単管足場に分類され，単管足場の規定が適用される。単管足場の支柱の間隔は，桁行方向1.85m以下，梁間方向1.5m以下とする。

【問21】 × 単管足場の壁つなぎの間隔は，垂直方向5m以下，水平方向5.5m以下となる。

【問22】 × 高さが20mを超える枠組足場の主枠間の間隔は，1.85m以下とする。

【問23】 ○

【問24】 × 枠組足場に設ける水平材は，最上層および5層以内ごととなる。

【問25】 × 防護棚の敷板は，厚さ30mm程度のひき板，合板足場板又は厚さ1.6mm以上の鉄板を用いることが望ましい。また敷板どうしの隙間がないように設置する必要がある。

(準備工事)

【問26】 × コンクリートポンプ車を前面道路に設置する等，道路の一時使用を申請する際は，道路使用許可申請書を警察署長に提出する。

【問27】 × セメントによって地盤改良された土の掘削に当たり，沈砂槽を設置して湧水を場外へ排水する場合は，水質調査を行ったうえで排水する。

【問28】 × 掘削深さや地盤条件に応じ，近隣に影響を与えるおそれのある山留め工事や解体工事等を行う場合，近隣建物の所有者の立会いを得て，近隣建物の現状，基礎等について調査する。

【問29】 × ベンチマークとは，建物の位置と高さの基準点である。ベンチマークは，移動のお

第5章　章末問題　解答・解説

【問1】○　釜場とは，掘削底面に湧出してくる湧水を集めるためのくぼみのことで，根切り部からの浸透水や雨水を，根切り底面に設けた釜場に集め，ポンプで排水する工法である。

【問2】×　ディープウェル工法とは，鋼管（ケーシング）等を地中に埋め込み，揚水管と呼ばれる配管の先に水中ポンプを接続し，地下水を排水する工法である。揚水量が非常に多い場合，対象とする帯水層が深い場合や，帯水層が砂層や砂礫層等，透水性のよい地盤の地下水位を低下させる場合に用いられる。

【問3】×　掘削土が粘性土の場合，砂質土に比べて粘性が高いため，掘削攪拌速度を早くするとソイルセメントと土が混ざりきらない。

【問4】○　ソイルセメントの中に挿入する心材としては，主にH形鋼が用いられる。

【問5】○　山留め壁に近い場所は，沈下等のおそれがあるため，基準点はなるべく山留め壁から遠い場所や，堅固な構造物に設置する。

【問6】×　盤圧計（油圧式荷重計）は，切梁の中央部を避け，火打梁との交点に近い位置に設置する。

【問7】○

【問8】×　問題文の現象は，ボイリングである。盤ぶくれとは，掘削底面やその直下に粘性土等の難透水層があり，その下にある被圧地下水が存在し，その揚圧力がその上部の土砂重量より大きいときに，掘削底面が持ち上がる現象をいう。

【問9】○　クイックサンドとは，砂質土のように透水性の大きい地盤で，掘削底面付近の砂質地盤に地下水の上向きの浸透流が生じ，この水の浸透力が砂の水中での有効重量より大きくなり，砂粒子が水中で浮遊する状態をいう。

【問10】×　パイピングとは，水位差のある砂質地盤中にパイプ状の水みちができて，砂混じりの水が噴出する現象をいう。

【問11】○　被圧帯水層の下部までディープウェルを貫通させ，被圧滞水層の水位をさげることで，盤ぶくれは防げる。

【問12】○　PHC（プレテンション方式遠心力高強度プレストレスコンクリート）杭は杭体にプレストレスを導入した既製コンクリート杭で，その頭部を切断した場合，切断面から350 mm程度まではプレストレスが減少しているため，補強を行う。

【問13】○

【問14】×　杭の両端の2点を支持して吊り上げると，杭の自重によるたわみが生じやすくなり，ひび割れ発生等の原因となる。荷降ろしのため杭を吊り上げるときは，安定するよう杭の両端から離した位置で，ワイヤーロープの吊角度を60°以内の位置で2点を支持して吊り上げる。

【問15】○　オールケーシング工法における孔底処理は，孔内水がない場合やわずかな場合には

掘りくずや沈殿物の量が少ないため，掘削完了後にハンマーグラブにより静かに除去する。

【問 16】○

【問 17】×　アースドリル工法における鉄筋かどのスペーサーは，孔壁を損傷させないよう，平鋼を加工したものを用いる。

【問 18】○

【問 19】×　安定液（ベントナイト溶液）は，杭削孔面の地盤が崩れないように使用するもので，地下水より比重を高くする必要がある。ただし，コンクリートとの置換を考慮すると，必要以上に高比重・高粘性のものは避ける。

【問 20】○　安定液は，掘削中の孔内に注入し，地下水位より常に所定の高さ以上の水位を確保することにより，孔壁を保護する。したがって，地下水がなく孔壁が自立する地盤では，安定液を使用しない。

【問 21】○

【問 22】×　地盤の液状化は，地下水面下の緩い砂地盤が地震時に繰り返しせん断を受けることにより間隙水圧が上昇し，水中に砂粒子が浮遊状態となる現象である。

【問 23】○　杭の周辺地盤に沈下が生じたときに杭に作用する負の摩擦力は，一般に摩擦杭の場合より支持杭の方が大きい。負の摩擦力とは，杭周面に下向きに作用する摩擦力で，ネガティブフリクションともいう。

第6章　章末問題　解答・解説

（鉄筋工事）

【問 1】○　異形鉄相互のあきの最小寸法は，隣り合う鉄筋の平均径（呼び名の数値）の1.5倍，粗骨材大寸法の1.25倍，25 mm のうち，最も大きい数値とする。D16の鉄筋相互のあき寸の最小値は，鉄筋径D16の1.5倍は24 mm，粗骨材最大寸法20 mm の1.25倍は25 mm のため，25 mm とする。

【問 2】×　一般スラブに使用するSD295の鉄筋の末端部を90°フックとする場合，その余長は8d以上とする。（図6・14参照）

【問 3】×　SD345，D25の異形鉄筋を90°折曲げ加工する場合の内法直径は，4d以上とする。（図6・14参照）

【問 4】×　梁主筋を柱にフック付き定着とした場合，定着長さは鉄筋末端のフックの全長を含めない長さとする。

【問 5】×　梁の主筋を重ね継手としたため，隣り合う鉄筋の継手中心位置は，重ね継手長さの約0.5倍又は約1.5倍以上ずらす。（図6・8参照）

【問 6】○

【問 7】×　定着長さとは，コンクリート内に鉄筋を固定するために必要な長さとなり，定着の長さが長いほど固定度は高くなる。またコンクリートの設計基準強度が同じ場合，鉄筋の強度の高い方が長くなる。（表6・4参照）

【問8】○
【問9】×　隣り合うガス圧接継手の位置は，400 mm 以上ずらす。
【問10】○
【問11】×　ガス圧接継手は，日本産業規格（JIS）に基づく圧接技量資格者が行う。手動ガス圧接については，1種から4種まであり，数字が大きくなるに従って，圧接作業可能な鉄筋径の範囲が大きくなる。SD345 の D29 を手動ガス圧接で接合するために必要となる資格は，技量資格2種以上の技量を有する者となる。
【問12】○　圧接部のふくらみの直径は，鉄筋径の1.4 倍以上とする。なお鉄筋径が異なる場合は，細い方の径より算定する。
【問13】×　同一径の鉄筋の圧接部における鉄筋中心軸の偏心量は，鉄筋径の 1/5 以下とする。

(型枠工事)
【問14】○　仮設物の構造計算では，よく使われ，中期許容応力度と呼ばれることもある。
【問15】○　型枠用合板は，その方向により，曲げヤング係数が異なる。
【問16】○
【問17】×　コンクリート打込み時の側圧に対するせき板の許容たわみ量は，3 mm 以下とする。
【問18】×　パイプサポート以外の鋼管を支柱として用いる場合高さ2 m 以内ごとに水平つなぎを2方向に設けなければならない。
【問19】○　パイプサポートではなく，枠組み足場等で支保工を設けるときは，最上階および枠の5層ごとに水平つなぎを設ける。
【問20】×　支柱として用いる組立て鋼柱の高さが4 m を超える場合，高さ4 m 以内ごとに水平つなぎを2方向に設けなければならない。
【問21】○　パイプサポートの高さが3.5 m を超える場合，高さ2 m 以内ごとに水平つなぎを2方向に設ける。
【問22】×　コンクリート打込み時に型枠に作用する鉛直荷重は，固定荷重（コンクリート＋型枠の重量）＋積載荷重（作業荷重＋衝撃荷重）となる。
【問23】×　沈下するおそれがなくても，剛性のある板を敷いた上に釘等により脚部を固定する等の措置を講ずる。また，根がらみの取付けを行い，荷重の分散を図る

(コンクリート工事)
【問24】×　調合強度（F）とは，調合管理強度（Fm）に，強度のばらつきを考慮して割り増した強度で，コンクリートの調合を定める場合に目標とする平均の圧縮強度のことである。コンクリートの調合強度を定める際に使用するコンクリートの圧縮強度の標準偏差（σ）は，コンクリート工場に実績がない場合，2.5 N/mm^2 又は Fm（調合管理強度）の0.1倍の大きい方の値とする。
【問25】○　乾燥収取量を低減させるため，なるべく単位水量は小さくする。JASS 5 の規定では，単位水量は185 kg/m^3 以下となっている。
【問26】○　JASS 5 では，コンクリートの調合管理強度（Fm）は，品質基準強度（Fq）に構造体強度補正値（mSn 値）を加えたものである。

【問27】× 単位セメント量が過小のコンクリートは，ポンプ圧送時の閉塞や打込み時の材料分離が生じやすくなる等ワーカビリティーが悪化する。また，水密性や耐久性の低下等もまねく。

【問28】○ セメントのアルカリ分と骨材のシリカ分との反応をアルカリシリカ反応といい，反応によって，アルカリシリカゲルという吸水性の物質ができる。この物質は吸水の際に膨張し，コンクリートのひび割れや異常膨張，破壊を引き起こす原因となる。骨材についてアルカリシリカ反応性試験を行い，「無害」と判定されたものをA，無害でないものをBと区分する。Bと区分された骨材についても，コンクリート$1m^2$に含まれるアルカリ総量を$3.0kg$以下とすることで使用することができる。

【問29】× スランプは，コンクリートの流動性の程度を表す。JASS 5では調合管理強度（Fm）が$33N/mm^2$未満のコンクリートのスランプは，$18cm$以下を標準とする。

【問30】○ 外気温が$25℃$以上は，練混ぜ開始から打込み終了までの時間を90分以内，$25°$未満は120分とする。

【問31】○ コンクリートの圧送に先立ち，ポンプおよび輸送管の内面の潤滑性の保持のため，水および富調合のモルタルを圧送するが，圧送される先送りモルタルは，品質を低下させるおそれがあるので，型枠内には打ち込まない。

【問32】× コンクリート棒形振動機の加振は，コンクリート上面にセメントペーストが浮き上がるまでとし，1ケ所5〜15秒程度が一般的である。コンクリートへの過度な振動は，材料分離を生じさせる原因となる。

【問33】× 打継ぎはできるだけ少なくし，応力の小さいところで打ち継ぐことが基本である。梁およびスラブに鉛直打継ぎ部を設けなければならない場合には，せん断応力の小さいスパンの中央付近又は端部から1/3〜1/4に設けることを基本とする。

【問34】× コンクリートの圧縮強度による場合，柱のせき板の最小存置期間は，圧縮強度が$5N/mm^2$に達するまでとする。

【問35】○ 早強ポルトランドセメントを用いたコンクリートの場合は，強度の発現が早いため，普通ポルトランドセメントを用いた場合より短くすることができる。

【問36】○ 打込み日を含む旬の日平均気温が$4℃$以下の場合に施工するコンクリートを，寒中コンクリートという。寒中コンクリートの初期養生の期間は，圧縮強度が$5N/mm^2$に達するまでとする。

第7章 章末問題 解答・解説

(工場製作)

【問1】○ SN材（建築構造用圧延鋼材）は，性能がABCの3種類に区分されており，A種は溶接しない部材に用い，B種およびC種は炭素当量（炭素以外の元素の影響度を炭素量に換算したもの）の上限を規定して溶接性を改善した鋼材である。板厚方向に曲げや引張が生じるダイアフラム等はC種を原則とする。

なお，SN490BやSN490Cとある場合，数値490は引張強さ（引張強度）を示す。

【問2】× TMCP鋼（Thermo Mechanical Control Process 鋼材）は，熱加工制御により製造された，同一強度レベルの普通鋼と比べると炭素当量がはるかに低く，高じん性で溶接性に優れた鋼材であり，厚さ40 mm超えでも基準強度の低減が不要となるため，40 mmを超える板厚のダイアフラムで使用する。

【問3】○ FR鋼（Fire Resistant Steel）は，鉄骨造建築物の耐火性能確保に必要な耐火被覆を低減または省略することを目的として開発された鋼材で，モリブデン等を添加して耐火性を高めている。

【問4】× 摩擦面は，すべり係数0.45以上を確保しなければならない。高力ボルト接合の摩擦面は，ショットブラストにて処理する場合，表面あらさは50 µmRz以上を確保することで必要なすべり係数を確保することができる。

【問5】× 孔あけ加工は。ドリルあけを原則とする。ただし普通ボルト，アンカーボルト。鉄筋貫通孔で板厚が13 mm以下の場合は，せん断孔あけができる。

【問6】○ 冷間成形角形鋼管（BCR，BCP，STKR）の角部は冷間塑性加工の影響で材質が変化し硬化していますので，脆性破壊の起点となる角部の表面への溶接は避けた方がよい。

【問7】○ 完全溶込み溶接の突合せ継手における余盛りの高さは，3 mm以下であれば許容範囲内であり，グラインダー仕上げを行わなくてもよい。

【問8】× 作業場所の気温が−5℃を下回る場合は，溶接を行わない。また作業場所の気温が−5℃から5℃までの場合は，溶接線から100 mm.程度の範囲を適切な方法で加熱して，溶接を行う。

【問9】○ 鉄骨構造の梁の部材断面と荷重条件が同じであれば，梁の材質がSN400AからSN490Bに変更し，梁の鋼材の基準強度が変わっても，ヤング係数は変わらないので，構造計算上，梁のたわみは同一になる。

【問10】× 圧縮材等の部材は，細長比が大きいものほど座屈しやすい，したがって構造耐力上主要な部分である圧縮材については，細長比の上限値が定められている。

【問11】○ 内ダイアフラムは柱の内側にだけダイアフラム用の鋼板を付ける方法で，せいの異なる梁が角形鋼管柱に複数取合う場合，ダイアフラムが近接し，通しダイヤフラムとすると角型鋼管を切断する箇所が増えるため，一方を内ダイアフラムとすることが多い。

【問12】× H形鋼梁は，荷重や外力に対し，せん断力をウエブが負担するものとして扱う。

(工事現場施工)

【問13】○

【問14】× 現場溶接において，ガスシールドアーク半自動溶接は，適切な防風処置を講じた場合を除き，風速が2 m/s以上ある場合，溶接を行ってはならない。

【問15】× 溶接と高力ボルトを併用する継手で，溶接を先に行う場合は両方の許容耐力を加算できない。一方で溶接を後に行う場合は，両方の許容耐力を加算してよい。

【問16】○ 高力ボルトは径毎に，ねじの呼び径に応じて「締付け長さに加える長さ」（トルシ

ア形 M20 で 30 mm) が規定されている。一方，ボルト長さは 5 mm ピッチ (M27, M30 は 10 mm ピッチ) で製造されているために，実際の締付け長さ (締付ける板厚の合計) に「締付け長さに加える長さ」を足したものを，2 捨 3 入または 7 捨 8 入 (つまり 1，2 のときは切り捨て，3～7 のときは 5 へ，8，9 のときは 10 として切り上げる計算法) した長さのボルトを選定 (M27, M30 は四捨五入) することになっている。そのため，余長の許容範囲がおよそ 1～6 山となる。

【問 17】○　接合部の組立てにおいて，接合部に 1 mm を超える肌すきがある場合は，フィラープレートを入れて肌すきを埋める。

【問 18】×　ナット回転法による締付け完了後の検査は，1 次締付け後の本締めによるナット回転量が 120°±30 の範囲にあるものを合格とする。

【問 19】○　建方精度の測定に当たっては，鉄骨の伸縮等の日照による温度の影響を避けるために，早朝等の熱影響の受けにくい一定の時間に計測するなどの対策を行う。

【問 20】○　溶接を先にすると，熱が冷めるときに収縮して板が曲がり，摩擦接合面がピッタリと密着せずに摩擦力が下がる危険がある。高力ボルトを先に締めると，その段階で摩擦接合面どうしが密着し，次に周囲の溶接をすることで，高力ボルトと溶接の両方の許容耐力を合算することができる。

【問 21】×　現場溶接での収縮・現場施工時外力に耐えるため，エレクションピース部は，仮ボルトとして高力ボルトを使用し，全数を締付ける。

【問 22】×　リフトアップ工法は，地上又は構台上で組み立てた屋根架構を，先行して構築した構造体を支えとして，ジャッキ等により引き上げていく工法である。地組みした所定の大きさのブロックをクレーン等で吊り上げて架構を構築する工法は，ブロック工法である。

【問 23】○　地上および一部分にステージを組み，ステージ上でその範囲内の大きさに屋根鉄骨を組み立て，組み立てられた屋根鉄骨を軒梁などに沿って移動し，それに接続し後方の屋根鉄骨を組み立てる。以後この作業を繰り返し全体の屋根鉄骨を完成させる工法である。

第 8 章　章末問題　解答・解説

(屋根工事)

【問 1】×　「JIS A 6514:1995 金属製折板屋根構成材」には，耐力の区分として下表のとおり定められている。したがって，1 種が最も耐力が小さい。

区分	記号	等分布荷重 N/m² {kgf/m²}
1種	1	980 {100}
2種	2	1 960 {200}
3種	3	2 940 {300}
4種	4	3 920 {400}
5種	5	4 900 {500}

【問2】○　折板は鋼板をロール成型機で加工する。工場あるいは現場にて成形を行う。

【問3】○　通し吊子は，平座金を付けたドリルねじで，下葺材，野地板を貫通させ母屋に固定する。（図8・3参照）

【問4】○　水上部分と壁との取合い部に設ける雨押えは，取り合い部で漏水しないように壁際立上がりを120 mm以上とする。

【問5】○　タイトフレームの割付けは，折板の両端部の納まりが同一となるように建物の桁行き方向の中心から振り分けて，墨出しを行う。

【問6】○　横葺の葺板の継手位置は，縦に一直線状とならないよう千鳥に配置する。

（防水工事）

【問7】○　防水工事用アスファルトは，フラースぜい化点とは，アスファルトを冷却したときに，ぜい化（材料の変形において，抗力が大きく変形能が小さくなり，さらに伸びや断面収縮率が低下すること）が始まる温度である。この温度が低いものほど，低温特性のよいアスファルトである。

【問8】○　抗張積とはルーフィングの特性の一つで，抗張積（N・%/cm）＝引張強さ（N/cm）×伸び率（%）となる。砂付ストレッチルーフィング800の数値800は，製品の抗張積の呼びを表している。

【問9】×　アスファルトルーフィング1500の数値1500は，製品の単位面積質量が1500 g/m²以上のものを示す。

【問10】×　ストレッチルーフィングとは，合成繊維にアスファルトをしみこませた伸縮性のあるシートである。アスファルト防水密着工法における平場部のルーフィングの張付けに先立ち，出隅および入隅には幅300 mm程度のストレッチルーフィングを増張りする。

【問11】○　平場部のアスファルトルーフィング類の重ね幅は，縦（長手），横（幅）方向とも100 mm以上重ね合わせる。

【問12】○　加硫ゴム系シート防水の接着工法において，平場のシート相互の接合幅は100 mm以上，立上りと平場との重ね幅は150 mm以上とし，水上側のシートが水下側のシートの上になるように張り重ねる。

【問13】×　絶縁工法において，防水層の下地からの水蒸気を排出するための脱気装置は，25～100 m²に1箇所の割合で設置する。

【問14】○　密着工法は，下地にプライマーを塗付し，塗付したプライマーが乾燥した後に，防水材を塗布することにより塗膜を得るものである。なお，この工法で下地亀裂への追随や塗膜厚確保のために用いる補強布は，仮敷きをしたうえで防水材を塗りながら張り付ける。

(シーリング工事)

【問15】×　2成分形シーリング材は，基剤と硬化剤の2成分を施工直前に練り混ぜて使用するシーリング材である。

【問16】×　シリコーン系シーリング材は，表面にほこりが付着しやすく，目地周辺に撥水汚染が生じやすい。

【問17】×　2成分形ポリウレタン系シーリング材は，耐熱性，耐候性にやや劣り，金属パネルや金属笠木などの目地には適していない。

【問18】×　外壁ALCパネル張りに取り付けるアルミニウム製建具の周囲の目地シーリングは，変形に追随できるように，相対する2面で被着体と接着する2面接着とする。

【問19】○　適当な記述。先打ちしたポリサルファイド系シーリング材の硬化後に，変成シリコーン系シーリング材を打ち継ぐことが可能である。

第9章　章末問題　解答・解説

(左官工事)

【問1】×　せっこうプラスターは，水と反応して硬化する水硬性で，主成分である焼せっこうが水和反応を起こし，余剰水が発散して硬化する塗り壁材料である。乾燥が困難な場所や乾湿の繰返しを受ける部位では，硬化不良となりやすく，多湿で通気不良の場所の仕上げで使用できない。

【問2】×　セルフレベリング材は，せっこう組成物やセメント組成物に骨材や流動化剤等を添加した材料である。ドロマイトプラスターとは，鉱物のドロマイトを用いた塗壁用の材料である。

【問3】×　モルタルの下塗り，中塗り，上塗りの各層の塗り厚は，厚くなりすぎると接着不良による剥離やひび割れが生じやすくなる。内壁のコンクリート下地の場合，下塗りから上塗りまでの合計で20 mmを標準，25 mmを限度とする。

【問4】×　下塗り用モルタルの調合は，容積比でセメント1：砂2.5となる。なお，中塗り，上塗りは，セメント1：砂3となる。

【問5】×　主材の基層塗りは，所要量を1.7 kg/m^{2}以上とし2回塗りで，だれやピンホールがないように均一に塗り付ける。各段階の塗布量は下記を参考にする。

種類	所要量（kg/m²）	塗り回数
下塗材	0.1 以上	1
増塗材	0.9 以上	1
主材基層	1.7 以上	2
主材模様	0.9 以上	1
上塗材	0.25 以上	2

公共建築工事標準仕様書（令和4年版）より

（タイル・石工事）

【問6】○　改良圧着張りは，張付けモルタルを下地側とタイル裏面の両方に塗って，タイルを張り付ける工法である。張付けモルタルの塗り厚は，下地面側は4～6 mm，タイル側は1～3 mm程度とする。なお，1回の張付けモルタルの塗付け面積は2 m²/人以内とする。

【問7】○　マスク張りの張付けモルタルは，ユニットタイル裏面に厚さ4 mmのマスク板をあて，金ごてで塗り付ける。

【問8】×　改良積上げ張りの張付けモルタルは，タイル裏全面に平らに塗厚7～10 mmで塗り付ける。

【問9】×　マスク張りでは，張付けモルタルを塗り付けたタイルは，塗り付けてから直ちに壁面に張り付ける。

【問10】○　花崗岩の主成分は，長石・石英・雲母から成り，化学成分上は珪酸を65～70％以上含む鉱物である。硬く，耐磨耗性，耐久性に優れるが，耐火性に劣る。花崗岩は御影石とも呼ばれ，建築物の外装や床等に用いられる。

【問11】×　石灰岩は，大部分が炭酸カルシウムからなる岩石で，炭酸石灰質の殻を持つ生物の化石や海水中の成分が沈殿したものである。耐水性に劣り，柔らかく，曲げ強度は低い。

【問12】○　大理石は，石灰岩が熱の影響で変性し再結晶した石材で，構成する鉱物は，無色または白色の方解石で，炭酸カルシウム（CaCO3）を主成分とする。風化しやすく耐酸性，耐火性に劣り，屋外に使用すると表面が劣化しやすい。ち密で磨くと光沢が出て美観性に優れる。

【問13】×　凝灰岩は，火山岩・砂・岩塊片などの火山噴出物が水中あるいは陸上に堆積して凝固したもので，層状または塊状で存在する。光沢がなく，吸水率も大きい。また，風化しやすく，強度，耐久性に劣るが，軽量，軟質で加工しやすく，耐火性に優れている。

【問14】○　砂岩は，種々の岩石が，粗粒となり水中に堆積し，膠結したものである。汚れやすく，吸水率の高いものは耐凍害性に劣るが，耐火性と耐酸性に優れる。

【問15】×　乾式工法において，コンクリート躯体の表面の精度を±10 mm，ファスナーと石材

を合わせた取り付け代は 50～70 mm が必要となる。

(建具・ガラス工事)

【問 16】 ○ 連層窓等は，レベルを使ったりピアノ線を張ってそれを基準に取付を行い，取付け精度を ±2 mm 以内とする。

【問 17】 × アルミニウム板を加工して，枠，かまち，水切り，ぜん板等に使用する場合の厚さは 1.5 mm 以上とする。

【問 18】 ○ 建具枠のアンカーは，枠を確実に固定できる構造とし，両端から逃げた位置から間隔を 500 mm 以下で取り付ける。

【問 19】 × 外部建具周囲の充填モルタルに海砂を用いる場合，錆を防止するため，NaCl 換算 0.04%（質量比）以下まで除塩してから使用する。

【問 20】 ○ 戸の表面板について，鋼製軽量建具に使用する場合は，厚さ 0.6 mm 以上とする。ただし軽量以外の鋼製建具に使用する場合は厚さ 1.6 mm 以上とする。

（参考資料）表　鋼製建具に使用する鋼板類の厚さ。

区分		仕上げの形状	厚さ (mm)
窓	枠類	枠，方立，無目，ぜん板，額縁，水切り板	1.6
出入口	枠類	一般部分	1.6
		くつずり	1.5
	戸	かまち，鏡板，表面板	1.6
		力骨	2.3
		中骨	1.6
	その他	額縁，添え枠	1.6
補強板の類			2.3 以上

【問 21】 ○ 排煙窓の手動開放装置の操作部分を壁に取り付ける高さは，床面から 80 cm 以上 150 cm 以下とする。

【問 22】 × 熱線吸収板ガラスは，板ガラスに鉄，ニッケル，コバルト等の金属成分を微量添加したガラスで，冷房負荷の軽減の効果が高い。

【問 23】 ○ Low-E（Low Emissivity（低い放射率））複層ガラスは，中空層側のガラス面に特殊金属をコーティングしたもので，日射制御機能と高い断熱性を兼ね備えたガラスである。複層ガラスは，2 枚以上のガラス同士を「中空層」と呼ばれる空間を隔てた構成となっており，熱が伝わりにくいため，結露の発生を抑える。

【問 24】 ○ 型板ガラスは，ロールアウト製法（模様付きのロールと模様なしのロールの間にガラスの溶解生地を通して模様をつける製法で，ローラーとローラーの間をガラスが通る為，ガラスに模様がつく。）により，ロールに彫刻された型模様をガラス面に熱間転写して製造された，片面に型模様のある板ガラスである。

【問25】× 熱線反射ガラスは，日射熱の遮蔽を主目的とし，ガラスの片側の表面に熱線反射性の薄膜を形成したガラスである。また冷房負荷の低減効果が得られる。

（金属工事）

【問26】○ 鋼は，ある特定の温度以上まで加熱した後，急冷する焼入れ処理により硬くなり，強度が増加する。一方で炭素量が増加すると，引張強さは増加するが，伸びやじん性が低下する。

【問27】× SUS304は，クロムを18％，ニッケルを8％含むオーステナイト系ステンレス鋼の代表的な材料であり，耐食性，加工性，溶接性，耐熱性など多くの優れた特性を備えている。
SUS430は18％のクロムを含むフェライト系ステンレス鋼の代表的な材料であり，耐食性がSUS304に比べやや劣りますが，加工性にも優れてコストも安い。強い磁性を持っているSUS430と違って，SUS304は磁性を持っていないため，磁石に吸着するかどうかで判別できる。

【問28】○ 銅の熱伝導率は100℃で395 W/m・K，鋼は，100℃で，16.5〜48.5 W/m・Kとなる。

【問29】× アルミニウムの線膨張係数は，23.9（×10⁻⁶/℃），鋼（純鉄）は11.7（×10⁻⁶/℃）となり，約2倍である。

【問30】× 鉛は，酸その他の薬液に対する抵抗性やX線遮断効果が大きいが，耐アルカリ性には劣る。

（内装工事）

【問31】× 屋内の天井のふところが1,500 mm以上ある場合，縦横間隔1,800 mm程度に，軽量鋼製形材の補強用部材を用いて吊ボルト（外径9 mm）の振れ止め補強を行う。

【問32】× 勾配屋根における吊り材は，勾配をもつ屋根面に対して鉛直方向に設置する。（下図参照）

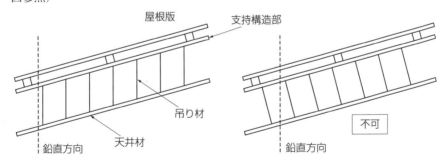

【問33】× スタッドは，上部ランナーの上端とスタッド天端との隙間が10 mm以下となるように切断する。

【問34】○ 振れ止めは，床ランナーの下端から間隔約1,200 mmごとに取り付ける。したがって上下のランナーの間隔が3 mの場合，軽量鉄骨壁下地に取り付ける振れ止めの段数は，2段となる。なお振れ止めが上部ランナーの上端から400 mm以内に位置する場合は取付けを省略することができる。

【問 35】○　スタッドの建込み間隔の精度は，通常の天井高さでは±5 mm とする。またスタッドの垂直精度は±2 mm とする。

【問 36】×　強化せっこうボードは，芯材のせっこうに無機質繊維（石綿を除く）等を混入したもので，性能項目として耐衝撃性や耐火炎性等が規定されている。両面のボード用原紙と芯材のせっこうに防水処理を施したものは，シージングせっこうボードである。

【問 37】×　ゴム床タイルは，天然ゴムや合成ゴムを主原料とした床タイルで，独自の歩行感を有し，耐油性には劣る。

【問 38】×　防湿層のない土間コンクリートや湯沸室の床等，水や湿気の影響を受けやすい箇所の張付けに用いる接着剤は，防水性に優れたエポキシ樹脂系やウレタン樹脂系接着剤を用いる。

【問 39】×　コーティング工法は，エポキシ樹脂等に，着色材等の添加剤を配合した低粘度の液体を塗布する工法で，軽歩行・軽作業用途の防塵床によく用いられる工法である。コーティング工法のベースコートは，ローラーあるいはスプレーにより1～2回塗布をする。

【問 40】×　ドリリングタッピンねじの留付け位置は，縁の破損を避けるため，ボードの端部から 10 mm 程度内側とする。

【問 41】○　軽量鉄骨壁下地にボードを直接張り付ける場合，ドリリングタッピンねじの留付け間隔は，中間部 300 mm 程度，周辺部 200 mm 程度とする。

（塗装工事）

【問 42】○　合成樹脂エマルションペイントは，水と樹脂粒子が融合（溶け合って一体化）するのではなく，水中に分散されていた樹脂粒子が水分の蒸発とともに接近して融合し，塗膜を形成する塗料である。モルタル面，せっこうボード面に適しているが，金属面には適していない。

【問 43】○　合成樹脂調合ペイントは，溶剤の蒸発とともに油分の酸化重合が進み，硬化乾燥して塗膜を形成する塗料である。木部面に適しているが，モルタル面には適していない。

【問 44】○　塗装工事では，気温が 5℃ 以下または湿度が 85% 以上の時は，原則，塗装は行わない。

【問 45】○　亜鉛めっき鋼面の常温乾燥形ふっ素樹脂エナメル塗りにおいて，下塗りに変性エポキシ樹脂プライマーを使用する。

【問 46】×　屋外の木質系素地面の木材保護塗料塗りでは，塗料は希釈せず原液を使用する。

【問 47】×　2液形ポリウレタンエナメル塗りにおいて，気温が 20℃ の標準工程間隔時間のとき，下塗りおよび中塗りの工程間隔時間は 16 時間以上 7 日以内とする。

（断熱工事）

【問 48】×　硬質ウレタンフォーム吹付け工法において，ウレタンフォームは自己接着性が大きく，接着剤は不要である。

【問 49】×　硬質ウレタンフォーム吹付け工法において，冷蔵倉庫のように断熱層が特に厚い場合，1日の最大吹付け厚さは 80 mm を超えないものとする。

【問50】× 硬質ウレタンフォーム吹付け工法において，断熱材の吹付け厚さが30 mm以上の箇所は多層吹きとし，1層の厚さは各々30 mm以下とする。したがって吹付け厚さが50 mmの場合，1回で吹き付けることはできない。

【問51】× 壁体等の固体や静止流体の内部を熱が伝わる現象を熱伝導という。熱の伝わりやすさは物質により差異があり，熱伝導のしやすさを表す物理量を熱伝導率と定義され，単位は［W/(m・K)］で表される。壁体の含湿率が増加すると，その壁体の熱伝導率は大きくなる。

(外壁工事（カーテンウォール）)

【問52】× 耐火性能が要求される間仕切り壁等の伸縮目地には，変形に追随できるように，耐火目地材を充填し，表面にシーリングを施工する。

【問53】× 外壁パネルと間仕切壁パネルの取合い部は，地震時等に躯体の変形によってパネルが損傷しないよう，10～20 mm程度の伸縮目地を設ける必要がある。

【問54】× 縦張り工法のパネルは，層間変形に対してロッキングにより追従するため，縦目地を10 mm以上，横目地を15 mm以上とする。

【問55】○ パネルに欠込みする場合，欠込み限度はパネル幅の1/2以下かつ300 mm以下とする。したがって，幅600 mmのパネルへの欠込みは，欠込み幅を300 mm以下としなければばらない。

【問56】× 横張り工法のパネルは，積上げ枚数3枚以内ごとに構造体に固定した自重受け金物で受ける。

第10章 章末問題 解答・解説

(電気設備工事)

【問1】× 大型の動力機器が多数使用される場合の配電方式には，三相3線式200 Vや三相4線式400 Vが多く用いられる。単相2線式100 Vは一般住宅に多く用いられる。

【問2】× ビニル電線（IV）は屋内配線用のビニル絶縁電線であり，地中電線路（地中埋設電線）に使用してはならない。

【問3】× 電圧の種別で低圧とは，直流にあっては750 V以下，交流にあっては600 V以下のものをいう。

(下表参照)

	低圧	高圧	特別高圧
直流	750 V以下	750 V超え 7000 V以下	7000 V超え
交流	600 V以下	600 V超え 7000 V以下	7000 V超え

【問4】× 合成樹脂製可とう電線管のうちPF管は，自己消火性があり，屋内隠ぺい配管に用いることができる。

【問5】× 危険物の貯蔵量が指定数量の10倍以上を貯蔵する倉庫に限り，建築物の高さにかかわらず，原則として，消防法に定める避雷設備を設けなければならない。ただし，周

囲の状況のよって安全上支障がない場合においてはこの限りではない。

【問6】× 原則として，建築基準法に基づき避雷設備を設けなければならないのは，高さが20mを超える建築物と定められている。

【問7】○ 受照面の単位面積当たりの入射光束をいい，単位はlx（ルクス）である。1 m^{2}の面に1ルーメンの光束が均等に照らした場合が1ルクスとなる。

(給排水衛生設備工事)

【問8】○ 高置水槽方式は，一度受水槽に貯まった水を揚水ポンプで建物高所の高置水槽に送り，高置水槽からは重力によって各所に給水する方式である。一度に大量の水を使用する中高層建築物でよくみられる給水方式であり，災害時などで水道局からの水が止まってしまったときでも，貯水槽に貯まっている分の水は給水できる。

【問9】× ポンプ直送方式は，建物の下層に設けられている受水槽を介して，ポンプの圧送力を持って上階へと水を供給する方式，各所に給水する方式である。なお水道本管から分岐した水道引込み管にポンプ（増圧給水装置）を直結して各所に給水する方式は，水道直結増圧方式である。

【問10】○ 給水管内の水の流れを急閉したときに生ずる騒音や振動をウォーターハンマーといい，エアチャンバーは，この水撃圧を吸収するための装置である。

【問11】○ 通気管は，排水系統内の排水や空気の流動を円滑にし，管内の気圧変動を最小限にとどめ，サイホン作用によるトラップの封水切れを防止するためのものである。

【問12】× 閉鎖型ヘッドを用いる湿式スプリンクラー消火設備は，火災による煙でなく熱を感知したスプリンクラーヘッドが自動的に開き，散水して消火するものである。

【問13】○ 屋内消火栓設備は，建物の内部に設置し，人がノズルを手に持ち，火点に向けてノズルより注水を行い，冷却作用により消火するものである。消防隊だけでなく一般人でも使用可能な消火設備で初期消火にも有効。

【問14】○ 不活性ガス消火設備は，二酸化炭素等の消火剤を放出することにより，酸素濃度の希釈作用や気化するときの熱吸収による冷却作用により消火するものである。水漏れを避けたい電気室や博物館の収蔵庫に適している。

【問15】○ 連結散水設備は，地下街や建物の地下階等，火災が発生すると煙が充満して消火活動が困難な場所に散水ヘッドを設置し，地上階の連結送水口を通じて消防車から送水して消火する設備である。

【問16】× 泡消火設備は，泡状の消火剤で表面を覆い，冷却作用，窒息作用により消火するもので，特に引火点の低い油類による火災の消火に適し，駐車場や航空地の格納庫等に用いられる。泡消火設備は水を含むため電気室には適していない。

(空気調和設備工事)

【問17】× 単一ダクト方式におけるCAV（定風量）方式は，空調の送風温度を制御し，ダクトにより各室に常時一定風量で送風する方式である。この方式では，インテリアゾーンやペリメータゾーン等，各ゾーンや各室ごとの負荷変動に応じて吹出し風量を変化できない。負荷変動に対して風量を変える方式は，VAV（可変風量）方式である。

【問 18】× ファンコイルユニット方式は，中央機械室に設置した空調機で冷水と温水を各室のファンコイルユニットに送り，送風する方式である。冷水管および温水管をそれぞれ設置し，各ユニットや系統ごとに選択，制御して冷暖房を行う方式は4管式である。2管式はコイルが1台しかなく，暖房期・冷房期で冷温水を切り替えて使用される。4管式は，2管式と比較して系統ごとの冷暖房同時運転が可能で，室内環境の制御性に優れている方式である。

【問 19】× 室内の効率的な換気は，給気口から排気口に至る換気経路を長くするほうがより多くの汚染空気を換気できる。

【問 20】× 中央管理方式の空気調和設備を設ける場合，室内空気の一酸化炭素の濃度は，6 ppm以下となるようにする。

【問 21】○ 中央管理方式の空気調和設備を設ける場合，室内空気の浮遊粉塵の量は，0.15 mg/m³以下となるようにする。（問23の解答の表を参照）

【問 22】○ 換気量をその室の容積で割った値を換気回数という。したがって，換気量が一定の場合，室容積が小さいほど換気回数は多くなる。

【問 23】× 厚生労働大臣が定める「空気調和設備等の維持管理及び清掃等に係る技術上の基準（厚生労働省）」において室内空気の二酸化炭素の濃度は，0.1％（1,000 ppm）以下となる。

その他の基準は下記（空気調和設備等の維持管理及び清掃等に係る技術上の基準）参照

ア	浮遊粉じんの量	0.15 mg/m³ 以下
イ	一酸化炭素の含有率	100万分の6以下（＝6 ppm以下）※特例に関する規定は廃止。
ウ	二酸化炭素の含有率	100万分の1000以下（＝1000 ppm以下）
エ	温度	(1) 18℃ 以上 28℃ 以下 (2) 居室における温度を外気の温度より低くする場合は，その差を著しくしないこと。
オ	相対湿度	40％ 以上 70％ 以下
カ	気流	0.5 m/秒以下
キ	ホルムアルデヒドの量	0.1 mg/m³ 以下（＝0.08 ppm以下）

【問 24】○ 第3種機械換気方式は，自然給気と排気機による換気方式で，室内で発生した汚染物質が他室に漏れてはならない室に適しており，厨房や浴室，便所などに用いられる。

(昇降機設備工事)

【問 25】○ 建築基準法施行令129条の6に，「最大定員（積載荷重を第129条の5第2項の表に定める数値とし，重力加速度を9.8メートル毎秒毎秒とし，1人当たりの体重を65キログラムとして計算した定員をいう。以下この節において同じ。）を明示した標識

をかご内の見やすい場所に掲示すること。」と記載されている。

【問26】× 下表のとおり，エスカレーターの勾配が8度を超え30度の踏段の定格速度は，毎分45m以下とする。

エスカレーターの勾配に応じた定格速度（平成12年建設省告示第1417号第2項）

勾配		定格速度	備考
8度以下		50 m/min 以下	
8度を超え30度以下	15度以下で踏段が水平でないもの	45 m/min 以下	動く歩道
	15度以下で踏段が水平なもの		エスカレーター
30度を超え35度以下		30 m/min 以下	

その他，エスカレーターの構造は，建築基準法施行令第129条の12で次のように規定されている。（一部抜粋）

一　国土交通大臣が定めるところにより，通常の使用状態において人又は物が挟まれ，又は障害物に衝突することがないようにすること。

二　勾配は，30度以下とすること。（ただし，高さ6m以下のエスカレーターに対しては，勾配35度以下）

三　踏段の両側に手すりを設け，手すりの上端部が踏段と同一方向に同一速度で連動するようにすること。

四　踏段の幅は，1.1m以下とし，踏段の端から当該踏段の端の側にある手すりの上端部の中心までの水平距離は，25cm以下とすること。

五　踏段の定格速度は，50m以下の範囲内において，エスカレーターの勾配に応じ国土交通大臣が定める毎分の速度（平成12年建設省告示第1417号第2項）以下とすること。

六　地震その他の震動によって脱落するおそれがないものとして，国土交通大臣が定めた構造方法を用いるもの又は国土交通大臣の認定を受けたものとすること。

【問27】× 火災時管制運転は，火災発生時にエレベーターを避難階に帰着させる機能である。また，エレベーターを最寄階に停止させる機能は，地震時管制運転である。

【問28】○ 非常用エレベーターは，万が一の災害時において消防隊が消火作業や救出活動を行うことを目的として設置されているもので，火災や地震などの非常時でもエレベーター内の専用パネルで操作可能で，ドアを開いたままでも動かすことが可能である。

【問29】○ 建築基準法施行令129条の7に，「出入口の床先とかごの床先との水平距離は，4cm以下とし，乗用エレベーターおよび寝台用エレベーターにあっては，かごの床先と昇降路壁との水平距離は，12.5cm以下とすること。」と記載されている。

索　引

あ
アークエアーガウジング……142
アースドリル工法…………66
ISO14000シリーズ…………26
ISO9000シリーズ…………17
アイランド工法……………59
あき……………………………76
アスファルト防水…………150
圧送……………………………93
孔あけ加工…………………117
あばら筋（スターラップ）……74
アリダード……………………31
アンカーセット……………105
アンカーフレーム…………105
アンカーボルト……………132
安全衛生計画………………14
安全衛生管理………………21
安全施工サイクル…………22
安全ブロック………………133

い
EPS…………………………196
異形棒鋼……………………74
維持・管理……………………2
意匠図…………………………3
一般競争入札…………………8

う
ウェルポイント工法………61
請負方式………………………9
薄肉PCa版……………………83
打込み型枠……………………83
内断熱………………………183
埋め込み工法………………65

え
エフロレッセンス…………165
LCL……………………………16
エレクトロスラグ溶接……120

お
OAフロア……………………177
オープンケーソン工法……67
オールケーシング工法……66
帯筋（フープ）………………74
親杭……………………………60
親杭横矢板工法……………60

か
開口補強筋…………………75
開先加工……………………116
改質アスファルトシート
　トーチ工法………………151
介錯ロープ…………………133
回転圧入工法………………66
外部足場……………………50
欠け……………………………98
かご足場……………………131
重ね継手……………………77
瑕疵……………………………17
瑕疵契約不適合責任期間……10
瑕疵担保責任期間…………17
ガス圧接継手………………79
ガスケット…………………172
ガスシールドアーク溶接……120
仮設計画……………………14
仮設ブレース………………130
片流れ………………………94
型枠……………………………83
型枠工事……………………72
かぶり厚さ…………………77
壁式構造……………………72
釜場排水工法………………61
仮囲い………………………47
仮ボルト……………………135
環境管理……………………24
完全溶込み溶接……………122

き
管理図………………………16
機械式継手…………………77
企画・計画……………………2
企画者…………………………3
危険予知ミーティング……22
起工式…………………………29
既製杭………………………65
木づち………………………96
QC7つ道具…………………15
キュービクル………………196
境界表示プレート…………29
許容支持力…………………64
供試体………………………89
競争入札………………………8
競争入札方式…………………8
共通仮設工事………………46
共同請負……………………10
協力業者………………………4

く
杭地業………………………64
空調・衛生設備工事………73
組立て溶接…………………119
クリティカル・パス………20
黒皮…………………………117

け
契約時見積……………………11
契約不適合…………………17
軽量コンクリート…………91
ケーソン……………………67
けがき………………………115
結合点…………………………20
原位置試験…………………30
原価管理……………………18
現寸…………………………113
原寸図………………………113

建設副産物……………………24
建築生産の仕組み………………2
現場経費…………………………18
現場説明書………………………3
現場組織…………………………32

こ
工作図……………………………112
工事請負契約……………………10
工事監理…………………………11
工事管理…………………………11
工事監理者………………………3
工事原価…………………………18
工事事務所………………………47
工事用水…………………………48
構真柱……………………………60
構造図……………………………3
構造用鋼材………………………109
工程計画…………………………14
工法計画…………………………14
公募型指名………………………8
高力ボルト………………………110
鋼矢板工法（シートパイル）…60
コールドジョイント……………98
固定埋込み工法…………………105
コンクリート型枠用合板………83
コンクリート工事………………72
コンクリートポンプ……………93
コンストラクション・マネ
　ジメント方式…………………4

さ
サイクル工程……………………20
サウンディング…………………30
逆打ち工法………………………60
作業主任者………………………23
サブコン…………………………4
サブマージアーク溶接…………120
産業空調…………………………199
サンドドレーン工法……………67
散布図……………………………16

し
シート防水………………………151
シェル構造………………………72
地業………………………………64
支持地盤…………………………64
止水工法…………………………61
システム天井……………………176
事前調査…………………………27
下小屋……………………………48
シックハウス症候群……………174
実行予算……………………11, 18
湿潤養生…………………………95
実費精算請負……………………9
地盤アンカー工法………………59
地盤改良地業……………………67
地盤調査…………………………29
支保工……………………………84
指名競争入札……………………8
締固め……………………………94
シヤカッター……………………79
砂利地業…………………………64
ジャンカ…………………………98
昇降タラップ……………………131
シュート…………………………93
従来型一般競争入札……………8
従来型指名………………………8
主筋………………………………74
受注時見積………………………11
仕様書……………………………3
所要数量…………………………11
所要日数…………………………20
深礎工法…………………………66

す
随意契約…………………………8
水平親綱…………………………131
水平切梁工法……………………59
スカラップ………………………116
捨てコンクリート地業…………64
スパッター………………………122
スペーサー…………………76, 80
すべり係数………………………117
隅肉溶接…………………………122
スラグ……………………………120

せ
製作要領書………………………108
積算……………………………2, 11
施工………………………………2
施工管理の5大要点……………14
施工計画…………………………14
施工者……………………………3
施主………………………………3
設計者……………………………3
設計数量…………………………11
設計施工一貫方式………………4
設計図書…………………………3
設計見積…………………………11
切断・切削加工…………………115
設備図……………………………3
ゼネコン…………………………4
セパレータ………………………84

そ
ソイルセメント柱列壁工法……60
総合請負…………………………9
総合仮設計画図…………………46
層別………………………………15
側圧………………………………83
外断熱……………………………183
存置期間…………………………89

た
ターンキー方式…………………4
台直し……………………………106
打撃工法…………………………65
建入れ直し……………133, 136
ダミー……………………………20
単位作業…………………………20
単価請負…………………………9
単管足場…………………………50
単独請負…………………………9

ち
チェックシート…………………16
中性化……………………………91
超音波探傷検査…………………123
調合………………………………91
直営方式…………………………9

索引

直接仮設工事……………46
直接工事費………………18
直接地業…………………64

つ
継手………………………77
吊棚足場…………………131

て
提案型一般競争入札………8
提案型指名…………………8
ディープウェル工法………61
定額請負……………………9
定着…………………………78
定着長さ……………………78
出来高予定曲線……………18
鉄筋工事……………………72
鉄骨建方………………103, 128
電気室……………………196
電気設備工事………………73
天端均し……………………95

と
統括安全衛生責任者………21
統括管理……………………21
導入張力の確認試験………139
トータルステーション（光波測距儀）……………32
特性要因図…………………15
特命方式……………………8
独立基礎……………………64
床付け面……………………64
塗膜防水…………………151
トランシット………………31
トルク係数値……………138
トルクレンチ……………139
トルシア形高力ボルト……138

な
内部足場……………………50
中堀工法……………………65

に
逃げ墨……………………159
ニューマチックケーソン工法…67

ぬ
布基礎………………………64

ね
ネットワーク工程表………19
根巻き………………………88

の
法付けオープンカット工法……58
ノンワーキングジョイント……152

は
バーチャート工程表………19
バーベンダー………………79
排水工法……………………61
配置図………………………3
バイブロフローテーション工法……67
配力筋………………………75
箱抜き……………………106
箱抜き工法………………106
バケット……………………93
場所打ちコンクリート杭…66
場所打ちコンクリート造…72
場所打ち鉄筋コンクリート地中壁工法……………60
発注者………………………3
発注者予算…………………11
はつり工事…………………73
パテ処理…………………176
幅止め筋……………………74
腹筋…………………………74
パレート図…………………15
盤ぶくれ現象………………62

ひ
PS…………………………197
Pコン………………………84
ヒービング現象……………62
ヒストグラム………………16
引張強度……………………74
引張接合…………………138
ひび割れ……………………91
被覆アーク溶接（アーク手溶接）…………………120

標準貫入試験………………30
ビル管理法………………199
品確法………………………17
品質計画……………………14
品質保証……………………17

ふ
ファスナー………………186
フーチング基礎……………64
普通コンクリート…………91
フック………………………79
ブラスト処理……………118
フラットスラブ構造………72
フリーアクセスフロア…177
ブリーディング……………95
プレキャストコンクリートカーテンウォール……185
プレキャストコンクリート造…72
プレボーリング工法………65
プレボーリング併用打撃工法…65
フロート……………………20
分割請負……………………9

へ
平板載荷試験………………29
平板測量……………………30
ベースモルタル…………132
べた基礎……………………64
ベンチマーク……………31, 54

ほ
ボイリング現象……………62
棒状振動機（バイブレータ）…94
防風・遮光養生……………95
補強ワイヤ………………130
ボーリング…………………30
保健空調…………………199

ま
摩擦接合……………117, 138
摩擦面の処理………115, 117
丸鋼…………………………74

み
水湿し………………………93
見積…………………………2

見積合わせ方式……………………8
ミルシート……………78, 109
ミルスケール………………117

め

メタルカーテンウォール……185
メタルタグ……………………78

も

木造床組……………………177
木コン…………………………84
元請……………………………4
元請け方式……………………4
モルタル薄塗り工法…………160

や

薬液注入工法…………………67

役物…………………………164
山留め壁オープンカット工法…58

ゆ

UT検査………………………123
UCL……………………………16

よ

養生……………………………95
溶接技術者…………………121
溶接技能者…………………121
溶接継手………………77, 122
溶接継目……………………122
溶接ビード…………………121
横流れ…………………………94
横矢板…………………………60

余裕日数………………………20

ら

ラーメン構造…………………72

り

リバースサーキュレーション
工法…………………………66

れ

レディーミクストコンクリート
………………………………92
連続基礎………………………64

わ

ワーキングジョイント………152
枠組足場………………………51
割栗地業………………………64

引用・参考文献

1) 内田祥哉，深尾精一ほか，「鉄筋コンクリート造図解建築工事の進め方」，市ヶ谷出版社
2) 藤本盛久，大野隆司ほか，「鉄骨造図解建築工事の進め方」，市ヶ谷出版社
3) 日本建築学会，「建築工事標準仕様書・同解説5鉄筋コンクリート工事」，日本建築学会
4) 日本建築学会，「建築工事標準仕様書・同解説6鉄骨工事」，日本建築学会
5) 日本建築学会，「鉄骨工事技術指針（工場製作編）」，日本建築学会
6) 日本建築学会，「鉄骨工事技術指針（工事現場施工編）」，日本建築学会
7) 日本建築学会，「鉄骨精度測定指針」，日本建築学会

初学者の建築講座　建築施工〈第四版〉

　監　修　　長澤　泰　　Yasushi NAGASAWA
　　　　　　1968 年　東京大学工学部建築学科卒業
　　　　　　1978 年　北ロンドン工科大学大学院修了
　　　　　　1994 年　東京大学工学系研究科建築学専攻 教授
　　　　　　2011 年　工学院大学副学長，建築学部長
　　　　　　現　在　東京大学名誉教授，工学院大学名誉教授，
　　　　　　　　　　工学博士

第四版編修委員会
[著者・編修委員長]
　　　　　　　　　角田　誠　　Makoto TSUNODA
　　　　　　　　　1983 年　東京都立大学工学部建築工学科卒業
　　　　　　　　　現　在　東京都立大学教授，博士(工学)

[編修執筆主査]　萩原　浩（㈱熊谷組　関西支店建築事業部）

[編修執筆委員]　荒籾稔，飯島宣章，勝俣貴之，濱田裕史
　　　　　　　　（以上，㈱熊谷組　建築事業本部）
　　　　　　　　藤川将登，水口瑛絵
　　　　　　　　（以上，㈱熊谷組　関西支店建築事業部）

[旧著者]　　　中澤明夫，砂田武則

初学者の建築講座　建築施工〈第四版〉

2003年10月25日　初　版　発　行
2010年 9月24日　改　訂　版　発　行
2016年 1月20日　第　三　版　発　行
2025年 2月14日　第　四　版　印　刷
2025年 2月25日　第　四　版　発　行

　監　修　長　澤　　　泰
　著　者　角　田　　　誠
　発行者　澤　崎　明　治
　　　　　印刷／製本　大日本法令印刷㈱

発行所　株式会社市ヶ谷出版社
　　　　東京都千代田区五番町 5
　　　　電話　03-3265-3711（代）
　　　　FAX　03-3265-4008
　　　　http://www.ichigayashuppan.co.jp

ⓒ 2025　　　　ISBN978-4-86797-021-8

初学者の建築講座 編修委員会

〔編修委員長〕　　　長澤　　泰（東京大学名誉教授，工学院大学名誉教授）
　　　　　　　　　　大野　隆司（東京工芸大学 名誉教授　故人）
〔編修副委員長〕　　倉渕　　隆（東京理科大学 教授）
〔編修・執筆委員〕(50音順)

　　安孫子義彦（株式会社ジエス 顧問）　　　　　鈴木　信弘（神奈川大学 教授）
　　五十嵐太郎（東北大学 教授）　　　　　　　　鈴木　利美（鎌倉女子大学 教授）
　　大塚　貴弘（名城大学 准教授）　　　　　　　鈴木　洋子（鈴木アトリエ 共同主宰）
　　大塚　雅之（関東学院大学 教授）　　　　　　瀬川　康秀（アーキショップ 代表）
　　川北　　英（京都建築大学校 学校長）　　　　角田　　誠（東京都立大学 教授）
　　河村　春美（河村建築事務所 代表）　　　　　戸高　太郎（京都美術工芸大学 教授）
　　岸野　浩太（夢・建築工房 代表取締役）　　　中澤　明夫（アルマチュール研究所）
　　橘高　義典（東京都立大学 名誉教授）　　　　中村　成春（大阪工業大学 教授）
　　小山　明男（明治大学 教授）　　　　　　　　萩原　　浩（熊谷組）
　　齊藤　広子（横浜市立大学 教授）　　　　　　藤田　香織（東京大学 教授）
　　坂田　弘安（東京科学大学 教授）　　　　　　宮下　真一（東京科学大学 副学長）
　　佐藤　　勉（駒沢女子大学 教授）　　　　　　元結正次郎（東京工業大学 名誉教授）
　　佐藤　考一（金沢工業大学 教授）　　　　　　山田　俊之（日本工学院専門学校）

〔初学者の建築講座〕

- **建築計画**(第三版)
  佐藤考一・五十嵐太郎 著
  B5判・200頁・本体価格2,800円
- **建築構造**(第四版)
  元結正次郎・坂田弘安・藤田香織・
  日浦賢治 著
  B5判・192頁・本体価格3,000円
- **建築構造力学**(第三版)
  元結正次郎・大塚貴弘 著
  B5判・184頁・本体価格2,800円
- **建築施工**(第四版)
  角田　誠 編著
  B5判・208頁・本体価格3,000円
- **建築製図**(第三版)
  瀬川康秀 著，大野隆司 監修
  A4判・152頁・本体価格2,700円
- **建築家が使うスケッチ手法**
  ―自己表現・実現のためのスケッチ戦略―
  川北　英 著
  A4判・176頁・本体価格2,800円
- **建築インテリア**
  佐藤勉・山田俊之 著，長澤泰・倉渕隆 専門監修
  B5判・168頁・本体価格2,800円

- **建築法規**(第五版)
  河村春美・鈴木洋子 著
  塚田市朗 専門監修
  B5判・280頁・本体価格3,000円
- **建築設備**(第五版)
  大塚雅之 著，安孫子義彦 専門監修
  B5判・216頁・本体価格3,000円
- **建築環境工学**(第四版)
  倉渕　隆 著，安孫子義彦 専門監修
  B5判・208頁・本体価格3,000円
- **建築材料**(第三版)
  橘高義典・小山明男・中村成春 著
  B5判・224頁・本体価格3,000円
- **建築構造設計**(第二版)
  宮下真一・藤田香織 著
  B5判・216頁・本体価格3,000円
- **住宅の設計**(第二版)
  鈴木信弘 編著
  戸高太郎・岸野浩太・鈴木利美 著
  A4判・120頁・本体価格3,000円
- **建築のための不動産学**
  齊藤 広子 編著
  大島祥子・加藤悠介・関川華・山根聡子 著
  B5判・204頁・本体価格3,000円